inmediata

ME LLAMO

RIGOBERTA MENCHÚ

Y ASÍ ME NACIÓ LA CONCIENCIA

por
ELIZABETH BURGOS

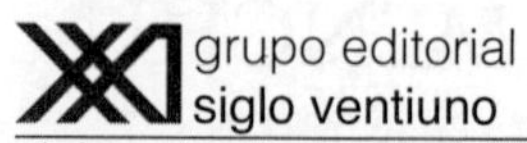

grupo editorial
siglo ventiuno

siglo xxi editores, méxico
CERRO DEL AGUA 248, ROMERO DE TERREROS,
04310, MÉXICO, DF
www.sigloxxieditores.com.mx

siglo xxi editores, argentina
GUATEMALA 4824, C 1425 BUP
BUENOS AIRES, ARGENTINA
www.sigloxxieditores.com.ar

salto de página
ALMAGRO 38, 28010,
MADRID, ESPAÑA
www.saltodepagina.com

biblioteca nueva
ALMAGRO 38, 28010
MADRID ESPAÑA
www.bibliotecanueva.es

anthropos
DIPUTACIÓN 266, BAJOS,
08007 BARCELONA, ESPAÑA
www.anthropos-editorial.com

portada de anhelo hernández

primera edición, 1985
vigesimoprimera reimpresión, 2013

isbn 978-968-23-1315-8

impreso y hecho en méxico/printed and made in mexico

impreso en litográfica ingramex, s.a. de c.v.
centeno 162-1
col. granjas esmeralda
méxico, d.f. cp. 09810

ÍNDICE

A Alaide Foppa,
que amaba la pintura y era poeta.
Desapareció en Ciudad Guatemala
en diciembre de 1980.

Agradecimiento a:

Helena Araujo, Juan Gelman, Ugné Karvelis, Jerónimo Pérez Rescanière, Francisca Ribas, Arturo Taracena, Carol Prunhuber, Nicole Revel-Mac-Donald, Marie Tremblay.

Para los términos, siglas y topónimos incluidos en el texto, véase Léxico al final del libro.

INTRODUCCIÓN

Rigoberta Menchú pertenece a la etnia Quiché, que es una de las 22 etnias que pueblan Guatemala. Rigoberta tiene apenas 23 años, y aprendió el español hace solamente tres años, de ahí que a veces su frase parezca incorrecta; sobre todo en lo que concierne al empleo de los tiempos verbales, y al de las preposiciones. El no haber transformado o "corregido" su forma de expresarse fue debido a una decisión de mi parte. Decidí respetar la ingenuidad con la que se expresa todo el que acaba de aprender un idioma que no es el suyo. Porque además el aprendizaje del español es una de las dimensiones del problema que enfrentan los indígenas en nuestro continente.

A pesar de su corta edad Rigoberta tiene mucho que contar porque su vida, como lo dice ella misma, es la vida de todo un pueblo. Pero es también la historia de la colonización todavía vigente con sus secuelas de violencia y de opresión.

Es la historia de los más humillados entre los humillados. Pero Rigoberta no sólo nos cuenta sus sufrimientos y los de su pueblo, sino que también hace gala de un orgullo discreto para hacernos conocer su cultura milenaria, que nos describe minuciosamente cuando nos cuenta las ceremonias del nacimiento, del matrimonio, de las siembras. Muchos me aconsejaron eliminar del libro esa parte descriptiva, porque podía parecer demasiado larga al lector y podía hacerle perder el hilo de la historia. No obedecí esos consejos porque sentí que hacerlo significaba traicionar a Rigoberta. Todavía tengo el recuerdo del tono de su voz, del brillo de sus ojos que mostraban su orgullo cuando a través de esas descripciones minuciosas ella quería hacerme comprender, y hacer comprender al mundo, que ella también era poseedora de una cultura, y de una cultura milenaria, y que si ella luchaba era para salir de la miseria y de una vida de sufrimientos, pero también para que su cultura fuera reconocida y aceptada como cualquier otra.

En América Latina, los que somos culturalmente blancos denunciamos con facilidad —y con razón— al imperialismo norteamericano, pero nunca nos preocupó, salvo algunas excepciones, denunciar el colonialismo interno. Rigoberta lucha a la vez contra los dos, convirtiéndose así en sujeto de la historia. El enfrentamiento, postergado desde casi cinco siglos, está hoy a la orden del día. La lucha que hará estremecer al continente en la década que se avecina será la emergencia del hombre americano autóctono a recuperar el poder y el lugar que le corresponde por derecho en las instancias del estado. Guatemala será una nación el día en que el poder sea compartido proporcionalmente a la población que existe, y los indígenas constituyen la mayoría de la población. Hasta ahora la situación de Guatemala es muy parecida a la de África del Sur en donde una minoría de blancos tiene todo el poder sobre la mayoría negra. La lucha de los indios de América es compleja, porque es a la vez una lucha contra el imperialismo que azota América Latina, pero la dimensión cultural y étnica es también un móvil principal. No se trata de pregonar guerras racistas, y está en nosotros, los que pertenecemos culturalmente a la población blanca del continente, comprender las reivindicaciones específicas de las poblaciones indígenas, y no conformarnos con definiciones reduccionistas de clase, que sí llevarían a los indígenas a encerrarse aún más en una posición defensiva que puede llevar a enfrentamientos de tipo racial. La lucha de los pobladores autóctonos de nuestro continente, contra el colonialismo interno y el externo, será la que librará definitivamente de los males que nos acosan y de los obstáculos que se oponen a nuestro desarrollo y por ello debemos sumarnos a ella.

PRÓLOGO

Este libro es el relato de la vida de Rigoberta Menchú, india quiché, una de las etnias más importantes de las veintidós existentes en Guatemala. Nació en la pequeña aldea de Chimel, situada en San Miguel de Uspantán, en el departamento de El Quiché, al noroeste del país.

Rigoberta Menchú tiene veintitrés años. Se expresó en español, lengua que domina desde hace sólo tres años. La historia de su vida es más un testimonio sobre la historia contemporánea que sobre la de Guatemala. Por ello es ejemplar, puesto que encarna la vida de todos los indios del continente americano. Lo que ella dice a propósito de su vida, de su relación con la naturaleza, de la vida, la muerte, la comunidad, lo encontramos igualmente entre los indios norteamericanos, los de América central y los de Sudamérica. Por otro lado, la discriminación cultural que sufre es la misma que padecen todos los indios del continente desde su descubrimiento. Por la boca de Rigoberta Menchú se expresan actualmente los vencidos de la conquista española. Hay en este testigo de excepción, superviviente del genocidio del que han sido víctimas su comunidad y su familia, una voluntad feroz de romper el silencio, de hacer cesar el olvido para enfrentarse a la empresa de muerte de la que su pueblo es víctima. La palabra es su única arma: por eso se decide a aprender español, saliendo así del enclaustramiento lingüístico en el que los indios se han parapetado voluntariamente para preservar su cultura.

Rigoberta aprendió la lengua del opresor para utilizarla contra él. Para ella, apoderarse del idioma español tiene el sentido de un acto, en la medida en que un acto hace cambiar el curso de la historia, al ser fruto de una decisión: el español, la lengua que antaño le imponían por la fuerza, se ha convertido para ella en un instrumento de lucha. Se decide a hablar para dar cuenta de la opresión que padece su pueblo desde hace casi cinco siglos, para que el sacrificio de su comunidad y de su familia no haya sido en vano. Lucha contra el olvido, y para hacernos ver lo que los latinoamericanos nos hemos negado siempre a aceptar: que si bien estamos siempre dispuestos a denunciar las relaciones de desigualdad que Norteamérica mantiene con nosotros, nunca se nos ha ocurrido reconocer que también nosotros somos opresores, y que mantenemos relaciones que fácilmente pueden calificarse de *coloniales.* Sin temor a exagerar, podemos afirmar que existe, sobre todo en los países con fuerte población india, un colonialismo interno que se ejerce en detrimento de las poblaciones autóctonas.

La facilidad con que Norteamérica ejerce su poder sobre la llamada América Latina se debe en gran parte a la complicidad que le procura la existencia de este colonialismo interno. Mientras que no haya cesado esta relación de colonialismo interno en los países de América Latina, éstos no se convertirán en naciones de pleno derecho, y serán por tanto vulnerables. Hay que escuchar la llamada de Rigoberta Menchú y dejarse guiar por esta voz tan singular que nos transmite su cadencia interna de modo tan poderoso que en ocasiones se tiene la impresión de estar oyendo su tono o sintiendo su aliento. Una voz de desgarradora belleza, pues contiene todas las facetas de la vida de un pueblo y una cultura oprimidos. Pero no todo son momentos desgarradores en el testimonio de Rigoberta Menchú. Con discreto orgullo nos invita a penetrar en su universo cultural, donde lo sagrado impregna lo cotidiano, donde el rito y la vida doméstica son todo uno, porque cada gesto tiene un objetivo determinado de antemano, cada cosa posee un sentido. En su cultura todo está previamente ordenado; por ello todo acontecimiento presente debe encontrar su explicación en el pasado, y debe ser ritualizado para integrarse en lo cotidiano, ya que lo cotidiano también es ritual. Escuchar su voz significa asimismo sumergirnos en nuestro propio interior, pues despierta en nosotros sensaciones y sentimientos que creíamos caducados, encerrados como estamos en nuestro universo inhumano y artificial. Nos trastorna porque lo que dice es sencillo y verdadero. Esta voz nos llevará hacia otro universo distinto, sobrecogedor, poético, a menudo trágico, en el que se forja el pensamiento de una gran dirigente popular. En efecto, Rigoberta Menchú, al relatar su vida, propaga al mismo tiempo el gran manifiesto de una etnia. Afirma su pertenencia a dicha etnia, pero también afirma su voluntad de subordinar su vida a un hecho central: la consagración de su vida de dirigente popular a la lucha para cambiar completamente la relación de dominación y de exclusión, propia de una situación de colonialismo interno, en la que a ella y a su pueblo se les toma en consideración únicamente cuando se utiliza su fuerza de trabajo, porque, en tanto que cultura, se les discrimina y se les rechaza. El objetivo de la lucha de Rigoberta Menchú es la modificación y destrucción de las relaciones que les unen, a ella y a su pueblo, con los *ladinos* (mestizos). Para Rigoberta Menchú no se trata en modo alguno de preconizar una lucha racial, y mucho menos de negarse a reconocer el hecho irreversible de la existencia de la población mestiza. Lo que ella exige, en cambio, es el reconocimiento de su cultura, la aceptación de su alteridad; y la parte de poder que le corresponde por derecho. Los indios, tanto en Guatemala como en algunos países de América Latina, constituyen la mayoría de la población. De hecho, existe allí una situación que, salvando las distancias, se podría emparentar con la de Sudáfrica, en donde una minoría blanca ejerce un poder absoluto sobre una mayoría negra. En otros países de América Latina en que los indios constituyen una minoría, no gozan de los derechos más elementales de que debe beneficiarse todo ser humano. Al contrario, los denominados indios de la selva son sistemáticamente aniquilados en nombre del progreso. Pero Rigoberta Menchú no conduce su lucha en nombre de un pasado mítico e idealizado, como antaño hicieron, en el curso de su historia, los indios sublevados que reivindicaban un retorno al pasado precolombino. No, en Rigoberta Menchú hay una voluntad manifiesta de ser parte activa de la historia, y en ese sentido demuestra poseer un pensamiento muy moderno. Ella y sus compañeros han dado una expresión orgánica a esta voluntad: la creación del Comité de Unidad Campesina (CUC) y su decisión de adherirse al "Frente Popular 31 de enero", fundado en enero del 81, fecha del aniversario de la masacre de un grupo de indios llegado de Quiché que habían ocupado la Embajada de España en Ciudad de Guatemala a fin de dar a conocer su suerte. A la cabeza del grupo que había ocupado la embajada se encontraba Vicente Menchú, padre de Rigoberta, convertido desde entonces en un héroe nacional para los indios guatemaltecos. Para conmemorar esta fecha, el grupo ha adoptado el nombre de "Frente Popular 31 de enero", que engloba a otras seis organizaciones de masas.

Fue en calidad de representante del Frente 31 de enero como Rigoberta Menchú vino a Europa a principios de enero de 1982, invitada por organizaciones de solidaridad; y en esta ocasión yo la conocí en París. La idea de hacer un libro contando su vida procede de una amiga canadiense que lleva a los indios guatemaltecos en el corazón y que había conocido a Rigoberta antes, en México, donde ella había ido a buscar refugio, como muchos otros indios de su país que huían de la represión. No habiendo visto nunca a Rigoberta Menchú, al principio me mostré reticente, por saber hasta qué punto la calidad de la relación entre entrevistador y entrevistado es una condición previa en esta clase de trabajo: la implicación sicológica es muy intensa y la aparición del recuerdo actualiza afectos y zonas de la memoria que se creían olvidadas para siempre, pudiendo provocar situaciones anxiógenas o de *stress*.

Desde la primera vez en que nos vimos supe que íbamos a entendernos. La admiración que su valor y su dignidad han suscitado en mí facilitó nuestras relaciones.

Llegó a mi casa una tarde de enero de 1982. Llevaba su vestido tradicional: un huipil multicolor con bordados gruesos y diversos; las formas de que constaba no se repetían simétricamente en ambos lados, y podía creerse que la elección de los bordados se había hecho al azar. Una falda (de la que más tarde supe que ella llamaba *corte*) multicolor, de tela espesa, visiblemente tejida a mano, le caía hasta los tobillos. Una franja ancha de colores muy vivos le ceñía la cintura. Le cubría la cabeza una tela fusia y roja, anudada por detrás del cuello, que ella me regaló en el momento de marcharse de París. Me dijo que había tardado tres meses en tejerla. Alrededor del cuello lucía un enorme collar de cuentas rojas y monedas antiguas de plata, al cabo del cual colgaba una cruz pesada, asimismo de plata maciza. Me acuerdo que era una noche particularmente fría: creo que incluso nevaba. Rigoberta no llevaba ni medias ni abrigo. Sus brazos asomaban desnudos de su huipil. Para protegerse del frío se había puesto una capita corta de tela, imitación de la tradicional, que apenas le llegaba a la cintura. Lo que me sorprendió a primera vista fue su sonrisa franca y casi infantil. Su cara redonda tenía forma de luna llena. Su mirada franca era la de un niño, con labios siempre dispuestos a sonreír. Despedía una asombrosa juventud. Más tarde pude darme cuenta de que aquel aire de juventud se empañaba de repente, cuando le tocaba hablar de los acontecimientos dramáticos acaecidos a su familia. En aquel momento, un sufrimiento profundo afloraba del fondo de sus ojos; perdían el brillo de la juventud para convertirse en los de una mujer madura que ya ha conocido el dolor. Lo que en principio parecía timidez no era otra cosa que una cortesía compuesta de discreción y dulzura. Sus gestos eran suaves, delicados. Según Rigoberta, los niños indios aprenden esta delicadeza desde la más tierna infancia, cuando comienzan a recoger el café: para no dañar las ramas, es preciso arrancar el grano con la mayor suavidad.

Muy rápidamente advertí su deseo de hablar y sus aptitudes para la expresión oral.

Rigoberta permaneció ocho días en París. Había venido a hospedarse en mi casa por comodidad y para aprovechar mejor su tiempo. A lo largo de esos ocho días empezábamos a grabar hacia las nueve de la mañana; después de comer, lo que hacíamos hacia la una, volvíamos a grabar hasta las seis. A menudo continuábamos después de cenar, o bien preparábamos las preguntas para el día siguiente. Al final de la entrevista yo había grabado veinticinco horas. Durante esos ocho días viví en el universo de Rigoberta. Prácticamente nos habíamos apartado de todo contacto exterior.

Nuestras relaciones fueron excelentes desde el principio, y se intensificaron al cabo de los días, a medida que me confiaba su vida, la de su familia, la de su comunidad. Día tras día se desprendía de ella una especie de seguridad, una especie de bienestar le invadía. Un día me confesó que por primera vez era capaz de dormir la noche entera sin despertarse sobresaltada, sin imaginar que el ejército había venido a detenerla.

Considero, sin embargo, que lo que hizo tan privilegiada esta relación fue el hecho de haber vivido bajo el mismo techo durante ocho días; esto contribuyó enormemente a aproximarnos. Debo decir que la casualidad puso también algo de su parte. Una amiga me había traído de Venezuela harina de maíz para hacer pan y judías negras: estos dos elementos constituyen la base de la alimentación popular venezolana, pero también de la guatemalteca. No podría describir la felicidad de Rigoberta. La mía era también grande, pues el aroma de las tortillas mientras se cocían y de las judías recalentadas me devolvieron a mi infancia venezolana, cuando las mujeres se levantaban para cocer las *arepas* del desayuno. Las *arepas* son mucho más gruesas que las *tortillas* guatemaltecas, pero el procedimiento, la cocción y los ingredientes son los mismos. Por la mañana, al levantarse, un reflejo milenario impulsaba a Rigoberta a preparar la masa y a cocer las *tortillas* para el desayuno, y lo mismo al mediodía y a la noche. Verla trabajar me producía un placer inmenso. Como por milagro, en unos segundos salían de sus manos tortillas tan delgadas como una tela y perfectamente redondas. Las mujeres a las que había observado en mi infancia, hacían las *arepas* aplastando la masa entre las palmas de las manos; Rigoberta la aplanaba golpeándola entre los dedos estirados y unidos, y pasándola de una mano a otra, lo que hacía aún más difícil dar a la tortilla la forma perfectamente redonda. El puchero de judías negras, que nos duró varios días, completaba nuestro menú diario. Por suerte yo había preparado hacía algún tiempo pimientos de cayena conservados en aceite. Rigoberta rociaba con este aceite las judías que se convertían en fuego dentro de la boca. "Nosotros no confiamos más que en los que comen lo mismo que nosotros", me dijo un día en que trataba de explicarme las relaciones de las comunidades indias con los miembros de la guerrilla. Entonces comprendí que me había ganado su confianza. Esta relación establecida oralmente demuestra que existen espacios de entendimiento y de correspondencia entre los indios blancos o mestizos: las tortillas y las judías negras nos habían acercado, ya que estos alimentos despertaban el mismo placer en nosotras, movilizaban las mismas pulsiones. En la relación entre indios y ladinos sería injusto negar que los segundos hayan tomado prestados rasgos culturales de los autóctonos. Linton ya ha señalado que ciertos rasgos de la cultura del vencido tienden a incorporarse a la del vencedor, en especial por mediación de la esclavitud de base económica y del concubinato, resultantes de la explotación de los vencidos. Los ladinos han hecho suyos múltiples rasgos culturales procedentes de la cultura autóctona: dichos rasgos forman ya parte de lo que Georges Devereux llama "el inconsciente étnico". Rasgos que, por lo demás, los mestizos latinoamericanos acentúan y reivindican para distanciarse de su cultura de origen europeo: única manera de reclamar una singularidad étnica, pues experimentan igualmente la necesidad de sentirse únicos y, para conseguirlo, deben diferenciarse de la Europa que les ha legado su visión del mundo, lengua y religión. ¿Y qué otra cosa puede esgrimirse para afirmar esta singularidad que las culturas autóctonas de América? Los latinoamericanos están siempre dispuestos a asumir como suyos los grandes momentos de las culturas precolombinas, azteca, inca, maya, pero no establecen ningún nexo entre este esplendor pretérito y los indios pobres, explotados, despreciados, que les sirven como esclavos. Por otra parte, existe una iniciativa propia de los indigenistas que quieren recuperar el universo perdido de sus antepasados y separarse totalmente de la cultura de origen europeo, pero utilizando nociones y técnicas tomadas en préstamo de la cultura occidental. Por ejemplo, reivindican la idea de una nación india. Por ello el indigenismo es también un producto directo de la aculturación, definida por Georges Devereux[1] como aculturación disociativa, consistente en el deseo de resucitar el pasado por medio de técnicas tomadas de la cultura que se pretende negar, y de la que desean separarse. Un ejemplo sorprendente lo constituyen los encuentros indigenistas, con participación india, que han tenido lugar en París. Igual que los grupos vanguardistas latinoamericanos, que han practicado o practican aún la lucha armada en su país, y a los que no hay que confundir con los movimientos de resistencia a las

1 G. Devereux, *Essais d'ethnopsychanalyse complémentariste*, Ed. Flammarion, París, 1972.

dictaduras militares como por ejemplo los movimientos guerrilleros de Guatemala (asociación de familiares de desaparecidos, los innumerables grupos de oposición sindical y otros que surgen en Chile y en otros lugares, el movimiento de las madres de la plaza de Mayo en Argentina), los movimientos indigenistas necesitan también dar a conocer su lucha en París. París les sirve de caja de resonancia. Todo lo que se hace en París alcanza una repercusión mundial, incluida América Latina. De igual forma que los grupos que practican o han practicado la lucha armada en América tienen sus corresponsales europeos, que comparten su línea política, y a los que no se debe confundir con las distintas organizaciones de solidaridad apoyadas en Europa por todos los que combaten contra las dictaduras, los indios tienen también sus corresponsales europeos, entre los cuales figuran sobre todo antropólogos. De ninguna manera deben verse en estas palabras un deseo de polemizar con quien sea, ni de quitar valor a una manera de actuar determinada; se trata de una mera constatación.

La aculturación es el mecanismo propio de toda cultura; todas las culturas viven en estado de aculturación. Sin embargo, la aculturación es una cosa y la imposición de una cultura sobre otra, con objeto de aniquilarla, otra muy distinta. Yo diría que Rigoberta es un producto de aculturación logrado, puesto que las resistencias que muestra con respecto a la cultura ladina constituyen la base misma del proceso de aculturación antagonista. Al resistirse a la cultura ladina, no hace sino afirmar su deseo de singularidad étnica y el de autonomía cultural. Dicha resistencia puede ejercer a pesar de las ventajas que pueden derivarse de la adopción de una técnica perteneciente a otra cultura. Un ejemplo ilustrativo: la negativa a emplear un molino para moler el maíz, base de su alimentación. Las mujeres tienen que levantarse muy temprano para moler el maíz, previamente cocido, con ayuda de una piedra, a fin de que las tortillas estén listas a la hora de salir a trabajar al campo. Algunos exclamarán que se trata de conservadurismo, y ciertamente lo es: preservar las prácticas relacionadas con la preparación de la tortilla significa impedir el derrumbamiento de su estructura social. Las prácticas relacionadas con la cultura, la recolección y la cocción del maíz son los cimientos de la estructura social de la comunidad. Rigoberta, en cambio, al proveerse de instrumentos políticos de acción (Comité de Unidad de los Campesinos, Frente 31 de enero, Organización de Cristianos revolucionarios Vicente Menchú), adopta técnicas tomadas de la cultura ladina con el fin de reforzar las suyas para mejor resistir y proteger su cultura. Devereux define esta práctica como la adopción de medios nuevos destinados a apuntalar objetivos existentes. Rigoberta toma en préstamo medios tales como la Biblia, la organización de los sindicatos, la decisión de aprender español, para volverlos contra quien se los prestó. La Biblia es para ella una especie de sucedáneo que utiliza deliberadamente porque no existe en su cultura: "La Biblia está escrita y nos sirve como un medio más", dice, porque los suyos necesitan apoyar su acción presente en una profecía, en una ley procedente del pasado. Cuando le señalé la contradicción entre la defensa que ella hace de su cultura y la Biblia, que ha sido una de las armas del colonizador, responde sin la menor vacilación: "La Biblia habla de un Dios único, nosotros también tenemos un solo Dios; es el Sol, corazón del cielo. Pero la Biblia nos enseña asimismo (y aquí está afirmando la necesidad de la profecía para justificar la acción) que existe una violencia justa, la de Judith que cortó la cabeza al rey para salvar a su pueblo. Igual que Moisés partió con su pueblo para salvarlo (el ejemplo de Moisés les permitió transgredir la ley y abandonar su comunidad), David sirve de ejemplo para integrar a los niños en la lucha. Hombres, mujeres y niños, cada cual encuentra en la Biblia el personaje con quien identificarse para justificar su acción. Las poblaciones autóctonas de América Latina han superado la etapa de repliegue sobre sí mismas. Es cierto que en ocasiones su apertura se ha visto interrumpida, que han sido ahogadas en sangre sus rebeliones y que falta la voluntad de continuar. En la actualidad, estas poblaciones se proveen de los medios precisos para avanzar, teniendo en cuenta la situación socio-económica en la que evolucionan."

Rigoberta ha elegido el arma de la palabra como medio de lucha, y dicha palabra es lo que yo he querido ratificar por escrito.

Pero ante todo debo hacer una advertencia al lector: si bien poseo una formación de etnóloga, jamás he estudiado la cultura maya-quiché, y no he trabajado nunca sobre el terreno en Guatemala. Esta falta de conocimiento de la cultura de Rigoberta, que al principio me parecía una desventaja, se reveló pronto como muy positiva. He tenido que adoptar la postura del alumno. Rigoberta lo comprendió en seguida; por ello el relato de las ceremonias y de los rituales es tan detallado. Del mismo modo, si nos hubiéramos encontrado en su casa, en El Quiché, la descripción del paisaje no hubiese sido tan realista.

Para las grabaciones, elaboré primero un esquema rápido, estableciendo un hilo conductor cronológico: infancia, adolescencia, familia, compromiso con la lucha, que hemos seguido aproximadamente. Ahora bien, a medida que avanzábamos, Rigoberta se desviaba cada vez con más frecuencia, insertando en el relato la descripción de sus prácticas culturales y cambiando así completamente el orden cronológico que yo había establecido. He dado, por tanto, libre curso a la palabra. Trataba de preguntar lo menos posible, e incluso de no preguntar nada en absoluto. Cuando algún punto quedaba poco claro, yo lo anotaba en un cuaderno y consagraba la última sesión del día a aclarar estos puntos confusos. A Rigoberta le producía un placer evidente darme explicaciones, hacerme comprender, introducirme en su universo. Al contar su vida, Rigoberta viajaba a través de ella; revivió momentos de gran conmoción, como cuando relató la muerte de su hermano menor, de doce años, quemado vivo por el ejército delante de su familia, o el auténtico calvario que sufrió su madre durante semanas a manos del ejército, hasta que por fin la dejaron morir. La exposición detallada de las costumbres y rituales de su cultura me han llevado a establecer una lista en la que había incluido las costumbres sobre la muerte. Rigoberta había leído la lista. Yo había decidido dejar el tema concreto de la muerte para el final de la entrevista. Pero el último día algo me impidió interrogarle sobre esos rituales. Tenía la sensación de que si le preguntaba al respecto, la pregunta podía llegar a ser premonitoria, hasta tal punto había estado golpeada por la muerte la vida de Rigoberta. Al día siguiente de su partida, un amigo común vino a traerme una cinta que Rigoberta se había molestado en grabar a propósito de las ceremonias de la muerte "que nos habíamos olvidado de grabar". Fue este gesto el que me hizo comprender definitivamente lo que tiene de excepcional esta mujer. Con su gesto demostraba que, culturalmente, era de una integridad total, y al mismo tiempo me hacía saber que no se engañaba. En su cultura, la muerte está integrada en la vida, y por eso se acepta.

Para efectuar el paso de la forma oral a la escrita, procedí de la siguiente manera:

Primero descifré por completo las cintas grabadas (veinticinco horas en total). Y con ello quiero decir que no deseché nada, no cambié ni una palabra, aunque estuviese mal empleada. No toqué ni el estilo, ni la construcción de las frases. El material original, en español, ocupa casi quinientas páginas dactilografiadas.

Leí atentamente este material una primera vez. A lo largo de una segunda lectura, establecí un fichero por temas: primero apunté los principales (padre, madre, educación e infancia); y después los que se repetían más a menudo (trabajo, relaciones con los ladinos y problemas de orden lingüístico). Todo ello con la intención de separarlos más tarde en capítulos. Muy pronto decidí dar al manuscrito forma de monólogo, ya que así volvía a sonar en mis oídos al releerlo. Resolví, pues, suprimir todas mis preguntas. Situarme en el lugar que me correspondía: primero escuchando y dejando hablar a Rigoberta, y luego convirtiéndome en una especie de doble suyo, en el instrumento que operaría el paso de lo oral a lo escrito. Debo confesar que esta determinación hizo mi tarea más difícil, ya que debía hacer ajustes para que el manuscrito conservase el aire de un monólogo recitado de un tirón, de un solo soplo. Procedí a continuación al desglose en capítulos: de hecho, establecí dos grupos de palabras, por temas. Por otro lado seguí el hilo conductor original, que era cronológico (aunque no siempre lo habíamos seguido durante las grabaciones), con la intención de hacer el manuscrito más asequible a la lectura. En cambio, los capítulos en los que se describen las ceremonias del nacimiento, el matrimonio, la recolección, etc., me causaron algunos problemas, ya que era preciso encontrarles su lugar en el curso del relato. Después de desplazarlos en varias ocasiones, volví al manuscrito original y los coloqué allí donde ella había asociado sus recuerdos con esos rituales y en el momento en que ella los había incluido en el relato. Me han señalado que, al principio del libro, el capítulo sobre las ceremonias del nacimiento corría el riesgo de aburrir al lector. Otros me han aconsejado suprimir simplemente la narración de estas ceremonias, o ponerla al final del manuscrito, como anexo. No hice caso a unos ni a otros. Quizá me haya equivocado si se trataba de seducir al lector, pero mi respeto por Rigoberta me ha impedido obrar de otro modo. Si Rigoberta ha hablado, no ha sido únicamente para que escuchemos sus desventuras, sino, y sobre todo, para hacernos comprender su cultura, de la que se siente tan orgullosa y para la que pide reconocimiento. Una vez colocado el manuscrito en el orden que actualmente tiene, pude aligerar, suprimir las repeticiones sobre un mismo tema que existían en varios capítulos. Dicha repetición servía a veces para introducir un nuevo tema; eso forma parte del estilo de Rigoberta, y en esas ocasiones yo conservaba la reiteración. Decidí también corregir los errores de género debidos a la falta de conocimiento de alguien que acaba de aprender un idioma, ya que hubiera sido artificial conservarlos y, además, hubiese resultado folklórico en perjuicio de Rigoberta, lo que yo no deseaba en absoluto.

Sólo me resta agradecer a Rigoberta el haberme concedido el privilegio de este encuentro y haberme confiado su vida. Ella me ha permitido descubrir ese otro yo-misma. Gracias a ella mi yo americano ha dejado de ser una "extrañeza inquietante".

Para terminar, quiero dedicar a Rigoberta este texto de Miguel Ángel Asturias, extraído de las *Meditaciones del Descalzo:* "Sube y exige, tú eres llama de fuego, / Tu conquista es segura donde el horizonte definitivo / Se hace gota de sangre, gota de vida, / Allí donde tus hombros sostendrán el universo, / Y sobre el universo tu esperanza."

ELIZABETH BURGOS
Montreaux-París, diciembre 1982

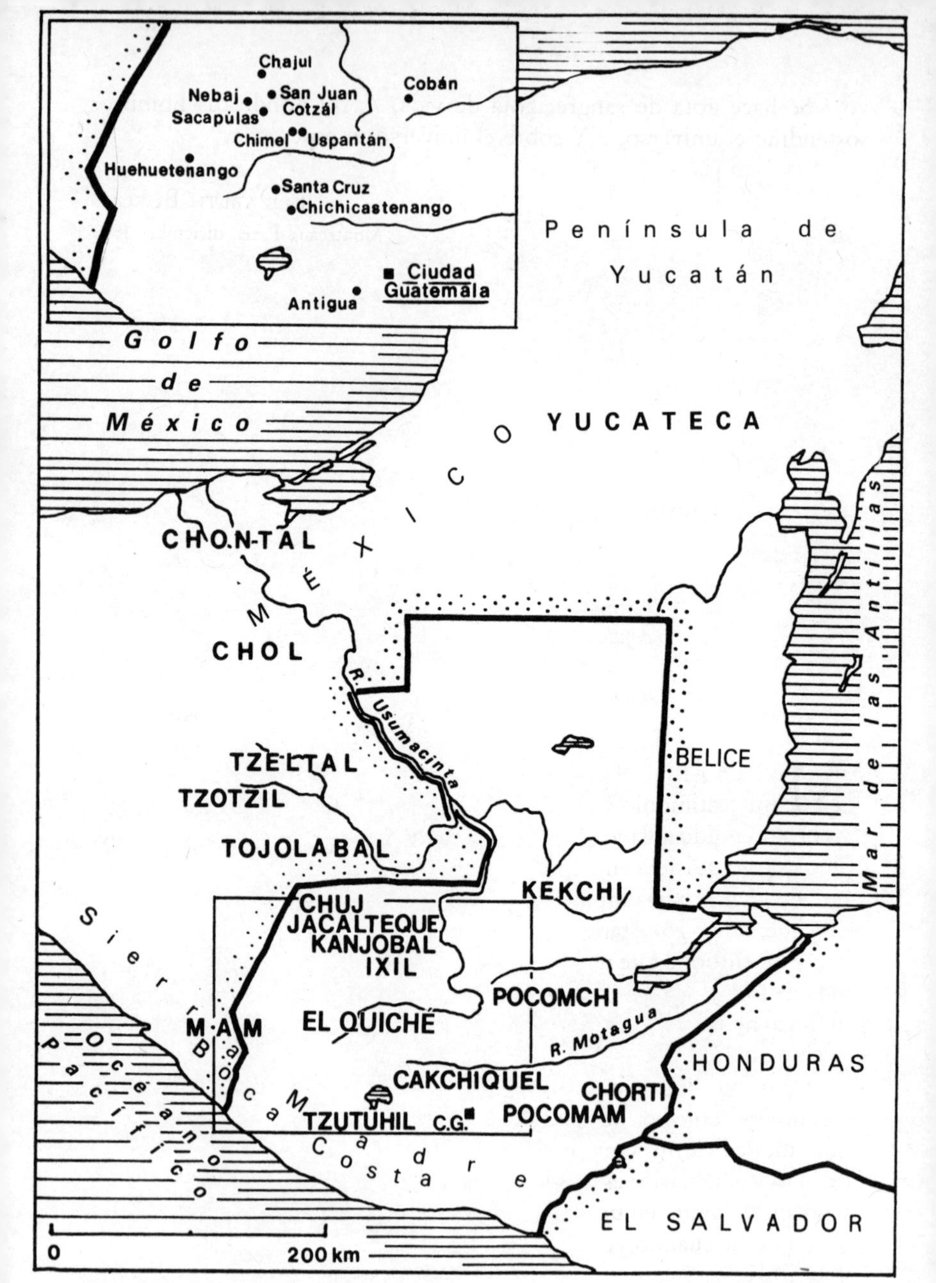

Los principales grupos lingüísticos mayas
(Mapa realizado por J. Berthelot, 1983) En el recuadro: nombre de las localidades mencionadas en el libro.

I

LA FAMILIA

"Siempre hemos vivido aquí: es justo que continuemos viviendo donde nos place y donde queremos morir. Sólo aquí podemos resucitar; en otras partes jamás volveríamos a encontrarnos completos y nuestro dolor sería eterno."

Popol Vuh

Me llamo Rigoberta Menchú. Tengo veintitrés años. Quisiera dar este testimonio vivo que no he aprendido en un libro y que tampoco he aprendido sola ya que todo esto lo he aprendido con mi pueblo y es algo que yo quisiera enfocar. Me cuesta mucho recordarme toda una vida que he vivido, pues muchas veces hay tiempos muy negros y hay tiempos que, sí, se goza también pero lo importante es, yo creo, que quiero hacer un enfoque que no soy la única, pues ha vivido mucha gente y es la vida de todos. La vida de todos los guatemaltecos pobres y trataré de dar un poco mi historia. Mi situación personal engloba toda la realidad de un pueblo.

En primer lugar, a mí me cuesta mucho todavía hablar castellano ya que no tuve colegio, no tuve escuela. No tuve oportunidad de salir de mi mundo, dedicarme a mí misma y hace tres años que empecé a aprender el español y a hablarlo; es difícil cuando se aprende únicamente de memoria y no aprendiendo en un libro. Entonces, sí, me cuesta un poco. Quisiera narrar desde cuando yo era niña o incluso desde cuando estaba en el seno de mi madre, pues, mi madre me contaba como nací porque nuestras costumbres nos dicen que el niño, desde el primer día del embarazo de la mamá ya es un niño.

En primer lugar en Guatemala existen veintidós etnias indígenas, y consideramos que una de las etnias también son los compañeros ladinos, como les llaman, o sea, los mestizos; serían veintitrés etnias, veintitrés lenguas también. Yo pertenezco a una de las etnias que es la etnia Quiché, tengo mis costumbres, costumbres indígenas quichés, pero sin embargo he vivido muy cerca de casi la mayor parte de las otras etnias debido a mi trabajo organizativo con mi pueblo. Soy de San Miguel /Uspantán, Departamento El Quiché. El Quiché se ubica en el Noroccidente del país. Vivo en el Norte del Quiché, o sea cerca de Chajul. Pueblos que tienen largas historias de lucha. Camino seis leguas, o sea veinticinco kilómetros a pie para llegar a mi casa, desde el pueblo de Uspantán. La aldea, es la aldea Chimel, donde yo nací. Precisamente mi tierra es casi un paraíso de todo lo lindo que es la naturaleza en esos lugares ya que no hay carreteras, no hay vehículos. Sólo entran personas. Para transportar las cargas son los caballos o nosotros mismos; para bajar al pueblo de las montañas. Yo casi vivo en medio de muchas montañas. En primer lugar, mis padres se ubicaron desde el año 1960, ahí, y ellos cultivaron la tierra. Era montañoso donde no había llegado ninguna persona. Ellos, con toda la seguridad de que allí iban a vivir, y aunque les costara mucho, pero allí se quedaron. En ese lugar se daba mucho el mimbre. Entonces mis padres se habían ido allá a buscar mimbre pero allí les gustó y empezaron a bajar las montañas para quedarse allá. Y, un año después querían quedarse allá pero no tenían recursos. Fueron desalojados del pueblo, de su pequeña casita. Entonces vieron la gran necesidad de irse hasta la montaña y allí se quedaron. Puedo decir que ahora es una aldea de cinco o seis caballerías cultivadas por los campesinos.

Fueron desalojados del pueblo ya que allí cayó una serie de gentes, de ladinos y allí se hicieron su casa en el pueblo. No exactamente los desalojaron así, echándolos sino que, poco a poco, los gastos se apoderaron de la casita de ellos. Llegó un momento en que tenían bastantes deudas con toda esa gente. Todo lo que ganaban se gastaba y la casa tuvieron que dejarla, se quedó como pagándoles la deuda que tenían. Como los ricos siempre acostumbran, cuando la gente tiene deudas con ellos de quitar un poco de tierra, un poquito de las cosas y así es cuando van apoderándose de todo. Así pasó con mis papás.

Lo que pasó es que mi padre era huérfano y mi abuelita tuvo que regalar a mi padre en una casa de unos ricos para poder comer y así es como él creció y tuvo también una etapa muy dura en la vida hasta llegar a ser un hombre grande.

Mi padre nació en Santa Rosa Chucuyub, es una aldea del Quiché.

Pero cuando se murió su padre tenían un poco de milpa y ese poco de milpa se acabó y mi abuela se quedó con tres hijos y esos tres hijos los llevó a Uspantán que es donde yo crecí ahora. Estuvieron con un señor que era el único rico del pueblo, de los Uspantanos y mi abuelita se quedó de sirvienta del señor y sus dos hijos se quedaron pastoreando animales del señor, haciendo pequeños trabajos, como ir a acarrear leña, acarrear agua y todo eso. Después, a medida que fueron creciendo, el señor decía que no podía dar comida a los hijos de mi abuelita ya que mi abuelita no trabajaba lo suficiente como para ganarles la comida de sus tres hijos. Mi abuelita buscó otro señor donde regalar a uno de sus hijos. Y el primer hijo era mi padre que tuvo que regalarle a otro señor. Ahí fue donde mi papá creció. Ya hacía grandes trabajos, pues hacía su leña, trabajaba ya en el campo. Pero no ganaba nada pues por ser regalado no le pagaban nada. Vivió con gentes... así... blancos, gentes ladinas. Pero nunca aprendió el castellano ya que lo tenían aislado en un lugar donde nadie le hablaba y que sólo estaba para hacer mandados y para trabajar. Entonces, él aprendió muy muy poco el castellano, a pesar de los nueve años que estuvo regalado con un rico. Casi no lo aprendió por ser muy aislado de la familia del rico. Estaba muy rechazado de parte de ellos e incluso no tenía ropa y estaba muy sucio, entonces les daba asco de verle. Hasta cuando mi padre tenía ya los catorce años, así es cuando él empezó a buscar qué hacer. Y sus hermanos también ya eran grandes pero no ganaban nada. Mi abuela apenas ganaba la comida para los dos hermanos, entonces, era una condición bastante difícil. Así fue también como mi papá empezó a trabajar en las costas, en las fincas. Y ya era un hombre, y empezó a ganar dinero para mi abuelita. Y así es cuando pudo sacar a mi abuelita de la casa del rico, ya que casi era una amante del mismo señor donde estaba, pues, las puras necesidades hacían que mi abuelita tenía que vivir allí y que no había como salir a otro lado. Él tenía su esposa, claro, pero, además de eso, por las condiciones, ella aguantaba o si no, se iba porque no había tanta necesidad de parte del rico ya que había más gentes que querían entrar ahí. Entonces por las puras necesidades mi abuela tenía que cumplir todas las órdenes. Ya salieron mi abuela con sus hijos y ya se juntó con el hijo mayor en las fincas y así es cuando empezaron a trabajar.

En las fincas en donde crecieron mis padres, crecimos nosotros. Son todas las fincas ubicadas en la costa sur del país, o sea, parte de Escuintla, Suchitepequez, Retalhuleu, Santa Rosa, Jutiapa, todas las fincas ubicadas en la parte sur del país, donde se cultiva, más que todo, el café, algodón, cárdamomo o caña de azúcar. Entonces, el trabajo de los hombres era más en el corte de caña, donde ganaban un poco mejor. Pero, ante las necesidades, había épocas del tiempo que todos, hombres y mujeres, entraban cortando caña de azúcar. Y claro de un principio tuvieron duras experiencias. Mi padre contaba que únicamente se alimentaban de yerbas del campo, pues, que ni maíz tenían para comer. Pero, a medida que fueron haciendo grandes esfuerzos, lograron tener en el altiplano, una casita. En un lugar que tuvieron que cultivarlo por primera vez. Y, mi padre a los dieciocho años era el brazo derecho, de mi abuelita porque había tanta necesidad. Y era mucho el trabajo de mi padre para poder sostener a mi abuelita y a sus hermanos... Desgraciadamente desde ese tiempo habían ya agarradas para el cuartel; se llevan a mi padre al cuartel y se queda nuevamente mi abuela con sus dos hijos. Y, se fue mi padre al servicio. Allá es donde él aprendió muchas cosas malas y también aprendió a ser un hombre ya completo, porque dice que al llegar al servicio le trataban como cualquier objeto y le enseñaban a puros golpes, aprendió más que todo el entrenamiento militar. Era una vida muy difícil, muy dura para él. Estuvo haciendo un año el servicio. Después, cuando regresa, encuentra a mi abuelita en plena agonía que había regresado de la finca. Le dio fiebre. Es la enfermedad más común después de la ida a las costas, donde hay mucho calor y después el altiplano, donde hay mucho frío, pues ese cambio es bastante brusco para la gente. Mi abuela ya no tuvo remedio y tampoco había dinero para curarla y se tuvo que morir mi abuelita. Entonces quedan los tres huérfanos que es mi padre y sus dos hermanos. Aún ya eran grandes. Se tuvieron que dividir ellos ya que no tenían un tío ni tenían nada con quien apoyarse y todo. Se fueron a las costas, por diferentes lados. Así es cuando mi padre encontró un trabajito en un convento parroquial y donde también casi no ganaba pues, en ese tiempo se ganaba al día treinta centavos, cuarenta centavos, para los trabajadores tanto en la finca como en otros lados.

Dice mi padre que tenían una casita hecha de paja, humilde. Pero, ¿qué iban a comer en la casa ya que no tenían mamá y que no tenían nada?

Entonces, se dispersaron.

Así es cuando mi padre encontró a mi mamá y se casaron. Y enfrentaron muy duras situaciones. Se encontraron en el altiplano, ya que mi mamá también era de una familia muy pobre. Sus papás también son muy pobres y también viajaban por diferentes lugares. Casi nunca estaban estables en la casa, en el altiplano.

Así fue como se fueron a la montaña.

No había pueblo. No había nadie.

Fueron a fundar una aldea en ese lugar. Es larga la historia de mi aldea y es muy dolorosa muchas veces.

Las tierras eran nacionales, o sea, eran del gobierno y que para entrar en las tierras había que pedirle permiso. Después de pedirle permiso, había que pagar una multa para bajar las montañas y luego hacer sus casas. Entonces, a través de todos esos esfuerzos en la finca pudieron dar la multa que tuvieron que pagar y bajaron las montañas. Claro, no es fácil que dé cosecha una tierra cuando se acaba de cultivarla, y bajar las montañas. Casi en ocho o nueve años da la primera cosecha buena, entonces, la poca tierra que mis padres pudieron cultivar en ese tiempo, fue ya después de los ocho años que tuvieron producto de esa pequeña tierra, y así es cuando crecieron mis hermanos. Cinco hermanos mayores y que cuando estábamos en las fincas, yo vi morir todavía a mis dos hermanos mayores, precisamente por la falta de comida, por la desnutrición que, nosotros los indígenas sufrimos. Muy difícil que una persona llegue a tener los quince años, así con vida. Mas cuando uno está en pleno crecimiento y que no tiene nada que comer y se mantiene con enfermedades... entonces... se complica la situación.

Se quedaron allí. Lo lindo que veía mi madre eran los árboles, las montañas increíbles. Mi mamá decía que había veces que se perdían, pues, al salir de la montaña no se ubicaban porque las montañas son bastante grandes y casi no cae rayo de sol debajo de las plantas. Es muy tupido. Entonces allí nosotros prácticamente crecimos. Amamos mucho, mucho a nuestra tierra, a pesar de que caminábamos mucho para llegar hasta la casa de los vecinos. Poco a poco mis papás llamaron más gente para que hubiera más cultivo y que no sólo eran ellos ya que en la noche bajaban toda clase de animales de la montaña a comer la milpa, a comer el maíz cuando ya está, o a comer el elote.

Todas las cosas se las comían los animales de la montaña.

Uno de ellos, que decía mi papá, es el mapache que le dicen. Además mi mamá empezó a tener sus gallinas, sus animalitos y había bastante espacio pero como mi madre no tenía tiempo para ver sus animales, tenía unas ovejitas, que si se iban al otro lado de las plantas, ya nunca regresaban. Unas se las comían los animales en el monte o se perdían. Entonces, empezaron a vivir ahí pero, desgraciadamente, mucho, mucho tiempo tardó para que ellos tuvieran un poquito de cultivo.

Entonces tenían que bajar a las fincas.

Esto es lo que contaban mis padres cuando se radicaron allí. Ya después, cuando nosotros crecimos cuando nos tocaba vivir cuatro o cinco meses en esa aldea, éramos felices porque había grandes ríos que pasaban por la montañita, abajito de la casa. Nosotros prácticamente no tenemos tiempo como para divertirnos. Pero, al mismo tiempo, cuando estábamos trabajando era una diversión para nosotros porque nos tocaba quitar los montes pequeños y a mis padres les tocaba cortar los árboles grandes. Entonces, allí se oían cantos de pájaros, diferentes pájaros que existen. También muchas culebras. Y nosotros nos asustábamos mucho, mucho de ese ambiente. Éramos felices a pesar de que hace también mucho frío porque es montañoso. Y es un frío húmedo.

Yo nací en ese lugar. Mi madre tenía ya cinco hijos, creo yo. Sí, tenía ya cinco hijos y yo soy la sexta de la familia. Y mi madre decía que le faltaba todavía un mes para componerse conmigo y estaba trabajando en la finca. Le faltaban veinte días cuando se trasladó a casa y cuando yo nací, nací únicamente con mi madre, pues. No estaba mi papá ya que tenía que cumplir el mes en la finca.

Entonces ya crecí. Lo que me recuerdo más o menos de mi vida será a partir de los cinco años. Desde pequeños pues, bajábamos siempre a la finca y cuatro meses estábamos en la pequeña casita que tenemos en el altiplano y los demás meses del resto del año teníamos que estar en la costa, ya sea en la Boca Costa donde hay café, cortes de café o también limpias de café y también en la costa sur donde hay algodón; ése era más que todo el trabajo de nosotros. O sea las grandes extensiones de tierra que tienen unas cuantas familias donde se produce la cosecha y los productos que se venden al exterior. Los terratenientes, pues, son dueños de grandes extensiones de tierra.

En la finca trabajamos por lo general ocho meses del año y cuatro meses estamos en el altiplano ya que a partir de enero se siembran las cosechas. Regresamos un mes al altiplano a sembrar nuestro pequeño maíz, fríjol.

Nosotros vivimos más en las montañas, o sea, en las tierras no fértiles, en las tierras que apenas dan maíz, fríjol y en las costas se da cualquier cosecha, pues. Bajamos a las fincas a trabajar durante ocho meses. Esos ocho meses muchas veces no van seguidos, porque partimos un mes para ir a sembrar al altiplano nuestra pequeña milpa. Bajamos a la finca mientras que crece la milpa y así cuando se cosecha ya nuestra pequeña milpa regresamos al altiplano. Pero inmediatamente se acaba otra vez. Y nos tenemos que bajar nuevamente a la producción a ganar dinero. Entonces, por lo que cuentan, pues, mis padres, desde hace muchos años, ellos han vivido, una situación muy difícil y muy pobres.

II
CEREMONIAS DEL NACIMIENTO

"A quienes os pregunten donde estamos, decidles lo que conocéis de nuestra presencia y no más."

"Aprended a cuidaros, guardando nuestro secreto."

Popol Vuh

En la comunidad de nosotros hay un elegido, un señor que goza de muchos prestigios. Es el representante. Tampoco es el rey pero es el representante que toda la comunidad lo considera como padre. Es el caso de mi papá y de mi mamá, que son los señores elegidos de mi comunidad. Entonces, esa señora elegida, es igual como si toda la comunidad fueran sus hijos. Por eso la madre, desde el primer día de embarazo, busca apoyo en la señora elegida o el señor elegido, porque el niño tiene que ser de la comunidad y no sólo de la madre. La señora embarazada irá junto con su esposo a contarle que van a tener un hijo, y que ese hijo va a conservar, en la medida de todas las posibilidades, las costumbres de nuestros antepasados. Después de eso, el señor ofrecerá todo el apoyo necesario. Le dice "les ayudamos, nosotros seremos los segundos padres". Después, llegan otra vez, ya para pedirle un permiso al señor, al representante de la comunidad, que preste su apoyo en buscar un representante que vela, que ayuda al niño cuando un día esté solo y que no caiga en todos los errores que mucha gente de nuestra raza ha caído y un montón de cosas. Los señores elegidos nosotros los llamamos abuelitos. Entonces, empiezan a buscar junto con los papás, quiénes serían los compadres, quiénes serían padrinos del niño que se hacen responsables del niño si los papás se mueren. Luego vienen las costumbres de los vecinos que cada día tienen que hacer una visita a la señora embarazada. Llegan las señoras a platicar con ella, a regalarle sus cositas por más simples que sean. La señora les contará a ellas todos sus problemas. Después, cuando tenga la señora siete meses, es cuando la señora se pone en contacto con toda la naturaleza, según nuestra cultura. Saldrá al campo, irá a caminar en el monte. Así el niño está encariñándose con toda la naturaleza. Tiene que ir forzosamente, tiene que enseñarle al niño la vida que vive la madre. Por ejemplo si la madre se levanta a las tres de la mañana. Mucho más cuando está embarazada. Se levanta a las tres de la mañana, hace sus servicios, sale a caminar, se encariña con los animales, se encariña con toda la naturaleza, llevando en mente que el niño lo está recibiendo y empieza a platicar constantemente con su hijo, desde cuando está en su vientre. Le dice que tiene que vivir una vida difícil. Es como si estuviera acompañada de un turista, donde le explica las cosas. Por ejemplo: "De esta naturaleza nunca tienes que abusar y esta vida la tienes que vivir constante como yo la vivo." Sale en el campo, pero explicándole a su hijo los detalles. Es una obligación forzosamente que la madre lo tiene que hacer. Después tienen que empezar a buscar la mentira que le tienen que contar a los otros niños de la casa, cuando ya va a nacer el niño.

Muchas veces la costumbre en nuestra cultura nos ha hecho que nosotros respetemos a todos, sin embargo a nosotros nunca nos han respetado. La mamá no tiene que estar con otros niños cuando nace su niño. Tienen que estar los papás, los señores elegidos de la comunidad y el esposo. Tres parejas. Si hay posibilidad, pues muchas veces andan los padres en otros lugares. Pero si hay posibilidad, que esté el papá del muchacho y la mamá del muchacho, serían una pareja. Los elegidos y el esposo de la señora. Son los que van a recibir al niño. Forzosamente tienen que estar compuestos por esto. Si no están los elegidos, habrá uno de ellos, que sea la esposa o el esposo, estará uno de los papás y si no están ninguno de los papás están los tíos mayores que tienen que representar también parte de la familia de la mujer y del hombre porque se dice que el niño se va a recibir en comunidad y esto significa mucho para nuestra comunidad de recibir un niño y ese niño tiene que ser de la comunidad, que no tiene que ser sólo de uno. Que ese niño es producto de un amor y empiezan una explicación. Tiene que nacer forzosamente entre tres parejas pero no cualquier gente se llama. Si la señora elegida es comadrona es la que tiene que atender pero si no es comadrona, entonces tendrá que ser también la comadrona como la abuelita primera que recibe al niño.

Nuestra costumbre, no permite a una mujer soltera que vea un parto. Pero sin embargo, ante la necesidad, vi cuando mi hermana se compuso y que no estaba nadie en casa. Eso cuando ya estábamos en plena persecución. Aunque no vi exactamente, estuve presente cuando nació su niño.

Mi madre fue partera desde los dieciséis hasta que se murió, a los cuarenta y tres años. Dice mi mamá que la mujer cuando está acostada y da a luz no tiene fuerza para sacar al niño. Entonces, lo que ella hizo con mi hermana, lo que yo vi fue que puso un lazo al techo donde se colgó mi hermana, ya que no estaba su esposo para levantarla, y estuvo en esa posición y mi mamá le ayudó a sacar el niño.

Para nosotros un escándalo sería cuando un indígena fuera al hospital y que le nazca su hijo en el hospital. Es difícil que un indígena acepte eso.

De parte de nuestra cultura, nuestros antepasados se escandalizan mucho de ver todas las cosas modernas. Por ejemplo, la planificación familiar, que con eso babosean al pueblo, le sacan dinero. Y es una parte de la reserva que nosotros hemos guardado para no permitir que acaben con nuestras costumbres, con nuestra cultura. El indígena ha sido muy cuidadoso con muchos detalles de la misma comunidad y que no es permitible de parte de la comunidad platicar muchas cosas de detalles del indígena. Y yo como que más, porque han llegado teólogos y que han visto y que sacan otra concepción del mundo indígena. Entonces, para el indígena es bastante doloroso que un ladino use la ropa indígena. Es un escándalo para el indígena. Todo eso ha contribuido a que nosotros guardemos muchas cosas y que la comunidad no quiere que se cuente eso.

Por ejemplo, nuestras costumbres. Inmediatamente, cuando llegó la Acción Católica, por ejemplo, todo el mundo va a misa, va a rezar. Pero no es como una religión principal y única para expresarse. Siempre detrás de esto, cuando nace un niño, se le hace su bautismo en la comunidad, antes de ir a la iglesia. Entonces, la Acción Católica, la tomó el pueblo como otro canal para expresarse pero no es la única fe que tiene hacia la religión. Y así hace con todas las religiones. Los curas, los sacerdotes, las monjas, no han podido ganar la confianza del indígena porque hay ciertas cosas que contradicen nuestras propias costumbres. Nos dicen: "Es que ustedes se confían, por ejemplo de los hombres elegidos de la comunidad." El pueblo los elige por toda la confianza que le da a esa persona, ¿no? Llegan los curas y dicen, "es que ustedes quieren a los brujos". Y empiezan a hablar de ellos y para el indígena es como hablar del papá de cada uno de ellos. Entonces, se pierde la confianza en los curas y los indígenas dicen, "es que son extranjeros, ni conocen nuestro mundo". Así es como se pierde la esperanza de ganar el corazón del indígena.

Después de eso, los niños no sabrán como nace el niño. Nacerá en un lugar muy escondido y sólo los padres se dan cuenta. Entonces le dicen a los niños que ha llegado otro niño pero que en ocho días no van a estar cerca de la madre. Después, el compañero del niño, o sea la placenta habrá una hora determinada para quemarla. Si el niño nace en la noche, a las ocho de la mañana se tiene que quemar esa placenta. Si nace en horas de la tarde, a las cinco de la tarde se tiene que quemar. Es un respeto hacia el niño y es un respeto hacia su compañerito. No se le va a enterrar en la tierra porque la tierra es mamá y papá del niño y no es conveniente abusarse de la tierra enterrando al compañero del niño. Es también una explicación que tiene mucha importancia para nosotros. Si se quema en un tronco de madera la ceniza se quedará ahí. O se quema en el temascal. El temascal es un poco como un horno donde se baña el indígena. Entonces, en una casita así como un horno, hecha de tierra de adobe hay otra casita adentro que está construida de piedra. A esa piedra se le mete leña, para que se calienten las piedras y cuando uno se quiere bañar calienta las piedras, tapa la puerta y es como si uno estuviera en un baño de vapores, así a medida que se echa agua encima de las piedras, se calienta el horno donde se baña el indígena. Entonces, antes de que el niño nazca, cuando ya la señora tiene sus cuatro meses entonces empieza a hacerse sus baños de encina, de la pura naturaleza. Hay una serie de plantas que hay en las comunidades para mujeres embarazadas, para gentes con dolor de cabeza, gentes resfriadas, etc. Entonces la señora empieza a bañarse con las diferentes plantas que recomienda siempre la señora elegida de la comunidad o la señora comadrona. Es como una receta, ella se tiene que bañar constantemente con su agua de plantas.

Hay muchas plantas en el campo pero que yo no tengo nombre en español. Por ejemplo, la hoja de naranja, la utilizan mucho las mujeres embarazadas, el agua de las hojas para bañarse. De durazno. Hay una hoja que decimos hoja Santa María que es también para mujeres embarazadas.

Tranquiliza, más que todo tranquiliza a la señora y porque no tendrá descanso en todo el tiempo que está embarazada sino que trabaja igual como si no estuviera embarazada. Entonces, después de su trabajo tranquiliza a la señora para que duerma bien y para que el niño esté bien, que no esté muy herido por el trabajo. Y, al mismo tiempo tiene sus medicinas para tomar. También hojas como para alimentar al niño. Yo creo que, si esto no es una recomendación científica, desde la práctica ha servido mucho porque hay hojas que se consideran como una vitamina; ¿pues cómo es posible que una madre puede no comer, aguantar hambre, muchos esfuerzos y que logre tener un hijo? Yo creo que esto ha contribuido a que nuestro pueblo viva más.

Ocho días se guarda la pureza que trae el niño cuando nació. No se le va a acercar ni el hijo mayor ni los demás niños sino sólo la madre y la gente que le da de comer a la madre.

El niño está en un rinconcito donde no pueden llegar los otros niñitos. Es por pura costumbre que no se les deja acercarse a una madre sus otros hijitos cuando acaba de nacer otro hermanito. Sólo el que acaba de nacer tiene derecho a estar con su madre, en su integración en la familia. Se guarda los ocho días para que sea miembro de la familia. Luego de esos ocho días se cuenta cuánta gente llega a visitar a la señora. Si llega la mayor parte de la comunidad, eso es muy importante, es un niño que tiene que tener mucha responsabilidad por su comunidad cuando sea grande. El niño, al nacer, le matan una oveja para que coman los de la familia. Llegan muchos vecinos con comida, con leña. Se hace una fiesta en la casa pero más que todo, a nivel familiar. Después llegan los vecinos a visitarla y se cuenta cuántos vecinos llegaron. Cada vez que llega un vecino, lleva un pequeño regalo, ya sea comida para la mamá ya sea un regalito. Entonces la mamá tiene que probar de todo lo que le regalan de parte de los vecinos. Es un estímulo de responder al cariño de los vecinos. Ya a los ocho días se estará contando cuántos visitantes tuvo el niño, cuántas visitas recibió con regalo. Por ejemplo, los vecinos llevan un animalito, llevan unos huevitos, aparte de lo que lleven de comer a la señora. Llevan una ropita. Todo lo que sea. Se toma en cuenta cuántas obras prestó la señora. Muchos vecinos llegan a acarrear agua. Hay vecinos que llevan leña. Una serie de cosas que se cuentan. Después de los ocho días ya está reunido todo y se mata a otro animal para despedir el derecho del niño que estuvo ocho días con su madre solo. Pero también para integrar, "en el universo" decían nuestros padres; para que al niño se le enciendan las primeras candelas y que esa candela es parte de la candela de toda la comunidad y que es una persona más y que es un miembro más, etc. A la mamá se le lava toda su ropa. Antes de lavar su ropa, se acumula todo lo que utilizó la madre en el tiempo que estuvo en cama. Se le cambia la cama de lugar, se le limpia un lugar de la casa donde se ponen cuatro candelas en cada una de las esquinas de su cama. Antes de poner la cama, se echa cal, agua en el piso y después se le hace su cama. La madre completamente cambiada sale del temascal, se pone su ropa limpia; al niño también le ponen su ropa limpia y lo trasladan al otro lugar. Esto significa que abre las puertas hacia los demás miembros de la comunidad, porque el niño, desde que nació, ni la familia ni los vecinos lo conocen. O sea, no nos enseñan el niño cuando nace. Después de los ocho días es cuando todos los miembros de la familia le dan un besito al niño. Inmediatamente cuando el niño nace se le amarran sus manitas, o sea, se le ponen rectas sus manitas y sus piecitos. Esto significa que sus manos son sagradas para el trabajo y que esas manos tienen que actuar donde tienen que actuar, o sea, nunca van a robar; el niño, nunca va a abusar de la naturaleza. Sabrá respetar la vida de todo lo que existe. Un montonón de cosas. A los ocho días se le sueltan sus manos. Es cuando los miembros besan al niño y después se guardan nuevamente el niño y llegan todos los vecinos, desde tempranito. Unos llegan con masa para hacer tortillas y serán dueños de la casa en los ocho días. Los miembros de la familia no hacemos ningún gasto durante los ocho días.

La madre está donde han puesto las candelas. Esas candelas es más que todo para la integración del niño en la familia. Y un poco la significación de una casa que tiene cuatro esquinas y eso tiene que ser su hogar. Y un poco representando el respeto que tiene que tener el niño en la comunidad y la responsabilidad que tiene que tener como miembro de un hogar. Ya después de eso se le saca la ropa y la lava la señora elegida de la comunidad. Lava toda la ropa, ya sea chamarra,. limpia la casa donde estuvo la señora, pone la candela del lugar donde salió la señora. La ropa se va a lavar al río. Nunca se va a lavar a un posito. Por más lejos que quede el río, tiene que irse al río a lavar. Es cuando el niño deja su pureza. Empieza a enterarse de todo lo que es la humanidad. Después los vecinos llevan un animal ya muerto. Se hace un muy buen almuerzo en la casa de la señora. Se hace una ceremonia, donde la comunidad está; o por lo menos si no está toda la comunidad, habrán algunos miembros de la comunidad. Ahí integran al niño ya como parte de la comunidad. Entonces le ponen la candela de todo lo que existe, de la tierra, el agua, el sol, el hombre. En medio de todo esto se le integran las candelas del niño con un incienso, con el pom. Pues ese niño tiene que moverse en todo ese mundo. La cal es algo sagrado, que también tiene que estar un poquito de cal en el medio de todo esto. Porque la cal se considera que fortalece los huesos del niño. Yo creo que es algo no tanto inventado, es algo real. Depende de la cal que el niño tenga más vida, que tenga sus huesos muy fortalecidos. Y ahí se le hace mención a todo el sufrimiento que tiene una familia y todo donde el niño tendrá que moverse. Los padres ahí, con gran sentimiento expresan su dolor, sus penas, por qué dieron un niño más para venir a sufrir a este mundo. Para nosotros es como un destino este sufrimiento, se le integra al niño al sufrimiento y ese niño, a pesar de todos los sufrimientos, sabrá respetar y sabrá vivir todos esos dolores. Entonces al niño se le da su encargo de que tiene que ser un miembro y que tiene que velar por toda su comunidad. Después de la ceremonia se hace el almuerzo y después se retiran los vecinos. Pero falta el bautizo. Desde el día cuando nace el niño, se le hace una bolsita, donde lleva ajo, un poco de cal, sal, un poco de tabaco, que también el tabaco es una planta sagrada para el indígena. Ese morralito se le pone al niño al cuello. Esto significa que el niño sabrá enfrentar todo lo malo que existe. El mal para nosotros es como un espíritu, que sólo imaginamos que existe. Un mal sería que el niño sea chismoso; el niño sabrá respetar todo, el niño será sincero y sabrá decir la verdad. Y, al mismo tiempo el niño sabrá acumular y guardar todo lo que sea de nuestros antepasados. Es un poco la idea del morral. Y un poco para alejar el mal pues el niño tendrá que seguir siendo puro. El morralito también tiene que estar dentro de las candelas como su compromiso del niño cuando sea grande. Falta el bautizo y la integración ya en comunidad general. Serán invitadas todas las gentes principales, por ejemplo el elegido de la comunidad, los hijos. El señor tendrá que dar su experiencia, su ejemplo, como ha conservado lo de nuestros antepasados. Allí es donde va a venir una charla, del señor elegido, de la señora elegida, de sus hijos, cómo han conservado las costumbres de nuestros antepasados. Al mismo tiempo hacen un nuevo compromiso por el niño. Que tienen que seguir enseñándole al niño cuando sea grande y que ese niño tiene que ser ejemplar como los señores elegidos. Así se hace otra pequeña charla, pero ya cuando el niño tiene sus cuarenta días y cuando los padres hacen también el compromiso y lo integran a la comunidad. Entonces viene el bautizo. Hacen un compromiso. Que los padres tienen que enseñarle al niño... —más que todo se refiere mucho a los antepasados— que aprenda a guardar todos los secretos, que nadie pueda acabar con nuestra cultura, con nuestras costumbres. Entonces es algo como una crítica con respecto a toda la humanidad, y a mucha de nuestra gente que ha perdido sus costumbres. Hacen como una petición, pidiendo que esas costumbres se reintegren en la mente de toda esa gente que las ha perdido. Luego se hace mencionar a nombres de gentes importantes que han muerto con nuestros antepasados. Por ejemplo, Tecún Umán, otros personajes que se recuerdan, que están integrados como una oración o como héroes de los indígenas y que recuerdan todo eso. Y después dicen —y eso es lo que ya analizo yo después—, dicen, "ni un terrateniente podrá acabar con todo, ni los más ricos acabarán con nuestras costumbres. Y nuestros hijos, aunque sean trabajadores, aunque sean sirvientes, sabrán respetar y guardar sus secretos". Y así se hace mención al maíz, al fríjol, a las yerbas más importantes. El niño está presente pero bien envuelto, que nadie lo ve. Se le dice al niño que se va a alimentar de maíz y desde luego, está formado de maíz ya que su madre comió maíz cuando el niño se formó. Entonces, el niño sabrá respetar y coger un grano de maíz cuando esté tirado en el suelo y así una serie de educaciones que nuestros padres nos dan. Después multiplicará a nuestra raza, que ese niño será el multiplicador de todos los que han muerto. Es cuando el niño toma la responsabilidad. Y es cuando se le dice que tiene que vivir como vivieron sus abuelitos. Es una iniciación para la vida en la comunidad. Los papás hablarán por el niño, que el niño tiene que cumplir con todo esto. Y es cuando los papás hacen el compromiso y los señores elegidos también hacen el compromiso según lo que exige la comunidad. Esa ceremonia es bastante importante y es cuando se le considera como hijo de dios que es como decir el padre único. Tal vez dios, esa palabra no la tenemos, pero es relacionada porque el padre único es el único que existe, pero como canal para llegar a ese único, hay que amar al maíz, al fríjol, a la tierra. El padre único es el corazón del cielo que es el sol. Es masculino porque la madre que nosotros consideramos es la luna. Es una madre tierna. Al mismo tiempo alumbra. Nosotros tenemos una serie de concepciones con respecto a la luna, con respecto al sol. Es el que sostiene el universo. Ya cuando el niño cumple sus diez años es cuando los papás y los señores elegidos tienen la obligación de hablar con ese niño, de decirle que ya va a empezar su vida de juventud, que un día será padre o que será madre. Ahí es cuando precisamente se le dice al niño que no hay que abusarse de su dignidad, que los antepasados nunca abusaron de su dignidad y es cuando se les hace recordar que nuestros antepasados fueron violados por medio de los blancos y de la colonia. Pero no lo dicen como está escrito sino a través de las recomendaciones que han venido dando nuestros abuelos y nuestros antepasados. Porque la mayor parte del pueblo no sabe leer ni escribir ni sabe que existe un documento para el indígena. Pero se dice que los españoles violaron a los mejores hijos de los antepasados, a las gentes más humildes y en honor a esas gentes más humildes nosotros tenemos que seguir guardando nuestros secretos. Y esos secretos nadie podrá descubrir más que nosotros los indígenas. Un montonón de cosas de esas. Pero ya cuando el niño tiene sus diez años, es para decirle al niño que tiene que saber respetar a los mayores, aunque sus padres ya se lo enseñan desde pequeños. Si viene, por ejemplo un anciano por la calle, uno tiene que pasar por otro lado para que el anciano pueda caminar. Nosotros cuando vemos un señor en la calle que es anciano, tenemos todos la obligación de agacharnos y de saludarlo y esto todo el mundo lo hace, por más joven que sea. Y al mismo tiempo respetar a todas las señoras embarazadas. Y también nosotros cuando comemos algo, tenemos que regalarle un pedazo por lo menos a la señora embarazada.

A las niñas hay comadronas que al mismo tiempo de cortarles el ombliguito les abren los hoyitos en las orejas. Tanto su bolsita que es de color rojo y el hilo con que le amarran el ombliguito tiene que ser rojo. El color rojo para nosotros significa mucho. Significa calor, fuerte, algo que tiene vida y es relacionado con el sol y que el sol es el canal para el dios único, que nosotros decimos el corazón de todo, del universo. Entonces también da calor, da fuego. Esos rojitos es como para hacerle al niño la vida, que tiene que tener vida. Pero, al mismo tiempo, él tiene que ser comprometido con todo esto, respetar a todo lo que existe. No existe ropa especial para el niño, sino pedazos de corte, lo que exista pues, para envolverlo, ya que no se compra nada anticipadamente para el niño. Pero cuando es niño el que nace, tiene una celebración especial, no es porque sea hombre, sino por lo duro que es su trabajo, por toda la responsabilidad que el hombre tiene que tener como hombre. Ahora, para nosotros no es tanto que el machismo no exista, pero no es un elemento dificultoso en la comunidad ya que de hecho vamos a tomar en cuenta las costumbres. Entonces, al hombre se le da un día más de la pureza que tiene que estar con su madre. Al varoncito se le mata una oveja o se le da pollos porque es la comida más común entre nosotros para celebrar la llegada de un niño. Al hombrecito se le tiene que dar más, la comida se aumenta por todo su trabajo, que será difícil, por toda su responsabilidad. Y al mismo tiempo es un poco como el jefe de la casa, pero no es en el mal sentido de la palabra, sino es algo que tiene que responder con montones de cosas. No es tampoco despreciar la mujercita. También tiene duros trabajos, pero hay otros detallitos que también se le dan a la mujercita como madre, pues. En primer lugar, la niñita tiene valor como algo de la tierra, que da su maíz, que da su fríjol, que da sus yerbas, que da todo. La tierra es como una madre que multiplica la vida del hombre. También la niña tiene que multiplicar la vida de los demás hombres de nuestra generación y precisamente de nuestros antepasados que los tenemos que respetar. Se le da una integración a la niña muy importante pero al hombre también, entonces, es relacionado, es relativo y es comparativo de los dos. Sin embargo, al nacer, el hombrecito tiene una alegría más y los hombres son los que se sienten más orgullosos cuando nace un niñito en la comunidad. Pero también se le hacen a la niña todas las costumbres que se hacen con el niño, de amarrar sus manitas y piecitos, de esconderla.

Al niño se le alimenta con el pecho. Es más efectivo darle de comer con el pecho y no buscarle otra comida. Pero lo importante es el sentido de la comunidad. Lo sentimos como algo en común. Desde el primer día se piensa que el niño tiene que ser de la comunidad y no tiene que ser sólo de sus padres y tiene que aprenderle la comunidad. Inmediatamente tienen los papás en la mente que la escuela del niño... es como en las clases burguesas, inmediatamente que nace, se piensa que ese niño tiene que educarse, que tener un nivel de vida. Entonces, nosotros los indígenas, inmediatamente pensamos que la escuela del niño tiene que ser la comunidad, que el niño tiene que vivir igual que los demás. Y se le amarran las manos también precisamente para que no acumule cosas que la comunidad no tiene y que sepa repartir sus cositas, que sus manos tienen que estar abiertas. Las mamás se encargan de abrirles sus manos. Es una mentalidad más de sufrimiento, de pobreza. Se considera que cada niño que nazca tiene que vivir igual que los demás. Cuando vemos una señora embarazada, nunca hay que comer algo delante de la señora embarazada. Sólo se puede comer algo delante de ella cuando también se le puede regalar un poco. Ya que se teme que la señora aborte al niño o que el niño sufra internamente porque no puede comer lo que uno está comiendo. No importa si se conocen o no se conocen. Lo importante es que se comparta. Otra de las cosas es que cuando vemos una señora embarazada lo tomamos como algo diferente de todas las mujeres porque son dos personas y si uno sabe respetar a una señora embarazada, la señora siente el respeto y el niño lo está aprendiendo. Uno inmediatamente piensa que es una imagen del otro que va a nacer. Entonces se le da cariño. También yo creo que es más que todo porque la señora nunca tiene oportunidad de descansar ni de tener sus diversiones. Siempre está en constante pena y preocupación. La señora cuando platica un rato es cuando se siente desahogada, la pobre. Al niño, cuando lo integran con todas las candelas, también tiene que estar allí su bolsita rojita y ahí tiene que estar su azadoncito, su hacha, su machete, los instrumentos para vivir. Desde ese día el niño tiene que encariñarse con los instrumentos de trabajo. Son sus juguetes. La niñita también tiene que tener su tablita para lavar. Y esos tienen que ser sus juguetes, sus materiales que va a usar cuando sea grande. Y al mismo tiempo tiene que aprender cositas de la casa, a limpiar, por ejemplo, a lavar la casa, coser el pantalón del hermanito. El hombrecito tiene que empezar a vivir lo que el hombre hace, ser responsable, estar encariñado con lo que es el trabajo del campo, aunque no trabaje el niño. Es una forma de juguete. Cuando la mamá hace alguna cosa, explica lo que quiere decir esto. Incluso hasta las oraciones, porque nosotros los indígenas somos muy cultos. En cualquier momento la madre hace su oración, hace su petición. Por ejemplo, antes de levantarse tiene que hacer una oración para agradecer el día que va a comenzar y que ese día sea de gran importancia para la familia. Antes de juntar su fuego, por ejemplo, tiene que bendecir su leña porque ese fuego tiene que cocer toda la comida para los miembros de la familia. Y como la mujercita está más cerca de la mamá, todo lo aprende. Antes de lavar el nixtamal, por ejemplo, la mujer sopla sus manos para meterlas en el nixtamal para sacarlo todo y lavarlo. Eso quiere decir, el soplo que da la mujer a las manos, es para que abunde su trabajo y para que abunde todo lo que va a hacer. Antes de lavar también lo hace. Entonces, cada detalle de estos lo explica a su niña. Entonces, los niños desde pequeños, hacen lo mismo que ella hace. Igual que los hombres. El hombre antes de empezar a trabajar en cualquier día, a cualquier hora, en la mañana saluda al sol para empezar a trabajar. Se quita su sombrero y platica con el sol antes de empezar a trabajar. Entonces el niño, antes de empezar a trabajar se quita su sombrerito y platica con el sol. Claro, cada etnia tiene su forma de expresarse. Todo esto, muchas veces en otras etnias, es diferente. Por ejemplo, el significado de los tejidos. Nos hemos dado cuenta que en las otras etnias es diferente. Pero sí hay algo en común. Es la cultura, pues.

Nuestro pueblo es fundamentalmente agricultor pero hay también comerciantes. Precisamente surgen los comerciantes después de hacer una vida campesina. Y en el caso de uno que se va a las fincas y en las fincas hace otras cosas, cuando regresa a su lugar y le es preferible ser comerciante, poner su tiendita para el poco dinero que sacan. Empiezan a buscar otro modo de vida. Pero sí se tiene costumbre, por ejemplo, antes de trabajar, de saludar al sol. Y también así hacen con todo. Y todo lo que es la cultura viene de la tierra. La religiosidad que tiene el pueblo viene de nuestra cultura, de nuestra cosecha de maíz, del fríjol que son dos elementos muy importantes en una comunidad. Entonces ya empieza el hombre a buscar dinero, pero nunca pierde su cultura que es la tierra. Hay una serie de tareas. Nuestros padres nos enseñan a ser responsables, como ellos son responsables. Por ejemplo el hijo mayor tiene una responsabilidad en la casa. Las cosas que el padre no puede corregir, el hijo mayor las puede corregir. Es como un segundo papá de todos. Él tiene que tener presente que es un responsable también de la formación.

Muchas veces la mamá es la que tiene que llevar una serie de cuentas, qué es lo que se come, qué es lo que se compra. Por ejemplo, cuando un hijo está enfermo, la mamá tiene que buscar cómo darle su medicina. El hombre lleva toda una serie de problemas que también hay que sacarlos adelante. Ya cada una de nosotras, cuando crecemos, tenemos una responsabilidad pequeña. La tenemos a través de la promesa que hacen los padres con un niño que nace, todo el proceso de costumbres que hacen, esa promesa, que sólo la puede hacer el niño cuando le enseñan también a hacerla; la mamá que está más de cerca, o el papá de vez en cuando, platica con sus hijos diciéndoles qué es lo que se hace y qué es lo que hacían nuestros antepasados. O sea, no impone una ley, sino que a base de lo que hacían nuestros antepasados, es que nosotros tenemos que hacer esto. Entonces, ahí, empezamos a tener pequeñas responsabilidades. Por ejemplo, empiezan con que a la niña le toca acarrear agua; pero le explican por qué lo hace. Por ejemplo, al niño le toca amarrar perros en el corral, por las noches cuando entran los animales o si no le toca ir a traer el caballo que está muy lejos de la casa. Hay una serie de tareas para ambos. Y eso crea en uno una responsabilidad porque si uno no tiene todas las cosas hechas, ahí sí tiene el papá derecho a regañarlo, a pegar al hijo. Así cuando uno se cuida mucho aprende muy bien a hacer las cositas. Todo lo que hace la mamá le dice a la niña por qué lo hace. Entonces la niña tiene claro por qué lo está haciendo. Y así es el hombrecito; y, por ejemplo, para poner una olla de barro, que por primera vez que se pone en el fuego —para que esa olla dure y al mismo tiempo cumpla con su función que es cocer todas las cosas, y que tiene que hacerlo muy bien—, se le dan unos cinco chicotazos con ramas. Eso la niña lo pregunta "¿Por qué haces eso, mamá?" "Porque esta olla tiene que cumplir con su función y tiene que hacer esto y esto." Y que dure. Entonces la niña tiene presente y cuando a ella le toca hacer el mismo oficio lo hace igual que la mamá. Esto implica una vez más el compromiso que todos tenemos que guardar: las costumbres, los secretos de nuestros antepasados. Y que los papás, a nivel de comunidad, hacen como una exposición, que nuestros abuelitos nos recomendaron esto y tenemos que conservarlo. Casi la mayor parte de las cosas que hacemos viene basado en lo que hacían nuestros antepasados. Por eso existe el señor elegido, que es el señor que reúne todas las condiciones todavía reales de lo que reunían nuestros antepasados. Es el señor principal de la comunidad que tiene los hijos de todo el mundo, o sea, es alguien que tiene que poner en práctica todas las cosas. Y es más que nada un compromiso con toda la comunidad. Entonces, ante esto, todo lo que se hace se hace en memoria de los demás.

III

EL NAHUAL

"Aquella noche que pasó aullando, como coyote, mientras dormía como gente."

"Ser animal, sin dejar de ser persona."

"Animal y persona coexisten en ellos por voluntad de sus progenitores desde el nacimiento..."

Miguel Ángel Asturias, "Hombres de Maíz"

Todo niño nace con su nahual. Su nahual es como su sombra. Van a vivir paralelamente y casi siempre es un animal el nahual. El niño tiene que dialogar con la naturaleza. Para nosotros el nahual es un representante de la tierra, un representante de los animales y un representante del agua y del sol. Y todo eso hace que nosotros nos formemos una imagen de ese representante. Es como una persona paralela al hombre. Es algo importante. Se le enseña al niño que si se mata un animal el dueño de ese animal se va a enojar con la persona, porque le está matando al nahual. Todo animal tiene un correspondiente hombre y al hacerle daño, se le hace daño al animal.

Nosotros tenemos divididos los días en perros, en gatos, en toros, en pájaros. Cada día tiene un nahual. Si el niño nació el día miércoles, por ejemplo, su nahual sería una ovejita. El nahual está determinado por el día del nacimiento. Entonces para ese niño, todos los miércoles son su día especial. Si el niño nació el martes es la peor situación que tiene el niño porque será muy enojado. Los papás saben la actitud del niño de acuerdo con el día que nació. Porque si le tocó como nahualito un toro, los papás dicen que el torito siempre se enoja. Al gato le gustará pelear mucho con sus hermanitos.

Para nosotros o para nuestros antepasados, existen diez días sagrados. Esos diez días sagrados, representan una sombra. Esa sombra es de algún animal.

Hay perros, toros, caballos, pájaros, hay animales salvajes como, por ejemplo, un león. Hay también árboles. Un árbol que se ha escogido hace muchos siglos y que tiene una sombra. Entonces cada uno de los diez días está representado por uno de los animales mencionados. Estos animales no siempre tienen que ser uno. Por ejemplo, un perro, no sólo uno va a representar sino que nueve perros representan un nahual. El caso de los caballos, tres caballos representa un nahual. O sea, tiene muchas variedades. No se sabe el número. O se sabe, pero sólo nuestros papás saben el número de animales que representan cada uno de los nahuales de los diez días.

Pero, para nosotros, los días más humildes son el día miércoles, el lunes, el sábado y el domingo. Los más humildes. O sea, tendrían que representar una oveja, por ejemplo. O pájaros. Así, animales que no estropeen a otros animales. De hecho, a los jóvenes, antes de casarse, se les da la explicación de todo esto. Entonces sabrán ellos, como padres, cuando nace su hijo, qué animal representa cada uno de los días. Pero, hay una cosa muy importante. Los padres no nos dicen a nosotros cuál es nuestro nahual cuando somos menores de edad o cuando tenemos todavía actitudes de niño. Sólo vamos a saber nuestro nahual cuando ya tengamos una actitud fija, que no varía, sino que ya se sabe esa nuestra actitud. Porque muchas veces se puede uno aprovechar del mismo nahual, si mi nahual es un toro, por ejemplo tendré... ganas de pelear con los hermanos. Entonces, para no aprovecharse del mismo nahual, no se le dice a los niños. Aunque muchas veces se les compara a los niños con el animal, pero no es para identificarlo con su nahual. Los niños menores no saben el nahual de los mayores. Se les dice sólo cuando la persona tiene ya la actitud como adulto. Puede ser a los nueve o a los diecinueve o veinte años. Es para que el niño no se encapriche. Y que no vaya a decir, yo soy tal animal. Entonces me tienen que aguantar los otros. Pero cuando se le regalan sus animales, a los diez o doce años, tiene que recibir uno de los animales que representa su nahual. Pero si no se le puede dar un león, por ejemplo, se le suple por otro animal parecido. Sólo nuestros papás saben qué día nacimos. O quizá la comunidad porque estuvo presente en ese tiempo. Pero ya los demás vecinos de otros pueblos no sabrán nada. Sólo sería cuando llegamos a ser íntimos amigos.

Esto es más que todo para el nacimiento de un niño. Cuando es martes y no nace un niño, nadie se da cuenta o nadie se interesa. O sea, no es un día que se guarda o se hace fiesta. Muchas veces uno se encariña con el animal que corresponde a nuestro nahual antes de saberlo. Hay ciertos gustos entre nosotros los indígenas. El hecho de que amamos mucho a la naturaleza y tenemos gran cariño a todo lo que existe. Sin embargo, sobresale algún animal que nos gusta más. Lo amamos mucho. Y llega un momento que nos dicen, que es nuestro nahual, entonces le damos más cariño al animal.

Todos los reinos que existen para nosotros en la tierra tienen que ver con el hombre y contribuyen al hombre. No es parte aislada el hombre; que hombre por allí, que animal por allá, sino que es una constante relación, es algo paralelo. Podemos ver en los apellidos indígenas también. Hay muchos apellidos que son animales. Por ejemplo, Quej, caballo.

Nosotros los indígenas hemos ocultado nuestra identidad, hemos guardado muchos secretos, por eso somos discriminados. Para nosotros es bastante difícil muchas veces decir algo que se relaciona con uno mismo porque uno sabe que tiene que ocultar esto hasta que garantice que va a seguir como una cultura indígena, que nadie nos puede quitar. Por eso no puedo explicar el nahual pero hay ciertas cosas que puedo decir a grandes rasgos.

Yo no puedo decir cuál es mi nahual porque es uno de nuestros secretos.

IV

PRIMER VIAJE A LA FINCA. VIDA EN LA FINCA

"La tierra es ingrata cuando la habitan hombres ingratos."
Miguel Ángel Asturias, "Hombres de Maíz"

Después de los cuarenta días, ya el niño integrado a la comunidad, empieza la vida normal de bajar a las fincas.

Desde chiquita, me llevaba mi mamá cargada a la finca. Ella decía que, cuando yo tenía más o menos unos dos años, obligadamente me llevaban al camión porque no quería entrar. Era a la mitad del camino cuando ya me cansaba de tanto llorar, porque me daba miedo. La ida en el camión es de lo que me recuerdo. Es algo para mí que no sabía ni cómo era y me daba tanta pena porque soy yo una persona que me hace mucho mal el mal olor y todo eso. El camión es de cuadrillas para cuarenta personas. Y entre las cuarenta personas, van animales, perritos, gatos, pollitos que la gente trae del altiplano para llevarlos a la costa durante los días que van a estar en la finca. Y entonces nos vamos con los animales. Había veces que caminábamos en el camión, más de dos noches y un día. De mi tierra hasta la costa. Cuando íbamos en camino, empezaban a ensuciar los animales como también los niños en el mismo camión y entonces no se soportaba el olor de toda la suciedad, de animales y de gentes. Y hay mucha gente que recibe su pago que va a ganar a la finca —porque siempre nos adelantan cinco quetzales de lo que vamos a ir a ganar—. La gente de la alegría, o de la amargura que tienen que ir a trabajar sin descanso, sin límite, abandonar su tierra natal que es el altiplano, entonces empiezan a chupar, a tomar guaro en el pueblo. Y me recuerdo, pasaba esto con mis papás. Entonces, en el camión, también hay gentes vomitando, gente que saca todo lo que ha comido en el día. Entonces se unen todas esas cosas y casi uno llega a la finca medio tonto. Cuando vamos en el camino, el camión lo tapan con una lona donde no podemos ver ni los paisajes ni el lugar por donde pasamos. Casi la mayor parte del camino nos vamos durmiendo porque se aburre uno de estar en el camión. Me recuerdo que cuando el camión estaba todo tapado, acumulado todo el olor del ambiente que hay en el camión, uno también empieza a vomitar sintiendo el mismo olor. De modo que llegamos a la finca como un desastre, pero un desastre que parecíamos gallinas que salen de una olla que apenas podíamos caminar al llegar a la finca.

Yo siempre iba del altiplano a la costa pero nunca conocí el paisaje por donde pasábamos. Oíamos ruidos de otros camiones o de carros pero no veíamos tampoco eso. Me recuerdo, desde los ocho años hasta los diez años yo trabajé en corte de café. Pero después de eso, bajaba al corte de algodón que es en la mera costa donde hay mucho, mucho calor. Entonces el primer día que estábamos en corte de algodón, me recuerdo que me desperté como a media noche y encendí una candela y cuando vi la cara de mis hermanitos, estaban llenos, llenos de zancudos, llenos de mosquitos y me toqué la cara y que tenía lo mismo, pues, y que los animales estaban metidos hasta en la boca de toda la gente. Eso me daba una cosa, sólo de ver todos estos animales me daban hasta alergia, de pensar que me estaban picando. Todo esto es un mundo, que yo sentía lo mismo, lo mismo y lo mismo y no había cambio. En la forma en que nos transportan nosotros no conocemos ningún pueblo. Yo vi los lugares y las maravillas del lugar cuando nos echaron de la finca y tuvimos que pagar pasaje y regresar en una camioneta. Casi todos los chóferes que manejaban no nos querían llevar porque, claro, veníamos todos sucios, todos negros del sol y nadie nos quería llevar.

El camión es de la finca, sólo que lo manejan los contratistas, los caporales. Los caporales vigilan cada grupo de gente de una cuadrilla que son cuarenta personas o más, las que aguante el camión. Cuando llegan a la finca tendrán su caporal esas cuarenta personas. Los contratistas son personas del mismo pueblo sólo que han estado en el servicio o han estado fuera de la comunidad y empiezan a tener actitudes como los mismos terratenientes. Empiezan a tratar mal a la gente y hablan bruscamente, así maltratan, se ponen gente muy mala. Entonces, de acuerdo a que se adaptan a la vida del terrateniente o a como trata el terrateniente, entonces le dan un chance en la finca. Le dan un sueldo más y le dan un puesto, pues. Están para mandar y corregir a la tropa, diría yo. Hablan español y es precisamente el acercamiento a los terratenientes, porque nosotros, los indígenas, no hablamos el español, entonces muchas veces nos engañan en todo y como no hablamos el español, no nos podemos quejar y tampoco conocemos el terrateniente dónde vive ni dónde está. Sólo conocemos a los caporales y a los contratistas. Entonces, aparte son los contratistas los que llevan o traen a la gente del altiplano. Los caporales, más que todo, están fijos en las fincas. Sale una cuadrilla, entran otros y siguen mandando. El caporal es el que manda, por ejemplo cuando uno se descansa un rato en el trabajo, el caporal inmediatamente llega a insultar: trabajen y que para eso se les paga. Castigan también si la gente no se apura, porque muchas veces trabajamos por tareas y muchas veces trabajamos por días. Entonces, cuando se trabaja por días, es cuando la persona sufre más maltratos del caporal. Porque cada minuto, el caporal está para mandar. Cada minuto el caporal pasa viendo como trabaja cada uno. Otras veces se paga por lo que se recoge. Las dos cosas da igual porque muchas veces trabajamos más cuando trabajamos por día porque el caporal está encima de nosotros sin descansar. Y, cuando trabajamos por tarea, depende. A veces no hacemos la tarea en un día y tenemos que seguir al siguiente día pero permite que uno se descanse su ratito. Pero el trabajo tiene el mismo peso, ya sea trabajar por día o trabajar por tareas. Entonces, antes de irnos al camión, el contratista nos pide todas las cosas que vamos a necesitar en la finca. Los niños llevan el mismo vaso y el mismo plato que los padres, o sea, no llevan doble cuando no ganan los niños. En mi caso, cuando no ganaba, mis papás no me compraban vasos ni platos porque cada trabajador tiene que llevar su vaso y plato y su botella para su agua, en su morralito para recibir su tortilla en la finca. Entonces, mi mamá recibía su ración y parte de la ración de mi madre me daba a mí porque yo no ganaba, y así pasaba con todos los niños que no ganaban. Ya cuando uno gana lleva su pequeño platito para recoger también su tortilla, su ración con todos los mozos. Cuando nos dan sólo tortillas y fríjoles, a veces fríjol así descompuesto y tortillas descompuestas, no nos cobran pero cuando nos cambian un poco la comida, por ejemplo, tal vez cada dos meses, le dan huevos al trabajador, un huevo a cada uno y tortilla entonces eso lo cobran de otra forma, lo descuentan. Nos descuentan el variante de la comida. En la cantina que tiene el terrateniente allí venden alcohol, toda clase de guaro pero al mismo tiempo, venden cosas para que los niños se antojen. Por ejemplo, los tostaditos, dulces. Todas estas cosas están en la tienda. O refrescos. Entonces los niños, con el tanto calor y tanto sudar y hambre y todo, exigen que se les compre un dulcito. Entonces, a los padres les da tristeza de ver a un hijo que no le pueden dar y van y le compran. Pero lo sacan porque los de la cantina no reciben dinero en el momento sino que sólo apuntan lo que se llevó, lo que se tomó. Lo apuntan. Entonces después, cuando nos entregan el pago, nos dicen, esto es lo que debes en la tienda, esto es lo que debes en la comida, esto es lo que debes en la farmacia y esto es lo que debes de tal cosa. Entonces, por ejemplo, un niño, inconscientemente, arrancó un árbol de café, por ejemplo, entonces, esto es lo que debes en el trabajo. Nos descuentan de todo. De modo que tenemos que entregar el dinero para pagar nuestra deuda. Y hay una situación que me recuerdo muy bien que mi padre, ante la desesperación, y mi madre, ante la desesperación que tenían, se iban a la cantina. En todas las fincas de Guatemala, existe una cantina. Cantina decimos nosotros donde venden guaro, donde venden alcohol. Se van a la misma cantina. Allí toman el alcohol o el guaro que quieran tomar y después, al final del mes les cobran, pues. Esa cantina es del mismo terrateniente que está establecida ahí para los trabajadores. Entonces casi la mayor parte del sueldo se gasta. Ha habido casos muy duros donde yo, mis hermanos y mi madre teníamos que llevar todo el sueldo en casa después del mes porque a veces mi padre todo su sueldo tenía que dejarlo en la finca ya que tomaba constantemente y casi la mayor parte de su sueldo se quedaba ahí. Él era un hombre muy sensible. Por cualquier cosa que él veía que no salía o cualquier cosa que hubiera que pasar duramente, entonces, ante esa situación, él se iba a tomar para olvidarse de todo. Pero, perjudicaba más lo que hacía porque el mismo dinero se quedaba con el terrateniente. Es por eso que el mismo terrateniente ha puesto esa cantina. Una vez me recuerdo que mi papá trabajó todo el día pero era en corte de algodón. Entonces, no le abundó el trabajo. No sé ni qué le pasaría, no sacó su tarea. Entonces mi papá de la cólera o de escaparse de ese ambiente, fue a tomar y que toda la noche se quedó en la cantina. Cuando se terminó el mes, casi todo el sueldo de mi papá que había ganado, tuvo que dejarlo en la cantina porque tenía apuntado un gran descuento. No sabíamos sinceramente que él había tomado todo ese guaro. Ya después del trabajo da mucha pena ver toda la deuda que existe. Por todos los detalles hay deuda. Eso es lo que nos enseñaba mucho a estar quietos, pues, mi mamá decía, no toquen ninguna cosa que después tenemos que pagar. Mi mamá estaba controlándonos para que nosotros nos portáramos bien y para que no hubiera más deudas. Lo que pasó aquella vez cuando nos echaron de la finca. Nos lo contó uno de nuestros vecinos que siguió en la finca. Cuando recibieron ellos el pago, dice, que el caporal nos incluyó entre los mozos como si estuviéramos acabando el mes. Entonces claro, eran tres personas: mi mamá, yo y mi hermanito, que formábamos casi el trabajo de una persona, y el vecino que también nos acompañó para regresar. Dice que cuando se acabó el mes, el caporal tenía incluido como que si nosotros hubiéramos acabado el mes y como que si nosotros hubiéramos recibido el sueldo que teníamos que recibir. El sueldo que nos tocaba a nosotros le tocó al caporal. Ante esto, los caporales empiezan a tener todo lo que ganan y lo que empiezan a sacar de la gente y empiezan a tener su casita buena en el altiplano y por dondequiera tiene también pequeñas casas; ellos viven donde les da la gana y donde les gusta más.

Muchos son ladinos del Oriente pero también muchos son indígenas del mismo altiplano. Mi papá los llamaba indígenas ladinizados. Cuando nosotros decimos ladinizados es que tienen ya la actitud del ladino, y del ladino malo porque después nos dimos cuenta que no todos los ladinos son malos. Ladino malo que sabe hablar y sabe cómo robarle al pueblo. O sea, es una imagen pequeña del terrateniente. Me recuerdo cuando íbamos en el camión, es que daba ganas de quemar a ese camión para que nos dejaran descansar. Y lo que más me aburría a mí es que caminar y caminar y caminar y uno tenía ganas de orinar a veces y que no podía hacer nada porque el camión no se paraba. Los chóferes a veces iban borrachos, bolos. Se paraban mucho en el camino y no dejaban que la gente se bajara. Entonces teníamos una cólera con los chóferes porque no nos dejaban bajar y sin embargo, ellos, tomando en el camino. Todo esto a mí me daba cólera y, a veces, le decía a mi mamá, ¿para qué venimos a la finca? Y mi mamá decía: porque tenemos necesidad de venir a la finca y cuando seas grande te darás cuenta la necesidad que tenemos. Pero yo me daba cuenta, lo que pasaba es que yo me aburría de todo. Cuando ya era grande, ya no era extraño para mí; porque poco a poco uno va viendo las necesidades y uno va viendo que tenía que ser así y que no era sólo de nosotros las penas, los dolores, los sufrimientos sino que todo era de todo un pueblo y que veníamos de diferentes lugares. Ya cuando estábamos en corte de algodón, creo que tenía unos doce años, ya era grande, trabajaba ya como una mujer adulta y hacía toda mi tarea. La primera vez que yo conocí un terrateniente de la finca, me recuerdo que me dio hasta miedo de ver el terrateniente porque era gordo. Y yo no había visto un ladino como el terrateniente. Venía bien gordo, bien vestido, hasta con reloj y todo y en ese tiempo nosotros no conocíamos el reloj. Incluso yo no tenía zapatos aunque mucha gente tenían sus caitios pero no se comparaba con el zapato del terrateniente, pues. Nos anunciaron los caporales desde la madrugada y dijeron, señores, van a trabajar un día después del mes. Y cada vez cuando hay algo, nos avisan de una vez que no nos tenemos que ir al mes, sino que tenemos que reponer un día después del mes. Si el mes tiene treinta y un días, tenemos que dar el día primero del otro mes. Si hay algo o si hay un día de descanso del trabajo. Entonces, los caporales nos avisaron que teníamos que reponer un día del mes porque teníamos que conocer al terrateniente. El patrón, dicen ellos: "Viene nuestro patrón y el patrón nos va a dar un agradecimiento de nuestro trabajo y al mismo tiempo va a platicar un rato con nosotros, así que nadie se va del trabajo ahorita, nadie va a salir de aquí y tenemos que esperar al patrón." Entonces nos quedamos en el campamento donde vivimos, en el rancho y nos dividieron por grupos. Cuando vemos que apareció el gran terrateniente, que iban detrás de él como unos quince soldados cuidándolo.

Para mí era una tontería, pues, porque yo pensé que al terrateniente lo tenían apuntado con armas. Entonces yo dije: "¿Cómo es posible que viene obligadamente el terrateniente a vernos, pues?" Sin embargo, era para cuidarlo. Iban como quince soldados y buscaron un lugar bien arreglado para el terrateniente. A nosotros nos obligaban... El caporal dijo, alguien de ustedes tiene que bailar cuando el terrateniente esté aquí. Mi mamá decía no, mi mamá nos escondió. Más que todo, buscaban a los niños para que dieran una felicitación al terrateniente. Nadie se animó ni siquiera a acercarse al terrateniente porque venía muy cuidado, hasta con arma en la cintura. Cuando llegó el terrateniente, empezó a hablar en español. Mi mamá lo entendía un poquito, un poquito de español y después nos decía, está hablando de las elecciones. Pero no entendíamos ni lo que nos decían nuestros papás, que existe un gobierno de los ladinos. O sea, el presidente que ha estado en ese tiempo en el poder, para mis papás, para nosotros era un gobierno de los ladinos. No era gobierno del país. Entonces siempre teníamos la idea de eso. Entonces dice mi mamá, es que habla del gobierno de los ladinos. ¿Ah, qué sería, pues? Entonces habló el terrateniente. Vienen los caporales, nos empiezan a traducir lo que el terrateniente dijo y lo que decía el terrateniente es que todos nosotros teníamos que ir a rayar un papel. O sea, serían los votos, me imagino que serían los votos. Todos nosotros teníamos que ir a rayar un papel y le dio un papel a mi papá, a mi mamá, de una vez indicado el lugar donde rayar el papel. Me recuerdo que venía el papel con unos cuadros con tres o cuatro dibujos. Entonces mi papá, como mis hermanos que eran ya mayores de edad, fueron a rayar el papel donde les enseñó el terrateniente. De una vez advirtió el terrateniente que el que no va a rayar el papel, iba a ser despojado de su trabajo después del mes. O sea, de una vez lo echaba del trabajo, y no le iba a pagar. Obligatoriamente tenían que ir los mozos a rayar el papel. Entonces otro día más de descanso, quiere decir que el día dos del otro mes tenemos que trabajar también. Entonces se fue el terrateniente pero después... muchas veces soñé... sería el miedo, la impresión que me quedó de la cara del señor... y me recuerdo que le decía a mi mamá... "yo soñé con el viejo ladino que vino aquí". Y mi mamá decía "ah, tonta. Es un señor y no le tengas miedo", decía mi mamá. Pero todos los niños del lugar donde estábamos, huyeron de sus papás y lloraban de ver el señor ladino y peor cuando vieron las armas y el soldado. Entonces, pensaban que los iban a matar a sus papás. Y eso pensé yo también, que iban a matar a toda la gente porque llevaban armas.

No sabíamos ni cuál era el nombre. Mi papá a veces decía nombres por los recuerdos que tenía él, porque cuando fue la derrota del 54, dice que capturaron a todos los hombres de la región, de todas las regiones. A los indígenas los llevaron al cuartel. Llegando allá, les dieron un arma y les dijeron que tenían que pelear. Mi papá estuvo allí. Fue uno también de los agarrados, él tiene negros recuerdos de todo eso. Él dice que muchos, muchos indígenas se murieron y que nosotros nos escapamos por medio de nuestras iniciativas y así es como tenemos vida, decía mi papá. Entonces tiene malos recuerdos de eso. Él siempre hablaba del presidente que estaba antes pero a los demás, no los conocíamos. Los demás no los conocíamos, ni conocemos el nombre ni cómo son. No sabemos nada de ellos. Después nos felicitaron los terratenientes. Fue la segunda vez que vimos al terrateniente a su esposa y a uno de sus hijos, que casi iguales estaban de gordura. Llegaron a la finca y nos dijeron que había ganado nuestro presidente, que lo habíamos votado. Entonces no sabíamos nosotros si eran votos los que nos llevaron, pues. Entonces mis papás se reían cuando decían "nuestro presidente" porque para nosotros era presidente de los ladinos, no era nuestro presidente. Eran mis impresiones desde chiquita y yo pensaba mucho cómo sería el presidente. Yo pensaba que era un hombre más grande todavía que el terrateniente. Porque el terrateniente era alto; alto y que nunca conocemos gente alta en nuestra aldea. Entonces, yo pensaba, que el presidente era más alto que el terrateniente. Ya de grande sí conocí más de cerca al terrateniente y me pidió el terrateniente a mis padres. Fue cuando me trasladaron a la capital, ya la otra etapa de mi vida.

V

CORTE DE MIMBRE. PRIMER VIAJE A LA CAPITAL

"Cuando fui por primera vez a la ciudad, la vi como un monstruo, como un otro diferente."

Rigoberta Menchú

A los siete años fue la primera vez que me sentí grande, cuando me perdí en la montaña. Después de venir de la finca nos fuimos al altiplano pero desgraciadamente se enfermaron mis hermanos y nosotros. Regresamos muy mal del viaje de la finca. Se acabó el dinero y mi padre decía, si regresamos a la finca con hijos enfermos, será sólo para enterrar a nuestros hijos en la finca. Entonces mi papá dijo, no hay más remedio que ir a la montaña a buscar mimbre. Mis hermanos mayores, yo, y mi papá. De hecho, nosotros, siempre los días que nos quedan libres, vamos a buscar mimbre, porque estamos más cerca de la montaña y cualquier rato que quedaba, una semana que quedaba sin trabajo, mi papá iba a la montaña. Todo el mundo a cortar mimbre. Y, prácticamente, cuando íbamos a la montaña a cortar mimbre, en una semana sacábamos, entre yo, mi papá, mis dos hermanos mayores, un quintal de mimbre, o sea, cien libras. Y se seca. Y el mimbre se trata de jalar como lazo y se acumula y otros lo pelan y otros lo enrollan. Fuimos más adentro de la montaña, y en la montaña si uno no se fija donde está su tierra se pierde. Teníamos un perro y ese perro nos guiaba siempre porque el perro sabía buscar animales y al mismo tiempo sabe reconocer el camino, casi es el guía de todos cuando íbamos a la montaña. Entonces, el bendito perro vio que no teníamos comida, que se nos acabó la comida, teníamos más de ocho días de estar en la montaña, el pobre perro tenía hambre, entonces regresó una noche. Cuando nos dimos cuenta, el perro ya no estaba. Nosotros no nos ubicábamos ni dónde estábamos en la montaña. Eran los tiempos que llovía. Si no me equivoco sería el mes de junio, julio. Había nubes bastante oscuras y no sabíamos donde estábamos. Mi papá estaba preocupadísimo porque si nos quedábamos en la montaña era posible que cualquier animal nos podía comer. ¿Qué íbamos a hacer para encontrar el camino? Así es que empezamos a caminar y a caminar y a caminar. No sabíamos si nos estábamos metiendo más en la montaña o estábamos saliendo. No oíamos ningún grito de animales de la población, no oíamos ningún perro que ladra porque en general, cuando los perros ladran en la población, el murmullo de la voz de los animales se va lejos en la montaña o lejos de los animales. Pero no había nada. En ese tiempo, con tanto buscar, me dejan perdida, pues. Yo me quedé atrás, no sabía por dónde agarrar y mi padre casi llorando empezó a buscarme. En la montaña el que va primero es el que hace el camino, abre la brecha donde pasan los demás y así íbamos en fila. Y como yo era pequeña y mis hermanos de tanto enojados, de cansados no querían saber nada entonces yo me quedé atrás y me quedé y me quedé y me quedé y empecé a gritar y nadie me oía y se fueron. Claro, tenía que seguir el camino pero llega un momento en que no se veía por dónde pasábamos. Entonces mi papá tuvo que regresar y perdió el camino por donde venía y entonces me perdieron por unas siete horas, que yo llorando, gritando y que nadie me oía. Era el primer tiempo que yo me sentía algo como una persona adulta y que tenía que ser más responsable y que tenía que ser como todos mis hermanos. Y mis hermanos empiezan a regañarme cuando me encontraron, que tú tuviste la culpa, que ni siquiera sabes andar. Y así creo que caminamos unos tres días en que no teníamos nada que comer. Cortábamos los bojones y comíamos la parte tierna de la planta, como que estuviéramos chupando carne, pues. Claro, cada vez estábamos más débiles y que cargábamos todo el mimbre que habíamos cortado. Así es cuando el maldito perro, tal vez se dio cuenta que estábamos cerca ya de la población y que el perro nos va llegando a encontrar. Con tanta alegría nos va a encontrar el pobre perro y que nosotros estábamos como para matar al pobre perro, de tanta cólera. Mi mamá y los vecinos estaban preocupadísimos, no hallaban qué hacer porque sabían que si nos perdimos en la montaña, tenía que salir una pila de vecinos a buscarnos. Claro, nos iban a encontrar con el perro, pero todavía nos estaban esperando en la población y todos enojados. Es algo que nunca se me ha olvidado porque es mi cólera ante toda la situación que vivimos porque después de bajar a la población, que tanto nos costó el corte de mimbre, y pudimos lograr llevarlo a la casa, aunque dejamos tirado un montonón de peso cuando llovió. No pudimos cargarlo todo. Dejamos tirado parte del mimbre que habíamos cortado. Después de eso mis padres lo pusieron a secarlo y lo prepararon muy bien y mi padre se fue a la capital con un préstamo que le ofrecieron, prestando dinero para su pasaje; en la capital prácticamente nos pagaban en ese tiempo cincuenta quetzales el quintal de mimbre. Donde cinco, seis de la familia hacíamos un quintal en la semana, o sea, todo el día trabajando en la montaña, nos pagaban cincuenta quetzales el quintal, con todo el transporte que se tenía que viajar con eso a la aldea y de la aldea al pueblo y del pueblo a la capital. Era por nuestra cuenta todos los gastos. Entonces, viajamos y mi padre me quería mucho a mí y yo tenía mucho cariño a mi padre entonces casi me tocaba viajar con él y me tocaba sufrir lo que a mi padre le tocaba sufrir. Entonces llegamos a la capital y mi cólera es que en ese tiempo es que yo no entendía qué hablaba mi papá con el señor donde llegó a vender el mimbre. Y el señor le dijo que no tenía dinero y que no compraba el mimbre. Era un carpintero. Era un viejo. Porque el mimbre se sigue utilizando en los muebles, en Guatemala y en general son los carpinteros y sobre todo los carpinteros de Antigua los que compran el mimbre para hacer ese calado. Entonces llegamos allá y que yo veía los gestos que los señores le hacían a mi papá y que no sabía yo qué estaban contando. Después mi papá estaba preocupadísimo porque no le compraban el mimbre. Entonces mi papá buscaba otra gente y como la capital para nosotros es como otro mundo, que no conocemos, porque vivimos en la montaña. Entonces mi papá tuvo que dejar el mimbre con el señor que le pagó la mitad. O sea, ¡regresamos con veinticinco quetzales. Y todo el trabajo que habíamos hecho! Entonces regresamos a casa y nos encontramos con la gran sorpresa de que mi mamá había confiado bastante en el trabajo y pensaba que llegábamos con una cantidad de dinero. Casi no había nada. Y mi pobre madre casi se moría de cólera, del enojo de que ni siquiera había dinero y de todo lo que sufrimos. Le daba ternura, pues, de todos mis hermanos y de nosotros, porque sabía que sufrimos hasta hambre, mojados buscando mimbre. Entonces, forzosamente teníamos que regresar a la finca, para juntar un poco de centavos.

Había veces que también llevábamos hongos de la montaña, yerbas del campo para el pueblo, para venderlos y regresar con sus centavitos en la mano. Nosotros, prácticamente nuestro trabajo era ir a la montaña a buscar mimbre.

Otra de las cosas que me ha pasado en la vida fue cuando fui por primera vez a la capital. Yo era la consentida de mi papá. Siempre andaba con él. Fue la primera vez que anduve en una camioneta que tiene ventanas, porque estaba acostumbrada al camión cerrado, como que si estuviéramos en un horno, con toda la gente, con todos los animales. Fue la primera vez que me senté en una silla de la camioneta, la camioneta tenía ventanas. Claro, no quería yo meterme en eso porque para mí era diferente del camión. Entonces mi papá decía, no, yo te abrazo, y que no tengas pena. Vamos a llegar bien. Mi papá me ofrecía un dulce para que yo me metiera a la camioneta. Nos fuimos. Me recuerdo cuando empezó a arrancar la camioneta... Casi no me dormí en todo el camino viendo el paisaje desde Uspantán hasta la capital. Era una impresión para mí de ver todo lo que habíamos visto: pueblos, casas muy diferentes que nuestra casita y montañas. Me daba una gran alegría pero, al mismo tiempo, me daba miedo porque yo sentía, viendo ya cuando el camión salía, y yo sentía que nos íbamos al barranco. Y cuando llegamos a la capital, pensaba que los carros eran animales y que caminaban. No me pasaba por la cabeza que eran los carros. Y le preguntaba a mi papá, ¿qué son éstos? Igual que camión grande, me dice mi papá, sólo que más chiquito y son de la gente que sólo quieren transportar pequeñas cosas. Pero en lo que vamos a la finca, en donde van los trabajadores, es el camión de los indígenas, dice mi papá y esto donde vamos ahora, es de la gente que va a la capital pero a viajar y no a trabajar. Y esos chiquitos, son de lo más ricos y que sólo están para ellos y que no tienen cosas para transportar. Cuando yo veía, pensaba que todo el mundo se chocaba y casi no se chocaban, pues. Cuando se paraban, se tenían que parar todos. Era impresionante para mí cuando llegué, me recuerdo, contando a mis hermanitos como eran los carros, como los manejaban y que no se chocaban y que nadie se murió y un montonón de cosas. Tenía bastante rollo que contar en la casa. Entonces mi papá decía, cuando seas grande, tienes que viajar, tienes que caminar. Ya sabes que tienes que hacer lo que yo hago, dice mi papá. Después de vender nuestro mimbre y que no recogimos centavo, mi papá tenía que entrar en una oficina del INTA. Mi papá estuvo yendo por veintidós años a las oficinas de Transformación Agraria, que le dicen. O sea, cuando se tienen problemas con tierras, cuando les venden tierras o cuando el gobierno quiere meter a otros campesinos en otras regiones, se tiene que ir a Transformación Agraria. Y allí los citan para que vayan a presentarse. Y la gente que no llega a presentarse le ponen un castigo, multa. Eso es lo que me explicaba mi papá, que había una cárcel para los pobres y si uno no iba a esa oficina, lo metían en la cárcel. Yo no sabía tampoco lo que era la cárcel. Y mi papá decía, estos señores no te dejan entrar si no los saludas y si no les respetas. Cuando entramos allí, no hagas bulla, no hables, decía mi papá. Entramos ahí y cuando veo a mi papá, se quitó el sombrero y casi medio se hincó delante del señor y que tenía una mesa bastante grande y que estaba escribiendo a máquina. Otra cosa, soñaba siempre con la máquina. Cómo es posible que le sale un papel y que se escribe. No sabía qué pensar de toda esa gente. Pero yo pensaba que son gentes importantes porque mi papá se quitaba el sombrero y los saludaba de una forma muy humilde. Ya después regresamos a casa y cada vez que mi papá se iba a la capital, yo quería ir con él, pero no tenía la capacidad de llevarme. Muchas cosas me interesaron y muchas cosas había que ya no quería ver, pues, me daban miedo. Que yo pensaba, si fuera yo solita, me muero aquí. La ciudad para mí es un monstruo, un otro diferente. El hecho de las casas y de los señores y yo decía, éste es el país de los ladinos, pues. Para mí era el país de los ladinos. Que nosotros éramos diferentes. Ya después me tocó viajar muchas veces, entonces ya no era tan extraño para mí. La impresión que me quedaba también es que sufrimos mucha hambre con mi papá. No comíamos. Entonces mi papá decía, no vamos a comer porque tenemos que ir a tal parte y a tal parte; viajando en la capital. Entonces, yo tenía mucha hambre y le decía a mi papá, ¿usted no tiene hambre? Sí, pero todavía nos falta que hacer muchas cosas. Entonces, en lugar de comida, mi papá me compraba un dulcito para que yo lo chupara. Era la mala impresión que tenía cada vez cuando pensaba que mi papá se iba a la capital, que tenía que ir a sufrir hambre. Como nunca había probado un helado en la vida, una nieve, como le llaman. Una vez mi papá me compró un heladito de cinco centavos, lo probé y era muy sabroso para mí.

Nos quedamos tres días en la capital. Mi papá tenía un amigo que antes era un indígena de la región, vecino nuestro. Pero poco a poco, se hizo comerciante y se fue a la capital. Entonces, tiene una casita en la capital, en las áreas marginales, una casita de cartón y muy chiquita su casa. Con él nos quedábamos. A mí me daba mucha tristeza con los hijos del señor, porque antes estábamos en el campo y jugábamos juntos y íbamos al río y después cuando vi a los niños, lloraron y me preguntaron, ¿cómo están los animales, cómo están los ríos, cómo están las plantas? Los niños tenían mucha inquietud de regresar y a mí me daba tristeza. Los mismos señores casi no tenían nada que comer en la casa. Entonces, tampoco nos podían dar de comer porque era muy escasa la comida de ellos. Entonces, con ellos estábamos.

VI

A LOS OCHO AÑOS COMIENZA A TRABAJAR EN LA FINCA COMO ASALARIADA

"Y así es cuando a mí me nació la conciencia."
Rigoberta Menchú

Yo trabajaba, desde niña, pero no ganaba dinero sino que ayudaba más a mi mamá ya que mi mamá tenía siempre un niño y mi hermanito había que cargarlo cortando café y todo. Entonces me daba mucha pena ver el rostro de mi madre cubierto de sudor y que no podía ajustar su tarea y yo tenía que ayudarle. Pero sin embargo, mi trabajo no era pagado sino que era en contribución a la tarea de mi madre. Cortaba con ella o cuidaba al hermanito para que mi madre abundara su trabajo. Mi hermanito tenía en ese tiempo tal vez unos dos años y como allá entre el indígena se prefiere que el niño tome la leche y no darle de comer porque es multiplicar la comida cuando el niño come y la madre come, mi hermanito todavía mamaba en ese tiempo, y mi mamá tenía que dedicarle tiempo a mi hermanito para que mame y todo. Y en ese tiempo me recuerdo que el trabajo de mi madre era de hacer comida para cuarenta trabajadores. Ella molía, torteaba, ponía el nixtamal, cocía fríjol para la comida de los trabajadores. Y en la finca es difícil. Todá la masa que se hace en la mañana se tiene que acabar en la mañana, porque se pone shuco. Entonces, mi madre tenía que tortear de acuerdo a lo que comen los trabajadores en cada comida. Y mi madre era muy prestigiada de los trabajadores ya que ella daba la comida muy fresca. Pero como nosotros pertenecemos a otra señora que nos da de comer, hay veces que comíamos las cosas muy shucas, tortillas tiesas, fríjoles que todavía brincan cuando uno los agarra. Allí en la finca la señora tampoco sabe las gentes que va a tener. El caporal viene y le dice:... aquí está tu grupo... esto es lo que das de comer... éstas son las gentes que vas a tener, ...das la comida a tales horas y a trabajar, pues. Y comíamos con diferentes señoras que nos daban de comer. Y mi madre, aunque no dormía en todas las horas de la noche, le gustaba dar de comer a los trabajadores como merecen. Regresan cansados. Entonces ella se preocupaba mucho por dar de comer bien, aunque nosotros comíamos mal en otro lado. Entonces, a los cinco años, cuando mi madre trabajaba en eso, yo tenía que cuidar a mi hermanito, todavía no ganaba dinero. Yo veía a mi madre que muchas veces, a las tres de la mañana ya tenía la comida para los trabajadores que salen temprano a trabajar y a las once de la mañana, también ya tenía la comida, la comida al mediodía. A las siete de la noche estaba corriendo otra vez para dar de comer a la gente. Todos sus espacios libres tenía que también trabajar, en corte de café para ganar una ganancia extra de lo que ganaba. Entonces, ante esto, pues, yo me sentía muy inútil y cobarde de no poder hacer nada por mi madre, únicamente cuidar a mi hermanito. Y así es cuando a mí me nació la conciencia, pues. Aunque a mi madre no le gustaba mucho de que yo empezara a trabajar, a ganar mi dinero pero yo lo hacía y lo pedía más que todo para ayudarla a ella. Tanto económicamente, tanto en fuerza. Es que mi madre era valiente y lo enfrentaba muy bien. Pero llegaba momentos en que se enfermaba uno de mis hermanos y que si no está enfermo éste es el otro, entonces, casi todo lo que ganaba se iba en medicina de mis hermanos o de mí misma. Entonces, eso me daba mucha pena. Y así es cuando yo me recuerdo que, cuando terminamos los cinco meses de estar en la finca, regresamos al altiplano y me enfermé y casi me iba a morir también. Tenía unos seis años y mi madre estaba bien preocupada porque casi me moría. El cambio de clima, muy brusco para mí. Y, ya después de eso, yo hacía todos los esfuerzos de no enfermarme y aunque me dolía mucho la cabeza, no lo decía.

Y ya fue cuando cumplí los ocho años que empecé a ganar dinero en la finca y fue cuando me propuse hacer una tarea de treinta y cinco libras de café al día y que me pagaban veinte centavos, en ese tiempo, por la tarea. Y hay veces que yo no hacía la tarea en el día. Si yo hacía las treinta y cinco libras, entonces ganaba los veinte centavos al día, pero si no, al día siguiente tenía que seguir ganando los mismos veinte centavos. Pero yo me proponía hacer y me recuerdo que mis hermanos terminaban su tarea por allí siete, ocho de la noche y había veces que me ofrecían ayuda y yo decía: tengo que aprender porque si no aprendo, quién me va a enseñar. Forzosamente tenía que hacer mi tarea. Había veces que, apenas hacía veintiocho libras porque me cansaba, sobre todo cuando había mucho calor. Entonces me daba dolor de cabeza y me quedaba durmiendo abajo del café; cuando oigo a mis hermanos que me llegan a buscar. Ya en la mañana prácticamente nos teníamos que turnar para ir al monte a hacer nuestras necesidades. No hay letrinas, no hay inodoro en la finca. Entonces, había un lugarcito donde hay muchos montes , allí se iban toda la gente. Y vivíamos como cuatrocientas personas. Toda la gente se iban al mismo monte, de modo que era la letrina, el baño de toda esa gente. Entonces nos turnábamos. Un puñado de gente regresa y se va otro puñado. Y había muchas moscas encima de toda la suciedad que hay ahí. Había una sola pila en la galera donde vivíamos y esa pila no nos alcanzaba ni siquiera para lavarnos las manos. Entonces, había pozos de agua más lejos, un poco retirados, que sirven a los terratenientes para regar el café o para hacer cualquier cultivo. Entonces teníamos que también viajar hasta los pozos para tomar agua, para sacar botellas de agua para llevar al corte de café.

El café lo cortábamos y había veces que sólo se recogía el café, que eso se hace cuando está ya más maduro y se cae solo. Es más difícil recogerlo que cortarlo. A veces hay que mover los árboles para que caigan los cafés. Y los que están más cerca se cortan cuidadosamente ya que también si arrancábamos una rama de café teníamos que pagarla con el sueldo que ganábamos. Grano por grano. Peor cuando son cafeces muy jóvenes. Entonces vale más una rama que cuando es un café ya viejo. Para eso están los caporales que vigilan a los trabajadores, cómo cortan el café, si no lastiman las hojas de los árboles.

Cuidadosamente teníamos que trabajar. Eso sí que desde niños, me recuerdo que es una de las cosas que a mí me enseñó a ser muy delicada; era como tratar a un herido, cortando café. Yo trabajaba cada vez más ya que entraba en tareas y me proponía por ejemplo juntar una libra de lo que cortaba todos los días y así fue aumentando mi trabajo, pero, sin embargo, no me pagaban el resto, o sea la sobre tarea que yo hacía. Me pagaban muy poco.

Seguí trabajando y, como decía, dos años me pagaron veinte centavos. Y yo cada vez aumentaba mi trabajo. Cada vez aumentaba una libra, dos libras, tres libras. Trabajaba como una gente mayor. Entonces, ya me aumentaron el pago. Cuando ya hacía las setenta libras de café, me pagaban treinta y cinco centavos. Ya cuando comencé a ganar, ya me sentía yo una mujer que contribuía directamente con mis padres ya que cuando recibí el primer sueldo, lo poco que recibí, se fue en contribución con el sueldo de mis padres y ya más o menos me sentía parte de la vida que sienten mis padres. Me sacrificaba mucho y me recuerdo muy bien que nunca perdía el tiempo, más que todo por amor a mis padres y para que guarden un poco de dinero ya que ellos no lo pueden guardar porque de todos modos se tienen que ajustar.

En ese tiempo caigo de enfermedad, pues, a los ocho años. Apenas tenía tres meses de estar en la finca y me enfermé y tuvimos que regresar a casa. Y de hecho era el tiempo que teníamos que ir a sembrar la milpa en el altiplano, en marzo. Y ya regresamos y allí es cuando yo empecé a trabajar ya con mis papás, también en el campo. Y era otra vida, pues, más alegre, en el campo. Aunque sí sufrimos mucho, mucho cuando regresamos de la finca, ya que en la montaña llueve mucho y estábamos mojados y que nuestra casita no permitía que no tuviéramos aire y el aire entraba por dondequiera, los animales entraban también por dondequiera en nuestra casita. Eso no permitía que nosotros estuviéramos bien ni tapados porque no teníamos ropa. Y nos bajamos nuevamente a la finca. Todavía era por los meses de mayo, por ahí.

Mi papá se fue al corte de caña en otra finca. Uno de mis hermanos se fue al corte de algodón y nosotras nos quedamos en el corte de café.

Cuando mi padre trabajaba cerca, regresaba, pero cuando trabajaba en otra finca, no nos veíamos hasta terminar el mes, pues. Y casi pasaron todos los tiempos así, que mi padre cortaba, sembraba o limpiaba caña por otro lado. Mi padre trabajaba en caña y nosotros en el café. Entonces, estábamos en diferentes fincas. Habían veces que nos veíamos cada tres meses o cada mes.

Cuando regresaban de trabajar estaban muy cansados y, por ejemplo, mi padre, se cansaba mucho, mucho. Entonces, muchas veces no tenía ganas de platicar o de hablar. Y mi madre tampoco. Aunque nunca se peleaban pero había una situación donde muchas veces teníamos que hacer silencio, teníamos que hacer muy bien las cosas para que la mamá y el papá descansen un ratito. Y más, con el ruido de la gente, viviendo entre miles de personas, desconocidos. Entre éstos, hay mucha gente que ha sufrido tremendos cambios, o sea, gente ya de prostitutos y así. Entonces, es un ambiente muy difícil y se pierde muchas veces la atención a los hijos. La mamá de tanto cansada, no puede. Ahí precisamente se marca la situación de la mujer en Guatemala, porque la mayor parte de las señoras que trabajan cortando café y algodón, a veces caña, están con sus nueve o diez hijos. Entonces, entre esos nueve, diez hijos o más, hay unos tres o cuatro que más o menos están bien, que resisten un poco. Pero la mayoría están hinchaditos de desnutrición. Ante esa situación, la madre piensa que pueden morir cinco o cuatro de sus hijos, es difícil y el hombre se rebela ante esa situación. Trata de olvidarse de eso porque no hay otra salida. Entonces, es la madre la que tiene que despedir a sus hijos en la última agonía. Pero está presente en todo. Muchas veces la mujer demuestra una valentía más con respecto a toda esa situación. Y sucede con la gente que, por ejemplo ha ido al cuartel, que abusa a todas las muchachas. Muchas muchachas que no tienen madre, que no tienen padre y sólo ganan de lo poco que ganan en la finca. Entonces empiezan a surgir prostitutas ya que en el pueblo indígena, no existe la prostitución por nuestra misma cultura, por nuestras mismas costumbres que todavía las conservamos. Entonces, para una comunidad, el hecho de que se cambie nuestra forma de vestir, es una falta de dignidad ante todo el mundo. Entonces el que no se vista como se visten nuestros abuelos, nuestros antepasados está perdiéndose.

VII

MUERTE DEL HERMANITO EN LA FINCA. DIFICULTADES DE COMUNICACIÓN CON LOS DEMÁS INDÍGENAS DEBIDO A LA DIVERSIDAD LINGÜÍSTICA. MÁS SOBRE LA VIDA EN LAS FINCAS

> *"... los que se han entregado a sembrar maíz para hacer negocio, dejan la tierra vacía de huesos, porque son los huesos de los antepasados los que dan el alimento maíz, y entonces la tierra reclama huesos, y los más blanditos, los de los niños, se amontonan sobre ella y bajo sus costras negras, para alimentarla."*
>
> M. A. Asturias, "Hombres de Maíz"

Quince días teníamos de estar en la finca, cuando se muere uno de mis hermanos de desnutrición. Mi madre tuvo que faltar días para enterrar a mi hermanito. Dos de mis hermanitos murieron en la finca. El primero, que era el mayor, se llamaba Felipe, yo nunca lo vi. Se murió cuando mi madre empezó a trabajar. Habían fumigado el café, con el avión como acostumbran hacerlo mientras nosotros trabajamos, entonces mi hermanito no aguantó el olor de la fumigación y se murió intoxicado. Del segundo yo sí vi la muerte. Se llamaba Nicolás. Él se murió cuando yo tenía ocho años. Era el hermanito más pequeño de todos. Era el niño que llevaba mi mamá en los brazos. Tenía ya dos años. Cuando empezó mi hermanito a llorar y a llorar y a llorar, no sabía mi mamá qué hacer con él. Porque de hecho, mi hermanito estaba bien hinchadito del estómago por toda la desnutrición que tenía. Tenía una pancita bien grande, entonces no sabía mi mamá qué hacer con él. Y llega un momento en que mi mamá tampoco le daba la atención porque si no, le quitan el trabajo en la finca. Desde el primer día que estábamos en la finca, mi hermanito estaba mal, muy mal. Mi mamá siguió trabajando y nosotros también. Tardó quince días mi hermanito. Cuando teníamos quince días en la finca, empieza a estar en agonía mi hermanito y no sabíamos qué hacer con él. Los vecinos de nuestra comunidad estábamos divididos, apenas teníamos en la finca dos de los vecinos, ya que los otros se habían ido a diferentes fincas. Entonces no estábamos juntos. Y no sabíamos qué hacer porque estábamos en grupos, pero con gentes de otras comunidades, pero no podíamos hablar, no hablábamos la misma lengua. Venían de diferentes lugares. Tampoco sabíamos hablar el español. No nos entendíamos; necesitábamos ayuda. ¿A quién llamar? No había nadie con quien contar, y con el caporal menos. Más bien era posible que nos echara de la finca. Con el patrón tampoco, ni siquiera lo conocíamos al patrón ya que el patrón actuaba por medio de los intermedios, que son los caporales y los contratistas y etcétera. Entonces nunca veíamos al patrón. Y así fue cuando se necesitaba que se ayudara a mi madre para enterrar a mi hermanito y no podíamos hablarnos con toda la gente, no podía comunicarme y mi madre estaba muy destrozada de ver el cadáver de mi hermanito. Pero sí me recuerdo que en ese tiempo sólo por señas nos entendíamos con la gente. La mayor parte de la gente tiene esas mismas experiencias; se ven un día clavados en una situación de esas, en que nadie de fuera les ayuda y que mutuamente nos debemos ayudar. Pero es muy difícil, porque incluso, yo me recuerdo que quería tener amigos, amiguitas entre los que convivíamos en una sola galera... trescientas... cuatrocientas gentes; trabajadores en la finca, pero, no podíamos relacionarnos.

Una galera es una casa, un ranchito donde nos meten a todos los trabajadores. Digo galera pues sólo tiene techo de hojas de palma, hojas de plátano de la finca. Pero no tiene paredes sino que es abierta. Allí viven los trabajadores junto con sus animalitos; los perros, los gatos, todo lo que llevan del altiplano y es un lugar donde no hay límite, pues, nos meten en cualquier lugar y nos dormimos con cualquier gente, así es en las costas. Es una sola casa que se supone para cuatrocientas, quinientas personas.

No podíamos relacionarnos. Bueno, también limitaba nuestra relación, el trabajo, pues, ya que nos levantábamos y desde las tres de la mañana, empezábamos a trabajar. Peor si es en corte de algodón ya que el algodón no abunda en peso, abunda en cantidad. Entonces, tempranito está muy fresco el tiempo y al mediodía es igual que si nos estuvieran metiendo en un horno, hace mucho, mucho calor y eso hace porque desde la mañana estamos metidos en el trabajo. A mediodía comemos un rato, y sólo pasa el mediodía, y empezamos a trabajar otra vez hasta la noche. Entonces, no teníamos mucho tiempo, para relacionarnos a pesar de que pertenecemos a una comunidad. Eso es lo que nos duele mucho, a los indígenas, porque cuando estamos juntos, pues, precisamente estamos en una comunidad del mismo lugar, pero cuando nos movilizamos en las fincas nos encontramos con indígenas —ya que todos los trabajadores que están en las costas, en cortes de café, ya sean estables en las fincas, o que emigran a las fincas, son indígenas— pero que son de otras etnias y hablan otras lenguas. Eso es muy difícil para nosotros porque las barreras idiomáticas no permiten el diálogo entre nosotros mismos, los indígenas. Sólo entendemos a la gente de nuestra etnia o de nuestro grupo, pues, no hablamos el castellano y tampoco hablamos otras lenguas entonces, eso precisamente, por más que uno quisiera acercarse de otro grupo de gente, no permite, pues, el diálogo. Y, únicamente, lo que hacíamos en las fincas es seguir celebrando nuestras costumbres y todo, pero no nos entendemos. Es igual que si estuviéramos hablando con una gente extranjera.

El niño se murió en la madrugada. No sabíamos qué hacer. Los dos vecinos se preocuparon de ayudar a mi madre pero no sabían nada que hacer con él. Dónde enterrarlo ni cómo. Entonces el caporal le dijo que podía enterrar a mi hermanito en la finca pero tenía que pagar impuesto donde se va a quedar enterrado. Entonces mi mamá decía: pero yo no tengo nada de dinero. Entonces dijo el señor: no, es que usted ya debe mucho. Debe medicinas, debe esto, y ahora, llévenselo su cadáver, pues, y que se vayan, pues. Entonces, nosotros no sabíamos qué hacer. Llevar el cadáver no era posible, hasta el altiplano. Inmediatamente el niño empieza a tener malos olores por el húmedo, por el calor de la costa. Entonces toda la gente que vivían ahí en la galera, todos ya no querían que el cadáver de mi hermanito estuviera ahí porque también dañaba a toda la gente con un ambiente muy feo. Entonces mi mamá se decidió, aunque tenga que trabajar un mes sin ganar, pero tenía que comprarle o pagarle impuesto al terrateniente, al caporal, para que se entierre a mi hermano en la finca. De pura forma de amable o de ayuda de la misma gente donde vivíamos, uno de los señores llevaba una caja así como valija. Entonces metimos a mi hermanito en eso y se llevó a enterrarlo. Después de eso, prácticamente perdimos un día de no trabajar, viendo a mi hermanito.

Que todos estábamos tristes por él. Entonces el caporal en la noche nos dijo, mañana se van de aquí. ¿Y por qué?, decía mi mamá. Porque ustedes no trabajaron un día y este día se van y no van a recibir ningún sueldo ni ningún pago así es que, mañana, por favor, no las quiero ver aquí. Entonces mi mamá se ponía bastante mal... y no sabía qué hacer, pues. Y no sabía como encontrar a mi papá. Mi papá estaba en otro lugar. Tuvimos que aceptar que nos íbamos, entonces mi mamá empezó a arreglar sus cosas. Pero cuando la expulsan a uno de la finca, no lo llevan de regreso como siempre. Cada vez cuando llega el tiempo que uno regresa al altiplano, los mismos contratistas lo devuelven a uno al pueblo, de modo que uno no tiene preocupación, como va a llegar, qué transporte va a tomar, dónde está ubicado. Nosotros no nos dábamos cuenta ni dónde estábamos ubicados, pues, no sabíamos ni en qué pueblo estábamos, pues, nada. Ni mi mamá sabía el nombre del pueblo donde estábamos. Y entonces, los vecinos dijeron: las vamos a acompañar; aunque nosotros también tengamos que perder el trabajo. Uno de los vecinos le prestó a mi mamá —además ella tenía como cuatro meses de estar en la finca, entonces tenía acumulado un poquito de dinero— para pagar el impuesto del entierro. Lo que habíamos trabajado quince días, no nos pagaron. Y que no sólo éramos yo y mi mamá. Que teníamos también un hermano, que también trabajó quince días y que no los pagaron. Entonces dijo el señor, no, es que ya tienen mucho que deber aquí en la farmacia entonces, ahora, se van, pues, no los quiero ver aquí. Y que mi mamá estuvo consciente de que ni siquiera pudo comprar medicinas para su hijo. Y que se murió por eso. La lástima es que no sabíamos hablar el español y el caporal hablaba lengua porque era un indígena de la misma región y que nos echó y dijo que ya no nos quería ver allí. Es mando del patrón. Entonces nos fuimos, llegamos a la casa en el altiplano. Estaba mi mamá muy triste y el hermano que iba con nosotros. Mi papá no sabía nada que se murió el niño. Ni mis otros hermanos, porque trabajaban en otra finca. Después de quince días, llegaron a la casa, el altiplano con toda la sorpresa de que el niño había muerto, que teníamos una deuda bastante grande. Gracias a mis hermanos y a mi padre que habían ganado en las otras fincas, llevaban un poco de dinero se arreglaron con el vecino y el vecino también regaló lo que tenía que regalarle al muerto. Entonces así nos ayudaron; la comunidad y todos, ya en casa. Desde ese entonces yo tenía, no sé, una rabia y un miedo a la vida porque decía igual me va a tocar una vida como ésta, con muchos hijos y después se mueren. Y no es fácil para una madre que vea a un hijo agonizándose y que no tiene nada como para curarlo o como para hacer que ese niño viva más. Esos quince días de trabajo me recuerdo que es una de las primeras experiencias que yo tengo y es una de las cosas que yo odio en la vida... que ese odio pues nunca se me ha borrado hasta ahora.

Bajamos nuevamente a la finca.

Navidad es el último mes que pasamos en la finca. Enero se empieza el trabajo del cultivo de la tierra en el altiplano. Enero, febrero, se siembra. Marzo, regresamos nuevamente a la finca para ganar el dinero que se va a gastar en la milpa. Después regresamos nuevamente a cultivar nuestra milpa. Y cuando pasa el primer trabajo de la milpa, regresamos a la finca para ir a seguir ganando de lo que comemos.

Cuando tenía nueve años fue cuando me subieron mi sueldo, ya que en ese tiempo hacía unas cuarenta libras de corte de café. De corte de algodón era muy poco todavía, ya que abundaba mucho en cantidad pero no en peso...

Hay una oficina donde se acumulan todos los trabajos, cuando uno entrega su trabajo, lo pesan y lo anotan para llevar su control. Pero últimamente, mis hermanos por tan listos que son, han logrado ver que todos esos pesos engañaban... Engañaban todos los pesos del trabajo. Tienen trucos para que pese menos y es más la cantidad que hay. Entonces, eso pasa en todos los lugares. Eso es más que todo una maniobra de los señores que controlan a los trabajadores. Cuando reciben al trabajador es cuando roban muchas libras de café. Incluso se acumula para otra gran cantidad, y que ellos puedan entregar más y que les paguen más a ellos. Entonces, todo esto es un proceso, pues, desde la salida de los pueblos donde los contratistas contratan a la gente como a cualquier animal, desde que los meten en el camión, les empiezan a robar su sueldo. Les cobran dinero por cualquier cosa, por cualquier mano que echan para subir cosas al camión o lo que sea. Y van a la finca, desde el primer día, los mismos señores que controlan, empiezan a robar al trabajador. Y hasta el último día, hasta en la cantina, en todo lo roban al trabajador. De modo que hemos tenido duras experiencias en que llegamos a casa sin ningún centavo. Allí, el café es por tarea pero el algodón tienen otro método para pesarlo. Por ejemplo si se hace setenta y cinco libras de algodón al día, de acuerdo con las libras se paga. Pero el café es por tarea. Tienes que hacer un quintal al día forzosamente y si no puedes, te descuentan todo esto y al día siguiente tienes que completar el quintal para empezar el otro. En mi caso, cuando empecé a trabajar se me propuso hacer la tercera parte de la tarea de un adulto. Entonces, era treinta y cinco libras. Pero había días que podía hacer sólo unas veintiocho libras de café, entonces, al siguiente día, tengo que trabajar en la misma tarea del día anterior. Y así es cuando se van retrasando, retrasando, retrasando hasta llegar un tiempo en que hay que disponer quizá de dos días para completar la tarea. El algodón es otra situación porque es bastante difícil. Es el trabajo más peor cuando es segunda mano, ya que primera mano es cuando está bien en flores bien acumulado pero cuando es segunda mano, hay que escogerlo entre las ramas el algodón que se queda atrasado. Entonces es más duro el trabajo y se paga igual.

VIII

VIDA EN EL ALTIPLANO. CUMPLE 10 AÑOS: CEREMONIA DE LOS 10 AÑOS

"Tierra desnuda, tierra despierta, tierra maicera con sueño (...) tierra maicera bañada por los ríos (...) de agua verde en el desvelo de las selvas sacrificadas por el maíz hecho hombre sembrador de maíz."

M. A. Asturias, "Hombres de Maíz"

Cuando llegamos al altiplano, todos tenemos que entrarle al trabajo con azadón y yo me recuerdo, que desde los nueve años yo empecé a trabajar con azadón en el campo, con mi papá. Yo casi era un hombrecito. Rajaba leña con hacha, con machete. Y en el altiplano casi no teníamos agua cerca. Para ir a acarrear agua teníamos que caminar como cuatro kilómetros. Entonces, eso también multiplicaba el trabajo de nosotros. Pero estábamos contentos porque es el tiempo en que sembrábamos el poco maíz y ese maíz a veces nos alcanza para comer.

Al mismo tiempo, había muchas veces que sobrevivíamos en el altiplano y no bajábamos a las fincas porque en el campo teníamos muchas yerbas para comer. El hecho de que teníamos un poquito de maíz y un poquito de tortilla, pasábamos muy bien arriba. Incluso me recuerdo que mi mamá, como la tierra estaba muy fértil, nos daba mucho fríjol así como ayote, chilacayote, así, cosas de las cosechas que se daban en ese lugar. Casi no comíamos nosotros fríjol porque todo el fríjol que mi mamá recogía tenía que llevarlo al mercado para comprar jabón, para comprar un poco de chile. Casi nuestra comida era chile. Pero dependía de nosotros si íbamos al campo a cortar yerbas. Entonces, con chile, yerbas y tortillas pasábamos muy bien la comida. Y casi sólo era nuestra comida todo el tiempo.

Entre nosotros los indígenas, precisamente, es en general, que no utilizamos molino para moler maíz, para hacer masa. Tampoco tenemos estufa. Sólo usamos leña y para hacer la tortilla, tenemos que usar la piedra de moler, o sea, la piedra antigua de nuestros antepasados. Entonces, en primer lugar, nos levantamos a las tres de la mañana. Empezar a moler y a lavar el nixtamal, convertirlo en masa a pura piedra de moler. Tenemos diferentes tareas en cada mañana. Unos lavan el nixtamal, otros juntan el fuego para poner agua caliente para el café o lo que sea. Éramos muchos en mi caso. Tengo una hermana mayor, mi mamá, yo y mi cuñada, la esposa de mi hermano mayor. Entonces, prácticamente estábamos cuatro mujeres que trabajábamos en la casa. Cada una tenía su oficio y cada una nos teníamos que levantar a una hora determinada y nuestra hora era las tres de la mañana. Los hombres se levantan así a la misma hora porque empiezan a hacer filo a sus azadones, a sus machetes, a sus hachas para ir a trabajar. Entonces ellos se levantan también, en la aldea no tenemos luz, entonces nos alumbramos sólo con ocote en la noche. El ocote es talla de un árbol de pino, sólo que arde inmediatamente como si tuviera gasolina. Se quema fácilmente. Se puede encender con fósforos y hace llama. Entonces, con ocote siempre andamos en la casa, de un lado para otro. Arde poco a poco y se puede poner en un lugar un manojito de ocote. Alumbra todo. Era nuestra luz. Entonces la que se levanta primero le toca ajuntar el fuego. Hacer el fuego, asar su leña para ya tener preparado todo para cuando se empieza a tortear. Pone agua caliente. La que se levante segundo, le toca lavar el nixtamal, afuera de la casa. La que se levante tercero es la que le toca lavar las piedras de moler, preparar agua, preparar todo lo que necesita para moler la masa. Después, en mi caso, yo hacía la comida de los perros ya que mis papás tenían muchos perros porque bajaban muchos animales de la montaña. Y esos perros eran guardianes de nuestros animalitos. Entonces, me tocaba hacer la comida de los perros y la comida de los perros era la parte dura del maíz, de la mazorca, el olote. Tenemos un lugar fuera de la casa, así como un lugarcito hondo y cada vez que desgranamos el maíz, todos los olotes los tiramos en ese hoyo. De acuerdo con el tiempo se van pudriendo y se ponen suave. Se pone a cocer con cal. Con cal para fortalecer nuestros perros porque si no se mueren todos. La cal sirve para fortalecer... Después molerla para la comida de los perros. Ellos no comen la comida de nosotros que es el maíz. A veces, cuando no hay maíz, nosotros también comemos la comida de los perros. Han pasado muchos casos que no teníamos ya maíz y que todos mis hermanos, todos nosotros enfermos entonces tenemos que comer la comida de los perros. Lo hacemos como tortilla, lo torteamos como se hace con la masa de maíz. Eso me tocaba a mí, hacer comida de los perros. Entonces yo desde la mañana lavo mi material, lavo mi piedra y empiezo a moler lo de los perros. Eso lo empecé a hacer desde los siete años. Después de que los otros terminan de juntar el fuego y otros de lavar el nixtamal, todas se ponen a moler. Una muele el maíz, otra da la segunda piedra a la masa para que la masa esté fina y empezar a hacer boliticas para tortear. Ya después cuando esté todo, todas se ponen a tortear, o sea, tenemos un comal bastante grande para que aguante todas las tortillas que se le echen. Y ya empiezan los hombres, pues, mis hermanos, mi papá a venir a jalar su tortilla del comal y empiezan a comer. Y por lo general, a veces en la mañana tomamos café, o a veces sólo agua. Por lo general, hacemos pinol, o sea, el mismo maíz se pone a tostar y se muele, entonces se utiliza como café ya que café mis papás no podían comprar porque costaba muy caro. Pero hay veces que mis papás tampoco tienen dinero para comprar panela ya que nosotros no usamos azúcar. Usamos panela que sale de la caña directa. Entonces, había veces que no había la posibilidad de tener panela en casa entonces no se tomaba ni pinol ni café. Entonces se toma agua. Por lo general, en las mañanas, con que tengamos un gran plato de chile, todos nuestros mozos —mozos les decimos nosotros a los hombres— y todos nosotros comíamos muy bien con tortilla y chile y todo el mundo se va para el trabajo. Nuestros perros están más acostumbrados a estar con los hombres ya que los perros gozan también de la naturaleza, les gusta ir a pasear cuando los trabajadores van al trabajo y había que darles de comer a los perros antes de que salgan los hombres porque también los perros todos se van con los trabajadores. Entonces también había que hacer tortillas para los trabajadores si van lejos. Ahora, si van cerca, entonces se queda una de las mujeres en casa haciendo almuerzo. Eso ya después de comer se ve todo lo de los animales y ya amanece. Por lo general, nuestros mozos salen a las cinco o cinco y media de la mañana. Se van a la milpa o a cultivar la tierra. Parte de las mujeres se van también a trabajar ya que nuestro oficio era sembrar fríjol y cuando al fríjol ya se le ve más o menos sus ramas, hay que ponerle unas ramitas para que se enrolle el fríjol encima y para que no dañe a la milpa. Entonces, sí, nosotras también a veces estamos constantemente metidas en el trabajo junto con los hombres. Lo que hacíamos nosotras es que mi cuñada se quedaba en casa ya que ella tenía ya un niñito.

Entonces se quedaba en casa viendo los animales, haciendo la comida y a mediodía, tenía que ir mi cuñada a darnos de comer. Llevaba atol, tortillas, ella ve cualquier cosa en el campo, entonces lo arregla y lo lleva como comida. El atol es la misma masa de maíz. Se pone como fresco, como refresco. Se deshace en agua, se pone a hervir, entonces se pone especito, depende de la forma en que uno quiera tomarlo. Claro, a veces nos turnamos porque mi cuñada también es una mujer que creció en las fincas y creció en el altiplano. Ella está acostumbrada a hacer muchos tejidos y a hacer muchas veces petate. Entonces, hay veces que ella se aburre en la casa porque la comida se hace en un solo momento y lo demás queda para su tiempo libre. Ella se dedica a hacer petate o tejidos, huipiles o camisas, o lo que sea. Muchas veces se aburre y quiere ir al campo a trabajar aún con su niño en la espalda. Entonces, nos turnamos mi hermana, yo, mi mamá. Tenemos una costumbre en la aldea porque hablamos muy recio y hablamos muy fuerte porque casi no hay vecinos. Cuando salen los trabajadores empiezan a llamar a todos los vecinos porque casi las milpas, las de todos los vecinos, quedan juntas, entonces todo el mundo grita a sus vecinos para que los vecinos también se vayan juntos. Nos juntamos en familia. El caso de nosotros es que en la mera aldeíta no teníamos milpa. Ésta queda un poco retirada, más adentro en la montaña y entonces teníamos que llamar a todos los vecinos. Y así cuando íbamos en camino éramos veinte o treinta personas para ir al trabajo, con todos y los perros. Comemos al mediodía o depende de la hora en que nos da hambre. Por lo general a las seis de la tarde bajamos a casa. A las seis vienen todos los mozos. Vienen con sed y con hambre. Entonces, la mujer que queda en casa tiene que hacer la comida. Y ya se empiezan los trabajos de extra en casa. Los hombres empiezan a amarrar los perros en los corrales donde están los animales y las mujeres, por lo general, empezamos a acarrear agua, a preparar todas nuestras cosas para la mañana siguiente. Y así nos entra la noche trabajando. Por ejemplo acarrear agua para lavar el nixtamal, la olla donde se va a lavar el nixtamal, ocote para usar en la noche. Rajar leña para la mañana. Todo se hace para ahorrar tiempo en la mañana. Ya en la noche, mis hermanos, no sé cómo hicieron, encontraron un acordeón. Entonces los indígenas tenemos canciones en lengua y entonces cantábamos un rato. Los papás nos regañaban ya que estábamos muy cansados y nos mandaban a acostar. Pero por lo general nos dormimos a las diez, diez y media de la noche porque hay que levantarse temprano porque cuando nos levantamos todos tienen que levantarse ya que nuestra casita es muy pequeña. Nuestra casita tenía como ocho varas. Nuestra casa no era de tablas sino que era de caña, palitos rectos que se encuentran en el campo y son amarrados con pitas. Cualquier árbol, yo creo que es parte de nuestra cultura, sólo se corta cuando la luna está llena. Entonces, se dice que los palos duran más que cuando se cortan cuando la luna está tierna. Entonces, cada vez que se construye una casa el techo es una clase de palma que hay en el campo, que hay abajo de las montañas, les decimos nosotros pamac. La casa más elegante para nosotros es la que está hecha de hojas de caña, porque la hoja de caña hay que ir a buscarla lejos. Tienen que haber mozos para que las hojas lleguen, para construir la casa. Nosotros éramos pobres y no teníamos como comprar o ir a buscar hojas de caña, ya que la hoja de caña sólo se encuentra en las fincas y que nos cobran bastante caro por manojos, los terratenientes nos cobraban setenta y cinco centavos por cada manojo y por lo menos una casita lleva unos cincuenta manojos. Entonces, como no teníamos capacidad para comprar hojas de caña, lo que hacíamos todo el mundo era irnos a la montaña. Hay allá una hoja que es pamac, que dura más o menos dos años. Después se tiene que hacer de nuevo la casa. Entonces íbamos todos abajo de la montaña a cortar las hojas así maduras. Por lo general, entre hombres, mujeres y niños construimos una casa en quince días. Nosotros éramos muchos en la familia y teníamos capacidad para ponerle palitos a nuestra casa porque mucha de la gente utiliza la milpa. Cuando se cosecha la milpa, queda el tallo, entonces, éste lo corta la gente para hacer la pared y como el palito duraba más, nuestra casa estaba hecha de palitos. Nuestras casas no son tan altas por el hecho de que muchas veces cuando hace mucho aire el aire levanta las casas, se lo lleva todo. Para que no pase eso nuestras casitas son chiquitas y todo alrededor es de palitos. Se plantan en la tierra y se amarran con pita. Nuestra casa no lleva clavos. No sabemos ver un clavo en la casa. Por ejemplo los horcones, las esquinas o lo que sostiene la casa también son árboles. Y ahí dormimos todos juntos. La casa está compuesta como de dos pisos. Uno en donde se guarda la mazorca arriba, tapanco decimos nosotros, y otros donde vivimos, abajo. Entonces, en el tiempo que no hay mazorca, muchos de nosotros subimos para dormir en el tapanco. Pero cuando hay mazorca, todos tenemos que dormir en el suelo. Por lo general no tenemos camas así con colchones ni nada de eso. Más o menos tenemos la poca ropa que tenemos y estamos acostumbrados a aguantar y soportar todo el frío porque casi el techo no cubre. Entra el aire como que uno estuviera abajo de la montaña. Las parejas duermen juntas. Y eso es algo que hay en nosotros los indígenas, porque con respecto al sexo, la mayor parte de la familia se da cuenta de muchas cosas porque no hay cuartos aparte para cada una de las parejas. Muchas veces. Muchas veces hasta los hijos se enteran. Pero muchas veces no, pues yo creo que no tienen suficientemente tiempo para gozar la vida un matrimonio porque, de todos modos, todos estamos en el mismo lugar. Claro, cuando nos dormimos es como si cae una piedra pues estamos cansados. Uno muchas veces, al llegar a la casa ni quiere comer nada, ni quiere saber nada. Lo que quiere hacer es dormir. Entonces, a dormir. Quizás es ahí cuando aprovechan los demás para hacer las relaciones sexuales pero casi no hay espacio. Muchas veces sólo nos vamos los hijos a la finca y los papás se quedan en casa para cuidar los animalitos. Entonces, sería el tiempo que están un poco desocupados. Pero por lo general se va mi papá a una finca y nosotros y mi mamá a otra finca y nos dividimos hasta tres meses. O nos vamos juntos a las fincas. Pero en las fincas también dormimos peor que como dormimos en casa porque hay gentes que no las conocemos y dormimos en una sola pieza centenas de personas, con los animales. Allí es muy difícil... En un solo lugar nos amontonamos. Casi unos encima de otros. Yo lo que pienso es que muchas veces los mismos hijos se enteran de muchas cosas. En el caso de nosotros, los hermanos, nos dormíamos en una sola fila. Uno de mis hermanos mayores estaba casado hacía tiempo y él se dormía con su compañera. Pero los que no estábamos casados —dos de mis hermanos, uno que es hombre y la otra que es mujer y yo; y mis tres hermanos, que también existían en ese tiempo— nos dormíamos en una sola fila. Juntábamos todos los cortes de las mujeres y los usábamos como cobijas. Mis padres dormían en otro rinconcito pero no había tanta distancia. Cada uno tenemos un petate para poner al suelo y una cobijita encima y es todo. Con la misma ropa que se trae del trabajo dormimos. Por eso nosotros somos muy marginados. Yo en mi caso, he sufrido el marginamiento hasta lo más profundo, lo más hondo de mi ser, pues a nosotros los indígenas nos dicen sucios, pero es la misma situación que nos obliga. Por ejemplo, para lavar la ropa, si tenemos tiempo cada semana, cada domingo, vamos al río a lavar toda la ropa y esa ropa nos tiene que durar para toda la semana porque no tenemos tiempo de lavar y tampoco tenemos jabón. Entonces, es así como dormimos con la misma ropa, nos levantamos al siguiente día a componernos un poco y al trabajo, pues.

A los diez años recibí la misma atención que recibe toda la gente. Yo estaba en el altiplano. Quizá no fue exactamente el día de los diez años porque yo estaba en la finca y después regresamos y ahí es cuando me celebraron. Mis papás me llamaron y me explicaron un poco lo que es la vida de un adulto. Pero para mí no había tanta necesidad de explicación ya que es la misma que yo había visto y había vivido con mi mamá. Entonces, era únicamente, como para aceptar lo que los padres dicen.

Estaban mis hermanos mayores, mi hermana que hoy es casada. Menos mis hermanos menores. Soy la sexta de la familia. Pero tuve tres hermanos más después de ellos. Los hermanos menores no estaban porque se trata de una ceremonia donde mis papás me dijeron que yo iba a empezar otra vida diferente. Me decían que iba a tener muchas ambiciones que enfrentar pero sin embargo ni iba a tener la posibilidad de encontrarlas. Que mi vida no se iba a cambiar, iba a seguir igual, de trabajo, de sufrimiento. Al mismo tiempo mis padres me habían hecho un agradecimiento por mi participación en el trabajo directo, ganando dinero para todos. Después me ubicaban un poco mi situación como mujer. De que iba a tener mi menstruación, y que es cuando la mujer empieza a tener la capacidad de tener hijos. Que alguna vez me iba a pasar. Por eso ellos me pedían que yo me acercara más a mi madre para preguntarle todo y que mi madre me iba a acompañar todo el tiempo para cuando yo tenga dudas o me sienta sola. Y al mismo tiempo, contaron las experiencias de mis hermanos mayores. Mi hermana mayor, que ya era bastante grande, tendría sus veinticuatro años creo yo, me contó sus experiencias de cuando era joven. Diez, doce, trece, quince años. Mi papá decía que dejó, a veces, de hacer muchas cosas buenas, pero no se trata de dejar de hacer cosas buenas sino de aceptar la vida como es. No amargarse ni tampoco buscarse una diversión o una salida fuera de la ley de nuestros padres. Eso ayuda a que uno sea una niña honrada de su comunidad. Y mi papá explicaba un poco de la importancia del ejemplo de nosotros, de cada uno de los hijos de los vecinos. Sabemos que no tenemos un solo ojo encima sino que tenemos los ojos de toda la comunidad encima. No es que tengamos que privarnos. Que tengamos mucha libertad pero que, al mismo tiempo, con esa libertad sepamos respetarnos. Y así mi mamá, mi papá, mis hermanos dieron sus experiencias... De una vez me ubicaban como una gente adulta. Mi padre me decía: tú tienes mucha responsabilidad, muchas tareas que cumplir con la comunidad. Desde ahora, tienes que asumir un papel en favor de todos... Entonces me hacen recordar una vez más los compromisos que mis padres hicieron cuando yo nací. Y cuando me integraron en la comunidad. Que dijeron que yo era una niña que era de la comunidad. Una niña que tenía que servir a los muchos que iban a haber cuando yo fuera grande. Hicimos estos compromisos y te toca hacerlos pues ahora tienes que participar como un miembro más. En ese tiempo ya existía la mezcla de la Religión Católica y de cultura o, así, costumbres católicas. Entonces, mi tarea fue que yo me proponga hacer algo por la comunidad. Entonces, yo buscaba en qué podía meterme en la comunidad. Cuando se cumplen los diez años se hace una charla con la comunidad, y con la familia. Es muy importante. Es una celebración igual que si estuviéramos rezando a Dios. Entonces, era importantísima la plática porque precisamente, como decía, me ubicaban en la vida adulta. Ni siquiera era la vida joven, sino que la vida adulta, con su responsabilidad, que ya no soy una niña, y se pasa a ser mujer.

Entonces me propuse a hacer muchas cosas por la comunidad; delante de mis hermanos, delante de mis papás. Así fue como me comprometí a servir a la comunidad y así es cuando empecé a hacer un poco la tarea de mi padre. O sea mi padre se dedica a rezar en casa de los vecinos. Cuando hay reunión, mi papá siempre habla un poco. Coordina muchas cosas de la comunidad. Y yo me sentía responsable de muchas cosas y mi madre confiaba en nosotros muchas cosas, que tenemos que sacarlas como ella las saca. Y así es cuando, me recuerdo, empecé a ser catequista y desde esa edad empecé a trabajar con los niños, tanto en la finca como en la aldea, ya que cuando vamos en la finca, muchos de nuestra comunidad se quedan en el altiplano cuidando nuestros animalitos, que sé yo, las gallinas para no acarrearlos y para no llevarlos a las costas.

IX

CEREMONIAS DE LA SIEMBRA Y DE LA COSECHA. RELACIÓN CON LA TIERRA. CUMPLE 12 AÑOS

"Sembrado para comer es sagrado sustento del hombre que fue hecho de maíz. Sembrado por negocio es hambre del hombre que fue hecho de maíz".

"El maíz cuesta el sacrificio de la tierra que también es humana."

M. A. Asturias, "Hombres de Maíz"

Hay otra costumbre al cumplir los doce años. Se le entrega un su cochito o una su ovejita o unas sus dos gallinitas; y esos animalitos se tienen que multiplicar y eso depende de la persona, del cariño que le tiene al regalo de los papás. A los doce años recüerdo que mi papá me había entregado un cochito chiquito, un puerco. Me entregaron dos pollitos chiquititos también y me entregaron una ovejita, que yo tanto quiero a las ovejas. Nadie va a tocar ni vender esos animalitos sin que yo dé permiso. Es un poco para que uno empiece a sostenerse a sí mismo. Esos animalitos yo me proponía a que se multiplicaran pero también me proponía tener cariño a los animalitos de mis hermanos y de mis papás. Y uno se sentía feliz. Era el gozo más grande que existe, pues. Yo me sentía contentísima con todos los animalitos que yo tenía. Me hicieron una fiesta. Comimos. Los indígenas sólo comemos un pollito cuando hay una fiesta. Porque pasan años y años que no probamos carne. Para nosotros comer una gallina es una fiesta grande. Un tiempo después creció el puerquito y dio cinco puerquitos, yo tenía que trabajar sobre tarea para hacerles la comida. Pero no sacando de los trabajos de los papás. Tengo que conseguir yo misma la comida para ellos. Entonces, lo que yo hacía, después del trabajo en el campo, era regresar seis, siete de la noche a la casa, hacía todos los oficios que se tienen que hacer, preparaba las cosas para el día de mañana, y, ya como a las nueve de la noche, me ponía a tejer con luz de ocote. A veces en quince días, tenía unos tres, cuatro tejidos. A veces cuando comemos en el campo, colgaba mi tejido en una rama y a tejer ahí, pues, así a sobre tarea. A los quince días me tocaba vender cuatro o cinco tejidos y compraba maíz o cositas para mis cochitos, para que pudieran comer. Así pude mantener a mis cochitos y ya empecé yo a trabajar con azadón, a sembrar un poquito de milpa para mis puerquitos. Cuando llegó el tiempo que tenían siete meses mis puerquitos, los vendí y así es como yo pude sembrar un poco de maíz para la mamá de los puercos y para que siga teniendo sus hijitos. Entonces yo ya pude comprar un corte, así cositas para poner y pude comprar bastante hilo para que pudiera hacer o tejer una blusa, un huipil. Y así uno se va sosteniendo y llega un momento en que tenía tres puercos grandes y que estaban maduros, como para vender los tres. Al principio cuesta, uno no sabe ni qué darles de comer. Yo buscaba yerbas del campo para darles a mis puerquitos. Al mismo tiempo, como me tocaba hacer la comida de los perros, sacaba un poco de eso para los puerquitos. Con los primeros hijitos de los animales es cuando los papás comprueban si el nahual les presta las condiciones de tenerles cariño. Yo era una que tenía mucho cariño. Me salían muy bien los animales. Me querían mucho también los animales. Por ejemplo las vacas, nunca, nunca se enojaban conmigo. Mis papás estaban muy contentos conmigo.

Para nosotras las mujeres, el día domingo es cuando vamos al río a lavar la ropa. La mamá o el papá se van al mercado a comprar algo. Pero hay domingos que no tenemos necesidad de ir al mercado pues casi no comemos cosas que hay en el mercado. Comemos más maíz y yerbas del campo. Vendemos por ejemplo, cuando se recoge el fríjol. Nosotros cultivamos pequeños frijolitos pero no comemos todo ese fríjol. Todo tiene que ir al mercado para que nuestros papás puedan comprar medicinas. Casi nosotros no utilizamos medicinas del mercado pero compramos jabón, compramos sal, un poquito de chile. Pero a veces no vendemos nada de nuestros frijolitos porque no compra la gente. Todo el mundo está vendiendo sus frijolitos que cultivó. Entonces vienen los comerciantes, pagan lo que quieren pagar. Si uno pide un poquito más, no le compran. Por ejemplo en mi caso, para ir a mi pueblo, tenemos que caminar casi un día, pues. Muchas veces no encontramos caballos porque los caballos, precisamente, habrá dos o tres que tienen caballos, entonces, cada vez que necesitamos un caballo, vamos con el vecino, que nos preste su caballo. Hay mucha gente que prestan y que prestan entonces unos se quedan sin caballo. Entonces tenemos que llevar el pequeño fríjol cargado. Yo cargaba de la casa al pueblo cuarenta o cincuenta libras de fríjol o maíz, pues, porque también vendemos maíz cuando hay necesidad de comprar otras cosas. Así, nosotros casi nunca bajamos al pueblo. Bajamos sólo cuando hay una gran necesidad que tengamos que llevar todas las cargas para el pueblo, vamos dos o tres hermanos. Pero cuando no, van mi mamá o mi papá, o un vecino, pues. Es costumbre en nuestra aldea, los sábados por la noche, ir de casa en casa preguntando a los vecinos si se van al pueblo y si dicen, vamos al pueblo, nos traen tal cosa, nos traen tal cosa. De modo que los vecinos compran todo lo que necesita la comunidad. Así, cuando mi mamá se va al pueblo, avisa a todos los vecinos, me voy al pueblo, gritando de lejos. Entonces los vecinos piden; compra jabón, compra sal, compra chile. Mi mamá hacía sus cuentas, cuántas libras de sal, cuántas libras de chile y cuántos jabones tenía que comprar. Entonces viene otro vecino y, aquí tiene un caballo, si necesita un caballo. Así, entre todos nos ayudamos. Así se vende todo, porque la mayor parte de la gente hace trenzas para hacer sombreros, la gente hace petates, la gente hace tejidos. Entonces se junta al fin de semana. Unos quieren que se les vendan sus trenzas, otros quieren que se les vendan sus tejidos y así. Entonces no hay tanta necesidad de que tengamos que ir al mercado. Los días que estamos en la comunidad es bastante alegre porque es precisamente los días cuando recogemos el maíz, entonces antes de recoger el maíz hacemos una fiesta. Pero la fiesta viene desde cuando se pide permiso a la tierra para que se cultive. Esa ceremonia se hace con pom, con oraciones de los señores y de todos, ya de la comunidad en general. Ponen sus candelas cada uno en su casa y ponen sus candelas en común. Después se elige la semilla que se va a enterrar. Por ejemplo, el maíz, desde que sale la mazorca se eligen las semillas que se van a sembrar al otro año. Esa semilla se le deja una seña. Toda la mazorca se pela o se deja con tuza. Pero la semilla se pela y con la tuza se amarra. Se le hace un chigolito, por el que no tiene que pasar encima una mujer. Por ejemplo, brincando. Se tiene que guardar donde no va a pasar ni un gallo ni un pollito encima. Tampoco puede pasar otro animal, encima de la semilla, por ejemplo, un perro. Entonces, antes de sembrar la semilla, se elige, se hace una ceremonia, donde la semilla estará en un solo lugar dentro de las candelas de la tierra, del agua, del sol, de los animales y del universo, o sea del hombre. Se considera que el universo es el hombre en nuestra cultura indígena. En primer lugar se respeta la semilla porque tiene que enterrarse en algo sagrado que es la tierra y tiene que multiplicarse para dar de comer otra vez al año que viene. Es más que todo una costumbre que la semilla es algo puro, es algo sagrado. Para nosotros la palabra semilla significa mucho. La semilla se arregla, se amarra con las tuzas y se le deja en el brazo de un árbol, para mientras. Después se seca con toda delicadeza la semilla. Ya enfrente de la casa hay un árbol donde se pone todo. Un niño vigilando que no se suba una gallina. Que no se suba algún otro animal encima de la semilla. Se desgrana con toda delicadeza. Se apartan los más pequeños, por un lado y los más grandes se escogen. Los pequeños inmediatamente se ponen a cocer, después de desgranar la semilla. Se pone a cocer y al siguiente día se le hace tortilla y se come. Entonces, no se desperdicia ningún maicito de la semilla. Se le hace su ceremonia a la semilla, antes de enterrarla, para cultivarla. Y se desgrana el maíz. Ya está la tierra preparada. No se llevan todas las mazorcas que van a ser semilla, se escogen unas dos o tres que van a ser más grandes y se ponen entre las candelas que enciendan cada quien en su casa. Llevan un ayote. Porque va a ser sembrado junto con la milpa. Lo llevan donde están las candelas. El fríjol, igual. Entre surco y surco siembran el ayote. Aprovechan todo el espacio. Se siembra también fríjol. Se siembra papa. Se siembra todo en un solo tiempo. Entonces, viene la tarea de nosotras las mujeres, somos las que tenemos que llevar el fríjol, las calabazas, chilacayote también, las papas. Los hombres llevan las semillas de maíz. Y los llevamos con la candela, pues. Es como una ofrenda ofreciéndole al dios único. Va a ser nuestra comida para el próximo año. Se hace una fiesta especial donde también se menciona la tierra, la luna, el sol, los animales, el agua que tienen que contribuir todos con esa semilla para que nos dé de comer. Hacen peticiones los miembros de la familia y prometen no desperdiciar esa comida. Después, al siguiente día, todo el mundo grita para ir a sembrar. Es una alegría para la comunidad cuando empieza a sembrar su milpa. Llegamos al campo. Los hombres siembran la milpa y el fríjol. Van en el mismo hoyito. Las mujeres vienen con sus chilacayotes sembrando en medio del surco. Los otros vienen sembrando papas. Los niños por ejemplo, les gusta sembrar la papa. Después se cuida la milpa porque como nosotros vivimos en la montaña, vienen toda clase de animales. Si es tiempo de siembra, vienen todos los animales a escarbar las semillas. Entonces nos turnamos cuidando la milpa. En la noche a cada rato salimos a dar una vueltecita por ahí. Los animales que vienen de noche son los mapaches, la taltuza, las ardillas. De día los pájaros. Nos turnábamos, pero bien alegres, porque nos quedábamos durmiendo bajo de los troncos de los árboles. Nos gustaba hacer trampas. En cada esquina que considerábamos que entra un animal, hacíamos trampas y cuando gritan los pobres animales vamos a ver. Pero como son animales, nuestros padres nos han prohibido matarlos, entonces los dejamos ir, sólo que los regañamos y no vuelven. Si los perros los matan, hay que comerlos. Pero en general, casi no matamos los animales. Matamos de casualidad. Cuando ya han salido las hojas, ya no sacan las semillas.

Cuando nuestra milpitá está de buen tamaño, todo el mundo se va a la costa: a las fincas a trabajar. Cuando regresamos, la milpa ha crecido. Necesita trabajo. La limpia. Después de la limpia, otra vez regresamos a la finca. Después hay más trabajo, cuando la milpa ya está grande. Son los dos trabajos más difíciles. Ya después aguanta, pero hay que ponerles pedacitos de tierra en la raíz para que no se caiga con el aire. Ya cuando crece, las mujeres muchas veces no bajan a las fincas. Se quedan atendiendo el fríjol, poniéndole sus palitos para que no dañe la milpa. Atendiendo los ayotes; acomodando todo el surtido. El maíz es el centro de todo, es nuestra cultura. La milpa es la siembra del maíz. El maíz es el grano. La mazorca es el cuerpo. La tuza es la hoja que cubre a la mazorca, sobre todo cuando está seca. El xilote es el centro. Por eso, al xilotear es cuando empieza a surgir el fruto. El maíz se utiliza para hacer la comida o la bebida pero también el xilote se utiliza para tapar botellas o para la comida de los puercos, de los perros. Entonces, empiezan otra vez los animales a buscar la milpa, cuando ya tiene elote. Los pájaros lo comen y los animales lo bajan para comer. Entonces, hay que cuidarla nuevamente. Echando tierra encima de la milpa para que los pájaros se vayan. Por lo general, los niños empiezan a cuidar la milpa y todo el día echan gritos adentro de la milpa y todos los vecinos están gritando adentro de su milpa. Ya cuando empieza a hacer el elote, hay una costumbre. Hay otra también cuando se empieza a utilizar la hoja de la milpa para hacer tamalitos. No se va a cortar inmediatamente, ni se le usa. Hay una cierta ceremonia antes de cortar la primera hoja de la milpa, para hacer tamalito o para cubrir el tamalito. Después de utilizarlas, cuando se come el tamalito, no se deja tirada la hoja que sirvió para cubrir el tamalito, sino que se la amontona: se le enrolla y es lo que queda en la esquina de la casa, recuerdo de la primera cosecha que dio la tierra. Hay una fiesta diferente. Porque muchos de la comunidad sembramos igual pero no nos crece igual la milpa. Hay unas que son chiquitas, otras que son grandes; ya otras más grandes. Entonces, la gente que tiene más grande su milpa tiene que compartir las hojas de la milpa con todos los vecinos, cuando la milpa ya tiene hojas grandes. Para nosotros utilizar una hoja de la milpa para nuestros tamalitos, es bastante sabroso y le damos un significado, como para poder estrenar nuevamente la hoja de milpa. Es una alegría. Esa primera hoja se queda como un recuerdo, amarrada en una esquina de la casa, donde será el recuerdo de la primera cosecha. Después ya viene donde nace la mazorca. Muchas veces comemos también cuando está tiernita. Pero sólo cortamos cuando hay mucha necesidad porque abunda más cuando ya es maíz. Pero como es montañoso, muchas veces con el aire se cae mucha milpa. Hay que recoger también las milpas caídas y comerlas.

Ya después cuando viene la cosecha, también se inicia el primer día, cuando se recoge la mazorca, tanto la mazorca como la demás cosecha que tiene que dar la pequeña tierrita. Se recoge y se hace una ceremonia donde también van a comer juntos los de la comunidad. Las mujeres recogen el fríjol y los hombres recogen la mazorca y todos recogemos las frutas de toda nuestra siembra. Antes de eso, se hace una ceremonia en la comunidad, agradeciéndole a la tierra, al dios que nos dio de comer. Y la gente está bien contenta, porque precisamente le ahorra bajar a la finca, ya que tiene comida. Entonces, no tiene por qué bajar a las fincas. La gente está bien feliz por recoger su cosecha. La ceremonia para celebrar la cosecha es casi parecida a la que se hace cuando se le pide permiso a la tierra para cultivarla. Se le agradece la cosecha que dio. La gente demuestra su alegría, su esperanza de que esa su comida, esa milpa, que tardó mucho tiempo para crecer. Es un triunfo para la comunidad cuando recoge la cosecha. Entonces, al iniciar la tapizca se hace una celebración y al terminar la tapizca se hace otra.

En todas las comunidades hay una casa de la comunidad. Ya sea que la utilizan como un oratorio, como una casa de reuniones, como una casa de cualquier cosa, de fiesta. Es una casa grande, donde cabe mucha gente. Tiene su cocina, su tapanco para ponerle la mazorca del colectivo. En esa casa se va a reunir toda la comunidad y celebramos nuestra fe, ya como oración. Si no es todos los viernes es todos los lunes, o sea, constantemente hay una comunicación en la comunidad fuera de todas las ceremonias y las fiestas que se celebran especiales. Nos reuníamos a rezar y, al mismo tiempo, muchas veces nos reunimos a platicar nada más. Para contarnos las experiencias de cada uno. No hay necesidad de que haya una agenda para platicar. Es un diálogo entre nosotros. Al mismo tiempo rezamos y juegan un ratito los niños. Eso se hace un día de la semana. Sea el viernes o ya sea el lunes.

Inicialmente, la gente trabaja en común. O sea, para bajar las montañas, ¿una familia sola lo haría en cuántos años? Pero como trabajan juntos, las mujeres matando las plantitas, abajo, y los hombres bajando las grandes montañas, entonces, cuando se empieza a sembrar, se sientan todos en la comunidad a discutir cómo van a hacer su pequeño cultivo, si cada cual va a tener su parcela o van a trabajar juntos. Entonces la discusión es de todos... Por ejemplo en mi aldea se ha dicho, si queremos tener un pedazo aparte cada uno, ya depende de nosotros, si lo hacemos o no. Y después de esto, decidimos tener un pedazo en común, que sirva para nuestra comunidad, cuando hay un enfermo, o cuando hay un herido, para que tenga que comer. Así se trabajaba. Tenían sus parcelas y tenían otra gran parte, que es en común. Tenían una partecita donde se guardaba todo eso que es común para emergencias de la comunidad o de la familia. Por lo general para ayudar a las viudas. Cada día de la semana alguien va y le siembra su parcela.

X

LA NATURALEZA. LA TIERRA MADRE DEL HOMBRE. EL SOL, EL COPAL, EL FUEGO, EL AGUA

"Tenemos que respetar al único dios, al corazón del cielo que es el sol."

Rigoberta Menchú

"Tojil, en la oscuridad que le era propicia, con una piedra golpeó el cuero de su sandalia, y de ella, al instante, brotó una chispa, luego un brillo y en seguida una llama y el nuevo fuego lució esplendoroso."

Popol Vuh

Entonces también desde niños recibimos una educación diferente de la que tienen los blancos, los ladinos. Nosotros, los indígenas, tenemos más contacto con la naturaleza. Por eso nos dicen politeístas. Pero, sin embargo, no somos politeístas... o, si lo somos, sería bueno, porque es nuestra cultura, nuestras costumbres. De que nosotros adoramos, no es que adoremos, sino que respetamos una serie de cosas de la naturaleza. Las cosas más importantes para nosotros. Por ejemplo, el agua es algo sagrado. La explicación que nos dan nuestros padres desde niños es que no hay que desperdiciar el agua, aunque haya. El agua es algo puro, es algo limpio y es algo que da vida al hombre. Sin el agua no se puede vivir, tampoco hubieran podido vivir nuestros antepasados. Entonces, el agua la tenemos como algo sagrado y eso está en la mente desde niños y nunca se le quita a uno de pensar que el agua es algo puro. Tenemos la tierra. Nuestros padres nos dicen "Hijos, la tierra es la madre del hombre porque es la que da de comer al hombre." Y más, nosotros que nos basamos en el cultivo, porque nosotros los indígenas comemos maíz, fríjol y yerbas del campo y no sabemos comer, por ejemplo, jamón o queso, cosas compuestas con aparatos, con máquinas. Entonces, se considera que la tierra es la madre del hombre. Y de hecho nuestros padres nos enseñan a respetar esa tierra. Sólo se puede herir la tierra cuando hay necesidad. Esa concepción hace que antes de sembrar nuestra milpa, tenemos que pedirle permiso a la tierra. Existe el pom, el copal, es el elemento sagrado para el indígena, para expresar el sentimiento ante la tierra, para que la tierra se pueda cultivar.

El copal es una goma que da un árbol y esa goma tiene un olor como incienso. Entonces se quema y da un olor bastante fuerte. Un humo con un olor muy sabroso, muy rico. Cuando se pide permiso a la tierra, antes de cultivarla, se hace una ceremonia. Nosotros nos basamos mucho en la candela, el agua, la cal. En primer lugar se le pone una candela al representante de la tierra, del agua, del maíz, que es la comida del hombre. Se considera, según los antepasados, que nosotros los indígenas estamos hechos de maíz. Estamos hechos del maíz blanco y del maíz amarillo, según nuestros antepasados. Entonces, eso se toma en cuenta. Y luego la candela, que representa al hombre como un hijo de la naturaleza, del universo. Entonces, se ponen esas candelas y se unen todos los miembros de la familia a rezar. Más que todo pidiéndole permiso a la tierra, que dé una buena cosecha. También se reza a nuestros antepasados, mencionándoles sus oraciones, que hace tiempo, hace mucho tiempo, existen.

Se menciona, en primer lugar, el representante de los animales, se habla de nombres de perros. Se habla de nombres de la tierra, el Dios de la tierra. Se habla del Dios del agua. Y luego, el corazón del cielo, que es el sol. Dicen los abuelitos que pidan al sol que alumbre sobre todos sus hijos que son los árboles, los animales, el agua, el hombre. Y luego, que alumbre sobre sus enemigos. Para nosotros, un enemigo es algo como la gente que empieza a robar y a estar en la prostitución. Entonces, es un mundo diferente, pues. No se refiere tanto a la realidad. Pero sin embargo lleva parte de la realidad que uno vive. Entonces, esa oración está compuesta en todo y luego se hace una petición concreta a la tierra, donde se le pide "Madre tierra, que nos tienes que dar de comer, que somos tus hijos y que de ti dependemos y que de ese producto que nos das pueda generar y puedan crecer nuestros hijos y nuestros animales..." y toda una serie de peticiones. Es una ceremonia de comunidades, ya que la cosecha se empieza a hacer cuando todo el mundo empieza a trabajar, a sembrar.

La oración es igual a como hacen los católicos, de hablar con el santo o con una imagen. Una oración general que dice toda la comunidad. Pero varía. Depende de la gente. Es más o menos así: "Diez días que tenemos que estar en culto para que tú nos concedas el permiso de que tú, madre tierra, que eres Sagrada, nos tienes que dar de comer, nos tienes que dar todo lo que nuestros hijos necesiten. Y que no abusamos de ti sino que te pedimos este permiso, ya que eres parte de la naturaleza y eres miembro de nuestros padres, de nuestros abuelos." O sea, se considera... por ejemplo... el sol es nuestro abuelo. Es para decir que es miembro de nuestros padres, de nuestra familia... "Y te respetamos y te queremos y que tú nos quieras como nosotros te queremos." Es una de las oraciones para la tierra, específicamente. Luego para el sol, se dice, "Corazón del cielo, tú como padre, nos tienes que dar calor, tu luz, sobre nuestros animales, sobre nuestro maíz, nuestro fríjol, sobre nuestras yerbas, para que crezcan para que podamos comer tus hijos." Se refiere también al color del sol porque el fuego es bastante significativo para nosotros. De acuerdo del color del sol y cuando se menciona el color del sol, es algo importantísimo para nosotros. Así tienen que vivir nuestros hijos. Que sean una luz que alumbra, que sean generosos. El fuego para nosotros significa calor, significa una generosidad bastante grande. Significa un corazón bastante amplio. Significa también fortaleza, que da vida. Y algo que no se pierde, que está en diferentes lados. Entonces, cuando se menciona el color del sol, es como mencionar todos los elementos que reúne toda esa vida. Se le suplica al sol como el canal que pasa al dios único nuestra petición de sus hijos para que nosotros nunca violemos todos los derechos que necesitan los demás seres que viven alrededor. Ahí se le renueva o se le hace nuevamente una petición donde dice que los hombres, como hijos del único dios, tenemos que respetar la vida de los árboles, de los pájaros, de los animales. Se mencionan todos los nombres de los pájaros que existen o de los animales, las vacas, los caballos, los perros, los gatos. Todo eso. Se menciona todo Tenemos que respetar la vida de cada uno de ellos. Tenemos que respetar la vida, la pureza, lo sagrado que es el agua. Tenemos que respetar al único dios, el corazón del cielo que es el sol. No hacer cosas malas cuando el sol está alumbrando a todos sus hijos. Es una promesa a la vez. Luego, se promete a respetar la vida del único ser que es el hombre. Y es importantísimo. Y decimos "nosotros no somos capaces de dañar la vida de uno de tus hijos, que somos nosotros. No somos capaces de matar a uno de tus seres, o sea ninguno de los árboles, de los animales". Es un mundo diferente. Y así se hace toda esa promesa, y al mismo tiempo, cuando está la cosecha tenemos que agradecer con toda nuestra potencia, con todo nuestro ser, más que todo con las oraciones. Luego se dispone, por ejemplo, una oveja o gallinas, ya que consideramos que las ovejas son animales muy sagrados, animales quietos, animales santos, animales que no dañan a otro animal. Y son los animales más educados que existen, como los pájaros. Entonces, la comunidad junta sus animalitos para comer después en la ceremonia.

XI

EDUCACIÓN DE LA NIÑA. CEREMONIAS DE CASAMIENTO. LEYES DE LOS ANTEPASADOS

"Hijos: donde quiera que estéis no abandonéis los oficios que os enseñó Ixpiyacoc, porque son oficios que vienen de la tradición de vuestros abuelos. Si los olvidáis, será como si hicieras traición a vuestra estirpe."

"Los secretos mágicos de sus abuelos les fueron revelados por voces que vinieron por el camino del silencio y de la noche."
Popol Vuh

Me recuerdo que, cuando nosotros crecimos, nuestros papás nos hablaron de cuando se tenía un niño. Es cuando nuevamente se dedican al niño.

Por ejemplo, en mi caso que soy mujercita, mis papás me decían que yo era mujer y que una mujer tenía que ser madre y que en ese tiempo iba yo a empezar la vida de joven, donde me gustaría tener muchas cosas y no las voy a tener. Entonces, mis papás me trataban de decir que todo lo que yo ambicionaba, no había posibilidad de tenerlo. Y todo eso pasa en la vida de un joven. Explican un poco lo que es la juventud entre el indígena y después decían que era muy pronto para que yo fuera casada. Yo tenía que pensar y tenía que aprender a ser independiente y no depender de mis papás. Aprender muchas cosas que en la vida me iban a servir y que ellos me ponían libertad de lo que yo quería hacer con mi vida, pero obedeciendo en primer lugar, a las leyes de nuestros antepasados. Allí es cuando ellos empiezan a dar una educación también de no abusarse de la dignidad, como mujer, como indígena. Entonces, ponen un poco el ejemplo de los ladinos. Ellos dicen que la mayor parte se pintan y la mayor parte de los ladinos empiezan a besarse en la calle y todo eso. Y nuestros papás nos decían que era un escándalo. Era un desprestigio a nuestros antepasados, que yo hiciera eso. Porque si tú tienes tu casa y tienes un novio, él puede entrar, de acuerdo con las leyes de los antepasados, con una serie de costumbres. Eso lo anuncian los papás. Entonces tú tienes que estar muy atenta con tu madre (dicen los papás). Ella te va a enseñar cosas que te van a servir un día. Entonces, lo que me dijeron, era para que yo me abriera las puertas de la vida, para que yo pudiera enterarme de otras cosas. Así es cuando empiezo a estar más con mi mamá y empiezo a desarrollarme como mujer. Mi madre me explicaba que cuando una tiene su menstruación, es cuando una mujer empieza a desarrollarse como mujer y que puede tener hijos. Me decía como tenía que comportarme en el período de juventud. Y sí, entre nosotros los indígenas, nunca hacemos una cosa fuera de la ley de nuestros antepasados. Por ejemplo, si un muchacho nos quiere hablar en la calle, inmediatamente uno tiene el derecho de maltratarlo o de no hacerle caso. Porque en la ley de nuestros antepasados, es un escándalo para ellos cuando una mujer empieza a besarse en la calle o a irse a escondidas de los padres.

Muchas veces los hijos se dan cuenta cuando los padres tienen sus relaciones. Pero esto no hace que uno tenga una claridad ante esa situación. Nuestros padres nos dicen que uno tiene que desarrollarse y tener la situación clara, pero allí se quedan. Hasta uno mismo no conoce las partes de su cuerpo. Al mismo tiempo, uno no sabe qué es tener hijos. Yo ahora lo critico de una cierta forma, porque, considero que no es bueno y que es posible que sea problemático, no saber tantas cosas de la vida.

Es rara la vez que las parejas no tienen hijos. Depende de las medicinas de las comadronas porque se ha sanado mucha gente con yerbas. Tengo un primo que está casado y que no tiene hijos. La comunidad le quiere brindar todo el cariño porque necesitan un hijito. Pero ante esa situación, el hombre se tira a vicios, empieza a tomar. Como no tiene hijos, se dedica a su persona misma. La mujer empieza a buscar pleitos. Entonces, la comunidad un poco le pierde la sensibilidad o el cariño directo a esa pareja. Casi la mayor parte de los conflictos vienen de ellos mismos, pero hay veces que hay mujeres que no les gusta ver a otra mujer que no tiene hijos y hay hombres que no les gusta ver un hombre que no tiene hijos. No es como el rechazo que se le hace en general a los huecos, que nosotros llamamos a los homosexuales. Entre nosotros indígenas, no hacemos distinción entre el homosexual o el que no es homosexual, porque eso ya surge cuando uno baja a otros lugares. No hay tanto rechazo por un homosexual como hay entre los ladinos que es algo que no pueden mirar. Lo bueno entre nosotros es que todo lo consideramos parte de la naturaleza. Entonces, por ejemplo, un animalito que no salió bien, es parte de la naturaleza y así una cosecha no dio tanto, decimos que no se ambiciona más de lo que se puede recibir. Es una cosa que llega con el ladino. Un fenómeno que llega con el extranjero...

Ahora, cuando las mujeres, por ejemplo, salen a emigraciones y después regresan, entonces, llevan mala sangre, de toda la suciedad de fuera de su mundo. Entonces sí les han dado utilidad a todas esas plantas que hay en el campo; plantas medicinales para que puedan dejar de tener hijos. También en el campo se encuentran remedios que por un tiempo dan hijos y que por otro tiempo no dan hijos. Pero como la sociedad, tan cochina, nos ha dado el mal ejemplo, pues, nos han empezado a meter pastillas y aparatos. En Guatemala hubo un gran escándalo porque el Instituto Guatemalteco de Seguridad Social comenzó a esterilizar gente sin decir nada para reducir la población. Lo que pasa es que para nosotros tomar una planta para no tener hijos, es como matar a los propios hijos. Es destruir la ley de nuestros antepasados de querer todo lo que existe. Lo que pasa es que nuestros hijos se mueren antes de nacer, o unos dos años después, pero ya no es nuestra culpa. Es la culpa de otra gente... Así es como es culpable toda la gente que empezó a sembrar malas cosas en nuestra tierra. Entonces, para el indígena es no ser culpable cuando da vida a un hijo y sin embargo se muere de hambre.

Una mujer de veintitrés años, como yo, es una mujer muy sospechada por la comunidad, porque no sabe dónde ha estado, dónde ha vivido. Entonces, es una mujer que pierde la sinceridad de la comunidad y el contacto con los vecinos, que son los que se encargan de vigilarlo a uno todo el tiempo. En ese sentido no hay tanto problema cuando los padres están seguros que la mujer es virgen.

Por lo general se hacen cuatro costumbres de casamiento. La primera es "Abrir Puertas": es amplia pero no hay ningún compromiso. La segunda es un compromiso ante los mayores, cuando la muchacha ha aceptado al muchacho. Es una costumbre de gran importancia. La tercera ceremonia es cuando el muchacho y la muchacha se juramentan ante ellos. La cuarta es ya el matrimonio, "La Despedida". Entonces, por lo general, la costumbre del matrimonio viene en esta forma. En primer lugar, el hombre tiene que hablar con sus propios padres, que le gusta aquella mujer y entonces los papás le irán a decir todo lo que es el compromiso de matrimonio. Tienes que tener hijos y que tus hijos tienen que comer y que tú ni un día puedes arrepentirte. Le empiezan a enseñarle un poco la responsabilidad del papá. Luego, con toda la claridad del muchacho y la claridad de los padres, van con el señor elegido de la comunidad a decirle que el muchacho piensa casarse y piensa hablar a una muchacha. Entonces, viene la primera costumbre de "abrir puertas", como le decimos nosotros. Se abren las puertas con el señor elegido, detrás del señor elegido van los papás del muchacho y el muchacho. Por lo general, las pedidas se hacen como a las cuatro de la mañana ya que la mayor parte de los indígenas, después de las cinco, ya no se encuentran en casa. A las seis de la tarde llegan del trabajo, inmediatamente se ponen a hacer otras cosas. Entonces, para no causar mayor molestia, se hace a las cuatro de la mañana ya se sale si los perros empiezan a ladrar.

Por lo general el papá se resiste desde un principio, porque entre nosotros los indígenas se casan muy jóvenes. Ya la muchacha de catorce años, muchas veces se compromete a casarse. Una muchacha de quince años, muchas veces ya está esperando un niño. Los papás se oponen y dicen no; que nuestra hija es muy joven y muy pequeña, nuestra hija es una niña obediente y que nosotros damos fe de que esa niña sabe muchas cosas. Entonces, los señores van a rogar, a rogar. El papá se resiste y no les abre la puerta y a los niños nos meten para adentro. Entonces, regresan los señores. Pero si los señores son muy interesados, tienen que regresar por lo menos tres veces. Desde el primer día que los señores llegan, el papá empieza a hablar más con su hija. Le dicen que hay un muchacho interesado en ella y le empiezan a explicar todas las instituciones que ella tiene que enfrentar. La segunda vez llegan los señores y por lo general, llevan un poquito de guaro; llevan cigarros por cantidad, entonces, si los papás aceptan un cigarro, quiere decir que ya empiezan a tener un pequeño compromiso. La puerta se empieza a abrir para el muchacho. Pero a veces, los señores —tengo el caso de mi hermana; llegaron por primera vez y los papás no los recibieron. La segunda vez tampoco los recibieron porque mi papá insistía mucho en que su hija era muy joven, ¿ser una mamá? ¡No! Porque entre nosotros los indígenas, lo primero que se piensa es en ser madre y en cumplir con toda la responsabilidad de un padre de familia. Y, al mismo tiempo, aceptar todo el respeto de la comunidad, porque cuando se casa una pareja en nuestra comunidad, al mismo tiempo tiene que guardar todo, como un ejemplo hacia los demás niños, hacia los demás hijos de los vecinos. Para nosotros es un gran compromiso. Pero, sin embargo, la hija empieza a hablar con sus papás y le gustaría conocer al muchacho. Por tercera vez llegaron los señores a pedir a mi hermana y es cuando mis papás les abrieron la casa y como mi papá era el señor elegido de la comunidad, entonces los mismos señores que fueron a pedir a mi hermana tuvieron que llevar otro señor elegido de otra comunidad. Y ya mis papás les abrieron la puerta. Y ya es cuando mi papá recibió la copa a los señores. Recibió los cigarros y entonces ya, por lo menos, está abierta la puerta. Entonces se le dice al muchacho que la muchacha es una mujer honrada, trabajadora. Ésa es la preocupación de los padres, pues. Que la mujer aguante, que la mujer sea trabajadora, que la mujer tenga iniciativa para poder enfrentar la vida. Y mi hermana, dicen que desde los tres años ya trabajaba como una adulta. Mi hermana es muy madrugadora, muy trabajadora. Le gusta sacar muy rápido el trabajo. Incluso en su trabajo, cultivar la tierra, muchas veces a las dos, tres de la tarde, ya saca su tarea. Entonces los papás le dicen que nunca queremos recibir quejas de ella o con respecto a ella, porque ella es una mujer trabajadora y sabe conservar todas las costumbres de nuestros antepasados. Y los papás del muchacho también dicen las deficiencias del muchacho. Nuesto hijo tiene estos defectos. Y que a nuestro hijo le cuesta hacer tal cosa pero también sabe hacer tal cosa. Es un diálogo. Ya después se van los señores porque el papá tiene que trabajar; pero, si piensa abrirle la puerta, los tiene que atender, aunque platiquen medio día o un día, para conocer al muchacho y a la muchacha. Ya después de eso se le da permiso al muchacho para que llegue otro día a buscar a la muchacha. Pero no llega cualquier día, porque sabe que todos los señores, su papá y su mamá, están trabajando en el campo. Entonces sólo llega los domingos. Entonces los domingos, la mamá está muchas veces en casa lavando ropa o el papá está en casa y la mamá se fue al mercado a comprar algunas cosas. Pero siempre tiene que estar uno de los papás en casa cuando llegue el muchacho... El muchacho no llega con las manos vacías. Un regalito, unos panitos, unos cigarros o una copa para los padres. Llega el muchacho y empieza a hablar por primera vez con la muchacha porque nunca, nunca se hacen novios en la calle. Y la comunidad la respeta a esa mujer. La quiere mucho porque saben que empezó su matrimonio con manos limpias, dicen ellos, que no fue una mujer callejera, que nunca se vio parada con un muchacho en la calle. Para nuestra comunidad cuando una está parada con un muchacho en la calle es porque está perdiendo la dignidad y al mismo tiempo, porque está rompiendo con las costumbres de nuestros antepasados. Ahora, si a la muchacha no le gusta el muchacho lo puede decir. La muchacha no para de trabajar, si no le gusta el muchacho, aunque los padres abran la puerta. La muchacha busca qué hacer y no deja nunca un tiempito para el muchacho y no le habla y no lo quiere, pues. Entonces es una señal y se espera quince días para ver si la muchacha quiere hablarle al muchacho y si no, pues se le dice que no fue la familia, que fue ella, que ella no quiere y que por favor se retire. Han pasado muchos casos. Pero si lo acepta siempre estará el papá en la casa y no se quedarán solos. Es un poco para guardar la pureza de la mujer. Es algo sagrado, no es algo simple, es algo que tiene que dar muchas vidas. Entonces respetar a la mujer y que los padres estén cerca. El caso de mi hermana se decidió como en siete meses que estuvieron platicando con el muchacho. Y constantemente el muchacho llegaba, sin ningún compromiso, ni de ella ni de él. Sólo estaba abierta la puerta. Entonces mi hermana se decidió y desde el primer día que la muchacha dice que quiere, el muchacho se hinca obedientemente delante de los padres y dice: tal día regreso con mis padres. Hay una serie de costumbres. Por ejemplo, cuando se abre la puerta, los señores, afuera, no están parados, cuando llegan por primera vez. Están hincados en el frente de la puerta y mi papá no abre la puerta si no quiere. Por segunda vez llegaron y se hincaron en la puerta pero mi papá no les abrió la puerta. Por tercera vez fue cuando se les abrió la puerta y la copa se repartió, hincado en el suelo el muchacho que va a ser comprometido. Es un respeto mayor. O sea, dicen mis papás, la persona que se sabe hincar es la persona humilde. Entonces la forma en que uno se hinca y dobla la cabeza es para los padres la forma como el hombre sabe respetar a todas las leyes de nuestros antepasados. Entonces ya se hinca el muchacho y dice que regresará con sus padres.

De una vez va a dejar dicho quiénes son las personas que van a participar. Allí precisamente va a estar el tío mayor de los muchachos, la pareja del tío mayor, los hermanos, los hermanos mayores del muchacho y de la muchacha, el elegido, los abuelos de los dos muchachos. Es ya la segunda etapa de la costumbre. Se hace una fiesta, ya que estarán abuelita y abuelito en casa, estarán los tíos, estarán los hermanos mayores. Entonces, por lo general, se hace como cuando nace un niño. Se mató una oveja cuando nació un niño. Los padres matan ahora la oveja más gorda de su rebaño y la traen a casa y ya llegan los tíos con la masa y contribuyen también los hermanos mayores de ella y los padres, los abuelitos. La abuelita tendrá que llevar algo como recuerdo a la nieta. Las abuelitas siempre guardan sus joyas de nuestros antepasados, de plata. Entonces entregará algún collarcito a la muchacha como un recuerdo, un estímulo y al mismo tiempo la muchacha recibe un compromiso de que tiene que ser igual que su abuelita y más que todo refiriéndose a nuestros antepasados. Entonces, preparan la casa, hacen todo, la fiesta, preparan la comida. Los mismos papás del muchacho también harán lo mismo allá. Traerán un regalito para entregarle a la muchacha ya de compromiso. Serán todas las cosas que el muchacho recibió cuando nació, como le hicieron la fiesta cuando nació y traerán una ovejita viva. Aparte de la que traen ya muerta y arreglada. En las fiestas se utiliza la masa como tamalitos, pero como tamales grandes. Por lo general, hacen como unos setenta y cinco tamales grandes. Esos tamales duran mucho tiempo. Por ejemplo les dura a los padres de la muchacha más de una semana comiendo tamalitos. Porque no se descomponen ya que son grandes. Lo de afuera sí, pero lo de adentro no. Son como franceses, le dan a la comida un sentido de fiesta. Entonces los padres traen setenta y cinco tamales grandes, de modo que es una carga como de dos o tres quintales ya que cada tamalito pesará unas ocho libras. Los tamales representan un poco los días sagrados para el indígena. Toman en cuenta los días sagrados cuando piden permiso a la tierra para cultivarla. Toman en cuenta los días sagrados de un niño, los ocho días. Toman en cuenta los días sagrados de cualquier fiesta. No sólo ceremonias, porque también toman en cuenta los días de ceremonia de todo el proceso del niño desde que nace hasta cuando se casa. Por ejemplo cuando nació, cuando hizo su integración en la comunidad, cuando se hizo su ceremonia como de bautizo y su ceremonia de los diez años. Siempre se conserva un día sagrado para el niño. Aunque esté trabajando, pero su día es sagrado. Todos esos días son sagrados. Luego se toman en cuenta otros días sagrados. Por ejemplo cuando se hace un cultivo cortando maderas. También se les pide permiso a las plantas que se cortan cuando hay necesidad. Todas las cosas para nosotros tienen su día sagrado. Aunque nosotros esos cultos no los guardamos bien por la misma situación, porque no tenemos tiempo de estar en descanso, pero sin embargo, son días sagrados. También todo lo que se refiere a días de santos, como en la Acción Católica. Pero entre nosotros no es santo de imágenes, sino que celebramos días especiales, por ejemplo hablando de nuestros antepasados. El mes de octubre para nosotros, toda una parte del mes es sagrada porque eran sus tiempos de culto y ellos guardan un silencio, en ese tiempo, entonces tenemos que guardarlo. Aunque trabajando, pero es día sagrado. Así, todos los días sagrados del año serían setenta y dos días o setenta y cinco días. Entonces, cada tamalito representa un día.

La familia del novio trae los setenta y cinco tamales, una ovejita viva y una muerta arreglada. De modo que llevarán una carga bastante grande. Por lo general, llevan una tinaja de caldo de la oveja que han matado. La carne cocida también la llevan en un lugar. Eso ya hace la carga de una persona. Los tamales por lo menos tendrán sus cuatro mozos. Entonces llegan las filas de mozos. Pero no agarran cualquier mozo. Tienen que ser mozos bien honrados de la comunidad. Esos mozos servirán, al mismo tiempo, para repartir copas, entregar cigarros, en la fiesta que va a haber. Muchas veces los que llevan la carga son hermanos del muchacho o hijos de los tíos. Pero si es un hermano muy caprichoso, un hermano que no le gusta tanto dialogar, no tendrá chance de ir a una fiesta de ésas. Cuando entran, entran en fila. En primer lugar irá el señor elegido de la comunidad del muchacho, con su pareja. Entran, saludan a los padres de la muchacha y el papá se hinca en un lugar. El padre de la muchacha tendrá preparado en su casa un lugarcito. Si viven en la misma casa será el mismo lugar en donde pusieron las candelas de la niña cuando nació, cuando se pusieron las candelas al integrarse el niño a la naturaleza, los padres tendrán guardados los restos de las candelas, o sea, también estarán presentes estos restos. Pero esa ceremonia no es todavía el casamiento. Todavía hay una serie de costumbres. Llegan y se hincan en el lugar donde están las candelas de la niña. Sin ninguna palabra, sin saludarse. Las puertas estarán abiertas, se hincan y entra todo el resto de la gente. También estará preparado el lugar donde se colocan las cosas de los papás del muchacho. Entonces viene la mamá y el papá de la niña. Ahí es importante porque allí es precisamente donde juega su papel la mamá. Se considera que la mamá tiene que ir de primera a levantar a los señores porque la mamá es algo único que ha dado vida a su hija y que, al mismo tiempo, su hija tiene que ser imagen de su madre. Entonces la mamá levanta a la madre del muchacho. Se levanta y saluda a todos los que están allí. Levanta a cada uno de los que están hincados. El padre viene a indicarles dónde se van a sentar. No se van a sentar revueltos porque la copa es muy importante. Se van a servir los mayores primero y después los demás una copa de guaro, trago. Más que todo, nosotros usamos bastante guaro. Hay un guaro clandestino que está prohibido por el gobierno de Guatemala. Sólo los indígenas lo hacen y eso se usa en todas las costumbres. Es un guaro muy fuerte. Cuesta barato. A ellos no les conviene. Bajaría el precio en las cantinas. El guaro se hace en el monte, en troncos de madera, en ollas de barro. Los padres llevarán la cantidad de guaro necesario. El guaro se hace de fermento de maíz o de afrecho que sirve de comida para los caballos. Así de trigo, restos de trigo y también se puede hacer de arroz o de caña. Sale igual, fuertísimo.

La madre levanta a la madre del muchacho primero, después a la abuelita del muchacho y después vienen la serie de personas que ella tiene que levantar. El papá de la muchacha se dedica a ordenar a cada uno de ellos donde se van a sentar. Habrá una silla especial para cada uno de ellos. Empiezan la plática, sale la muchacha. El muchacho no se levanta, se queda hincado. Viene la muchacha y se hinca aparte del muchacho. Ellos estarán hincados como quince o veinte minutos. Empieza la ceremonia con los abuelos que empiezan a contarle toda su vida de sufrimiento, su vida de tristeza, su vida de alegría. Cuentan como un panorama general de su vida. Que tal tiempo, y que tal tiempo estuvimos enfermos pero, sin embargo nunca perdimos la confianza, que nuestros antepasados sufrieron lo mismo y un montonón de cosas. Después viene una oración que será dicha por los muchachos que se van a casar. "Madre tierra nos tienes que dar de comer. Somos hombres de maíz, estamos hechos de maíz amarillo y blanco." "Nuestros hijos andarán sobre ti. Nuestros hijos nunca perderán la esperanza de que tú eres madre para nosotros." Y así empiezan a decir oraciones, los que se van a casar. Hablan con el dios único de nosotros, o sea, el corazón del cielo que abarca toda la naturaleza. Hablan con el corazón del cielo a quien le dicen "Padre y madre, corazón del cielo, tú nos tienes que dar luz, nos tienes que dar calor, nos tienes que dar esperanza y tienes que castigar a nuestros enemigos, tienes que castigar a los que quieren acabar con nuestros antepasados. Nosotros, por más pobres y humildes que seamos, nunca te perdemos".

Hacen nuevamente un compromiso de su ser indígena. Dicen que somos importantes. Que a todos nos toca multiplicar la tierra pero, al mismo tiempo, nos toca multiplicar las costumbres de nuestros antepasados que fueron humildes. Y hacen un poco un recorrido al tiempo de Colón, donde dicen "Nuestros padres fueron violados por los blancos, los pecadores, los asesinos". Y que nuestros antepasados no tenían la culpa. Nuestros antepasados murieron de hambre porque no les pagaron. Nosotros queremos matar y acabar con esos ejemplos malos que nos vinieron a enseñar y que si no hubiera habido esto, estaríamos juntos, estaríamos iguales y así no sufrirían nuestros hijos ni habría necesidad de que nosotros tuviéramos un mojón de tierra. Y así un recordar y algo de concientización. Ya después hacen su compromiso y dicen "Vamos a ser padre y madre, trataremos de defender los derechos de nuestros antepasados hasta lo último y nos comprometemos a que nuestros antepasados van a seguir viviendo con nuestros hijos y que ni un rico ni un finquero pueda acabar con nuestros hijos". Ya después del compromiso de los muchachos, se levantan. Después le toca a la abuela de la muchacha y al abuelo del muchacho levantarlos y sentarlos. Se levantan los que reparten copas. Primero darán la copa a los abuelos, a los mayores, después a los señores elegidos, después a los papás de los muchachos. A la tercera copa es cuando los muchachos se hincan de nuevo y empiezan a besar la mano a todos los que componen la ceremonia. Piden perdón por todos los abusos que han hecho de la ley de nuestros antepasados. Hacen un reconocimiento de que no han tomado en cuenta tal cosa. No han tomado en cuenta muchas cosas de la formación o de las indicaciones que cada uno de nuestros padres han hecho. "Nos faltó pedirle perdón a fulano, de haber ofendido los reinos de la naturaleza." Después piden perdón y piden ayuda a los padres, que los tienen que ayudar para siempre, para que sus hijos sean indígenas y que nunca pierdan jamás sus costumbres y, aunque haya pleitos, tristeza o hambre, sigan siendo indígenas. Y después los padres dicen, pasarán las generaciones y las generaciones y seguiremos siendo indígenas. Dicen, la obligación de los padres es guardar todos sus secretos hasta las últimas, las últimas generaciones, para no darles sus secretos a los ladinos, para no enseñarles a los ladinos los trucos de los antepasados, y viene un montonón de cosas de los abuelos. Ellos son testigos de esto, porque después de esto sus hijos también van a ser testigos de nuestros antepasados. Que ellos no fueron pecadores, no sabían matar. Y entonces empiezan a ubicarse en el contexto actual de la situación. Dicen, ahora los hombres no saben respetar la vida de los humanos, ahora hay muertos, ahora se mueren nuestros hijos, nuestros hermanos jóvenes, que hace mucho tiempo no se morían jóvenes. Nuestros antepasados nos decían que los más ancianos aguantaban hasta ciento veinticinco años y que ahora nos morimos de cuarenta, de treinta años. Ustedes son los indicados de pensar por qué pasa esto. Y viene un gran análisis de parte de los mayores. Los mayores son los que tienen la palabra ahora, a través de sus ejemplos y de sus experiencias y de su vida. Y dicen, nuestros antepasados nunca pasaron por alto que había que pedirle permiso a todo ser que existe para utilizarlo y para poder comer y todo eso. Y eso ya no existe. Nuestros antepasados lloran, gritan de ver toda esta situación. Muchos de nuestra raza indígena ya saben matar. Son culpables los blancos. Y así le echan la culpa a los blancos que vinieron a enseñarnos a matar y que nosotros no sabíamos matar y que hasta ahora no sabemos matar y que no los dejemos que nos enseñen. Se oye muy lindo porque es la oportunidad de los abuelos para desahogarse de todo lo que han vivido. Cuando se recibe, sólo están los mayores. Pero ya cuando empieza el rollo de nuestros abuelos, de los padres, tenemos que estar todos para oírlos. Los niños esperamos afuera mientras pasa la primera parte, después nos llaman a todos los hermanos, después que hablan los novios. Casi no tiene límites nuestra casita. Estamos todos en un solo lugar. Todo esto, más o menos ocupa medio día. Después seguirá el cigarro, y las copas que significa mucho, por cada copa se dice como una oración: que era el vino sagrado de nuestros antepasados, que ellos no estaban privados de cultivar su propio vino, de hacer su propia bebida. Que hoy el mundo es diferente. Ahora nos privan de hacer nuestra propia bebida. Entonces, esta bebida es sagrada, dicen ellos. Esta bebida nos hace mucho pensar. Viene la segunda copa, también es diferente la oración. Esta oración dice que nos comprometemos a defender esta bebida. Que aunque escondidos, la vamos a hacer y la seguimos haciendo. Que nuestros hijos seguirán haciendo esta bebida hasta cuando pasen todas las generaciones que van a pasar. La tercera copa es cuando se declaran los novios. Después, con la cuarta copa, es cuando los abuelos tienen todo el permiso de hablar. Luego que hablan los abuelos hablan los dos elegidos y también hacen una serie de recomendaciones a los dos. Que por nuestros antepasados tienen que tener hijos; que el primero de los hijos llevará el nombre de los padres del muchacho y después el de los padres de la muchacha para que nuestras semillas no se mueran, no se borren. Y ya después de eso echan todos discursos. Los padres, después los tíos, los que reparten copas. Entonces a nosotros, nos dejan un espacio también para decir, pero nosotros casi no decimos nada y estamos acostumbrados a respetar mucho, mucho a los mayores. Con una palabra que uno diga, puede ser que le falte el respeto a los mayores. Ahí tenemos muy poca participación. Los novios se levantan. Es como un castigo también. Estarán hincados hasta cuando terminan los tíos de hablar. Después se levanta la pareja y se sientan. Ya se empieza la ceremonia más amplia, así de diálogo. Es un día entero donde se sientan a hablar. Que dicen que eran así nuestros abuelos, que hicieron tal cosa los blancos y así empiezan a culpar a los blancos. Que nuestros antepasados sembraban bastante maíz. Que no hacía falta maíz para ninguna tribu, para ninguna comunidad y que era todos juntos. Y ya empiezan a hablar, teníamos un rey y el rey sabía distribuir todas las cosas con todos los que existían. El cacao, ya no es de nosotros, es de los blancos, es de los ricos. El tabaco. No podemos sembrar el tabaco. Que antes había mucho tabaco para todo el pueblo. Antes no estábamos divididos en comunidades ni en lenguas. Nos entendíamos todos. ¿Y quién es el culpable? Los blancos son, los que vinieron aquí. Por eso, no hay que confiarse en los blancos. Los blancos son ladrones. Recomiendan mucho los abuelitos de guardar los secretos de nuestros antepasados.

Antes no había medicinas, no había pastillas. Nuestra medicina eran las plantas. Nuestro rey sabía sembrar muchas plantas. Por eso nuestros hijos tienen que conocer las plantas. Antes los animales ni siquiera nos picaban y ahora hasta eso han logrado hacer. Después, la última parte de la ceremonia es un poco triste porque, con gran sentimiento los abuelitos, se recuerdan de todo eso y empiezan a decir como será después. Tienen una gran preocupación. Ahora nuestros hijos no pueden vivir muchos años. Como será después. Ahora muchos andan con carros. Antes nuestra Guatemala no era así. Todos caminábamos a pie, pero todos vivíamos muy bien.

Mataron a nuestros principales antepasados, los más honrados. Por eso hay que saber respetar a la naturaleza. Saber respetar a los árboles, a la tierra, al agua, al sol y saber respetar al hermano. Respetar a nuestros mayores. Es como un discurso de parte de todos, participan todos, dan todos sus opiniones. Ya después dejarán el guaro que traen porque no se toma todo. Nadie se emborracha porque tiene que ser una fiesta sagrada. Dejan todos los restos. Comen después que terminan los señores de platicar, se levantan los muchachos y se trae la comida. Para eso estamos nosotros los hermanos, los otros tíos secundarios de la familia, los vecinos más importantes. Cuando la plática, participan todos los vecinos más cercanos, los amigos que están más cerca. En la comunidad casi la mayor parte de la gente son nuestros amigos. Ya después cuando se empieza la comida, no se va a comer la comida que trajo el muchacho, sino que la va a regalar la muchacha. Estará preparado todo, se pasa la comida y se come bien alegre. Ya después de la comida vienen otra vez las pláticas llenas de sentimientos de parte de los padres, de los vecinos. Empieza un diálogo común. A las cuatro de la tarde se retiran los señores.

Después de la segunda costumbre tuvimos que bajar a trabajar a la finca. Pasamos cuatro meses en la costa y fue a los cinco meses que se hizo la tercera costumbre. Estaban las mismas gentes que en la segunda. En la tercera ceremonia hay también bebida y comida. La bebida la traen en bastante cantidad. Traen pocos tamales. Eran los tiempos en que empezamos a cultivar nuestra pequeña tierra. Llegaron otra vez los señores. Se vieron los novios después de cuatro meses. Mi hermana era una mujer muy madura. Uno ahí desde niño empieza a ser adulto. No hay niñez. Uno desde niño empieza a ser responsable. Mi hermana era muy madura y si no veía a su novio, sabía que eran las circunstancias. No había ningún problema. Al regresar, llegó el muchacho a visitarnos. Era cosa normal. No era nada extraño. El muchacho dijo que sus padres estaban dispuestos a hacer la tercera costumbre y ya se pusieron de acuerdo cuándo iba a ser. Nosotros teníamos tanta necesidad de recoger muy pronto el maíz, porque llovía mucho y se pudre. El muchacho tiene que trabajar para los papás de la muchacha por lo menos unos tres meses como miembro de la familia. Después de la segunda costumbre. Entonces, el muchacho dijo, yo me vengo a vivir con ustedes. A los tres meses él regresó a su casa. Es igual como que él hubiera ido a la finca. La tercera ceremonia es cuando el muchacho y la muchacha se juramentan entre ellos. Es un poco como la onda de la Acción Católica, donde hacen un compromiso en la iglesia como matrimonio. Pero lo que pasa es que entre nosotros no se juramenta la gente ante Dios sino ante los mayores. Entonces la muchacha dice, seré una madre, sufriré mucho, mis hijos también sufrirán mucho, muchos de mis hijos se irán a morir antes de ser mayores ya que así es nuestra situación, ya que los blancos nos han hecho esto. Me costará aceptar ver mis hijos muertos, pero tendré que seguir así, ya que nuestros antepasados tuvieron que soportar todo esto y no se rindieron de ver eso, y nosotros tampoco. Y así hace el compromiso la muchacha. Después viene el muchacho y dice, seré responsable. También dice, veremos a hijos muertos, antes de ser mayores pero con esto tendremos que seguir viviendo como indígenas. Y ya prometen los dos. "Entre los dos trataremos de dejar dos, tres semillas que sigan reproduciendo lo de nuestros antepasados. Aunque nuestros hijos se mueran antes de tiempo, pero quedarán siempre algunos para seguir viviendo. Entonces, desde ahora vamos a ser padre y madre." Así se comprometen los dos. Se comprometen ante los mayores. En esta tercera ceremonia los novios se juramentan. Se trata más de la mezcla que va a vivir la pareja, que van a vivir los hijos. En la ceremonia anterior de lo que se trataba era de representar la costumbre de nuestros antepasados desde los primeros tiempos. Era lo que ellos usaban, era lo que ellos conservaban. Para representar la mezcla, traen cajas de gaseosa, un poco de pan, guaro comprado, candelas compradas, todas esas cosas que son como un escándalo para el indígena y ahí es cuando viene la gran explicación también de cada una de las cosas que traen. De un principio ponen candela pero es candela hecha de cera. O sea, las candelas que ponen cuando nace el niño y las de la segunda costumbre, son candelas hechas de cera de las abejas del campo. No es candela comprada en el mercado sino que todo tiene que ser natural. Hasta la olla donde llevan el caldo, es olla de barro, hecha por la abuelita, hecha por la mamá o por la tía. El guaro también. Para encender los cigarros, por ejemplo, usan unas piedrecitas. Todo es natural y todo es lo nuestro. Llevan las tortillas como símbolo del maíz que es algo sagrado para el hombre y es su comida y es su vida. Ya después muestran todas las cosas modernas. Llevan agua gaseosa, un octavo del guaro que venden, un poquito de pan, huevos, chocolate, café. Antes no existía el café, según ellos. Otra vez se presentan, igual como se presentaron la primera vez y empiezan a dar su opinión sobre esto. Por ejemplo, si es "coca cola", los abuelitos, dicen, hijos, nunca van a enseñar a nuestros hijos a tomar esta porquería porque es algo que trata de matar nuestras costumbres. Son cosas que pasaron por máquinas y nuestros antepasados nunca usaron máquinas. Estas fincas son las que hacen que nos muramos jóvenes. Es comida de los blancos y los blancos se sienten ricos con estas cosas. No digamos a nuestros hijos de beber estas porquerías. Así, es el contenido de ceremonia. Luego el pan, dicen, el pan tiene mucho significado para el indígena. El hecho de que el pan sea revuelto con huevo, harina con huevo. Entonces, antes, nuestros antepasados cultivaban trigo. Vinieron los españoles y le revolvieron huevo. Ya es revuelto, ya no es lo que tenían nuestros antepasados. Esto es comida de los blancos y los blancos son iguales como el pan, porque son revueltos. La sangre de nuestros mejores abuelos se juntaron con la sangre de los blancos. Son revueltos, igual que su comida. Y así los abuelitos echan sus ruegos respecto al pan. Luego dicen, pasaron el jugo de nuestra cosecha, de nuestras cañas que eran tan naturales, por una máquina, la hicieron azúcar, le ponen azúcar a esa caña. Está revuelta. Nosotros no tenemos que revolver nuestras costumbres con todas las que son de los blancos. Y esto nosotros no lo comemos. No es nuestra tortilla. Entonces dicen, a sus hijos nunca los van a acostumbrar a comer pan porque nuestros antepasados no tenían pan. Y así, un montonón de cosas de los abuelos. Después vienen los padres. Los padres dicen, nosotros nunca les enseñamos a comer pan. No es que no les quisimos dar. No teníamos. ¿Por qué no teníamos? Porque no era nuestra cosecha. Era cosecha de los blancos. Y así es una recomendación de como van a atender a sus hijos después. Los tíos enfocan un poco más las costumbres católicas. Ahí ya llevan un cuadrito, una imagen de santo. Y dicen, este es san Tal. San Judas, por ejemplo o san Agustín o san Antonio que es el que trae más sorpresa o más cosas buenas según la ideología de todo el pueblo. Dicen, estos santos son santos, pero también no son los únicos. Está el dios del cielo, está el dios de la tierra. Y empiezan a recordar todo. Que canalizan en un solo dios, que es el dios único. Dicen, este santo es un canal para que nosotros nos comuniquemos con el dios único. Entonces dan una gran explicación y ya se comprometen los dos. Ya sólo se espera el matrimonio.

Hablan los señores para decir que los felicitamos y que ojalá que sean buenos padres, que tengan buenos hijos y que soporten la vida y que puedan vivir como humanos y que sus hijos no abusen de la naturaleza. Se deja la palabra a los novios. Después de hablar los novios, viene la explicación sobre las cosas que se ven en el país ahora. Hablan también con respecto a los carros, con respecto a los baños de los ladinos, con respecto a los ricos. Es algo como para sacudir toda la situación. Por ejemplo, dicen que los ricos hasta brillan sus baños, como un traje especial y nosotros, los pobres, no tenemos ni siquiera un huequito para ir. Y que nuestros trastos de comer tampoco son iguales que los de ellos. Pero también dicen que nosotros tampoco deseamos lo que ellos tienen. Nosotros tenemos manos para hacer nuestras ollas y no las perdamos. Aunque haya cosas modernas, aunque haya dinero, nunca compren una porquería como las que ellos tienen sino que ustedes dedíquense a hacer sus ollas. Por ejemplo, no hay molino en la aldea. No es porque no han querido, puesto que muchos terratenientes hubieran querido poner un molino para moler la masa de todo el pueblo. Pero el pueblo dice no. Poco a poco ellos entran con máquinas y después son dueños de todo. Ya después de la última ceremonia es cuando a la muchacha se le entregan sus cosas. Es lo más triste de la última ceremonia. Ya se queda establecida la fecha cuándo se van a casar, si van a pasar por la iglesia. Otra cosa muy importante que dicen, que mi abuelita decía. Hijos, hasta para casarse ahora hay que firmar una porquería de papel. Hasta para el pueblo dicen que hay un alcalde, hay un archivo, hay un papel. Eso no existía antes. Antes nos casábamos a través de nuestras costumbres, de nuestras ceremonias y no había necesidad de firmar un papel. Y al mismo tiempo, antes no se podía separar el hombre con la mujer, sólo por obedecer las leyes de nuestros antepasados. Pero si la mujer sufría mucho, podía abandonar al esposo. Y ahora, porque está firmado en un papel, no puede abandonar a su esposo. Las leyes de la Iglesia es parecido a las leyes de los ladinos. O sea, van a lo civil y que cuando van a lo civil ya no se pueden separar el hombre de la mujer. Como el indígena se siente responsable por cualquier miembro de su comunidad. Si una mujer está sufriendo, y la comunidad no puede hacer nada por ella, porque la ley dice que no se puede separar. Para el indígena es difícil aceptar eso.

Después de esa ceremonia se van todos y la muchacha se queda muy afligida. Ahí planifican también cómo va a vivir la muchacha. Si va a hacer su ranchito aparte, si va a vivir con los padres del muchacho. Nosotros estamos acostumbrados en la comunidad a vivir como hermanos entonces, sería triste para el indígena si se va solo. Después de la tercera ceremonia se les hace una fiestecita aparte con su familia.

En esa fiesta se le habla a la mujer sobre que el padre ya terminó su responsabilidad de cuidarla y de darle vida. Ahora a ella le toca vivir otra vida, pero siempre tiene que estar en comunidad como los indígenas. Se le recomienda que tiene que estar en comunión con la naturaleza. Después la mamá compra algo para la hija o manda tejer algo para la hija, escondidamente. Se le enseñan todas las cosas que le van a regalar para llevar. Pero eso se le entrega cuando estén los padres del muchacho y el muchacho. Esa fiesta se hace cualquier día. Cuando tienen tiempo. Pero antes, decía mi abuelo, sí había un tiempo determinado para esa fiesta. Era cuando le faltaban cuarenta días para que se fuera. Pero con mi hermana no se pudo hacer eso ya que no había tiempo. Ya en la fiesta familiar los hermanos de la muchacha hablan, tanto los mayores como los hermanitos, dice, por ejemplo, "Te agradecemos todo lo que has hecho por nosotros, que ayudó a cuidarnos, nos cambió de pañales, nos cargó". Se reconoce a la hermana como una madre también porque es parte de lo que la madre hizo por nosotros. Entonces le agradecen especialmente todo lo que la hermana ha hecho por ellos. Se reconoce la presencia de ella en el trabajo, las duras experiencias de los padres y todo eso. Se le expresa cualquier sentimiento que sus hermanos le quieran hacer. Nosotros consideramos las flores como parte de la naturaleza y es algo que en la casa de un indígena nunca se ve, una flor sembrada en la casa. Hay algunas flores, por ejemplo el cartucho, que es una flor blanca, y se da más en tierras frías. Se siembra, pero no es en la casa sino que se siembra en los mojones de los vecinos. O si no, se siembra a un ladito retirado de la casa. Y esas flores sólo se utilizan cuando hay una fiesta o una ceremonia grande. No se utilizan en cualquier momento. Y como nosotros casi vivimos entre las plantas y los árboles, entonces no hay necesidad, explicaba mi papá de tener una planta en casa ya que la planta es parte de la naturaleza. Entonces, los hermanos se encargan de buscarle y arreglarle una flor natural cuando sea la despedida. "Yo te hago las flores de tu despedida en nombre de todos nuestros hermanos." En ese tiempo sólo le anuncian la mayor parte de las cosas que va a tener cuando se vaya. Los hermanos mayores le aconsejan que ella es pura, limpia y que ellos también la han cuidado desde pequeña. Y, de parte de la mujer, agradece a sus hermanos mayores lo que han hecho por ella. Y luego los padres. Sabrá hincarse la muchacha delante de sus padres y agradecer todo lo que ellos han hecho por ella. Y al mismo tiempo, con dolor, sentimiento, va a despedir a la comunidad que tuvo por mucho tiempo. Entonces ya le hacen una serie de recomendaciones más a nivel familiar. Le dicen que no se olvide de nosotros. Se acaba la fiesta. La fiesta no tiene límite. No tiene una hora definida. Si se quiere se platica todo el tiempo. Los papás le anuncian parte de lo que le tienen que regalar. Por ejemplo, sus gallinitas, su perrito, una ovejita, sus trastos. La mamá, anticipadamente, hace sus ollas de barro, sus trastos de barro que utilizamos los indígenas. No tenemos así cosas compradas en el mercado. La mamá es la encargada de hacer eso. También la mamá es encargada de hacer unos petatillos chiquitos porque para nosotros, indígenas, es un escándalo sentarse en una silla. La mujer especialmente, porque la mujer se considera como madre de un hogar y la tierra es madre de un mundo entero porque es madre de todos los indígenas. Entonces, la mamá se relaciona un poco con la importancia que tiene la tierra y la importancia que tiene la mamá. Entonces, por lo general, nos sentamos en el suelo. Sólo que las mamás tejen los petatillos para sentarse encima en el suelo. Entonces la muchacha se va. Llevará su media docena de petatillos chiquitos, llevará unos petates grandes y así, cositas que la mamá le regala y que estará ya todo preparado cuando se le anuncie a la muchacha su despedida. Después de toda la ceremonia de la alegría o de la tristeza que tenemos con la hermana, los papás, como señal de alegría o también como señal de tristeza, siempre, siempre se quema pom. Y en todas las costumbres que han venido haciendo, o sea, la primera, la segunda, la tercera, la cuarta ceremonia, siempre se quema pom como un humo sagrado para nosotros. Es un poco relacionado, como para ofrecerle al señor único, un sacrificio, Entonces también se quema el pom y se le hace, quizás, una cena o un almuerzo a la muchacha. Claro, estará muy triste porque va a abandonar a sus hermanos, su papá y su trabajo y todo. También tendrá que hacer el trabajo de la otra gente. Casi es igual ese trabajo porque la mayor parte de la comunidad tiene las mismas costumbres. Pero el problema de mi hermana era que se fue a otra comunidad donde tienen otra lengua y otras costumbres.

Ya después viene la cuarta ceremonia donde tienen que estar los padres de ambos. Ya es la despedida de la muchacha de la comunidad, porque se va a la casa de sus suegros. Cuando llegan los papás del muchacho, también estará bien preparada la casa, eso sí. Se le adorna la casa, se le ponen sus florecitas. Los hermanos de la muchacha se comprometen a hacerlo. Son los que tienen que buscar la iniciativa de como adornar la casa para la despedida de la muchacha. Esto se da en dos lugares. Uno si se hace la ceremonia de nuestras costumbres, antes del matrimonio civil o la iglesia, pues, porque en este tiempo ya hay dos formas de casamiento. Sería la Iglesia Católica y la costumbre indígena. Luego, el civil... Muchos han hecho de que se van al civil y se van a la iglesia. Después de la iglesia regresa la muchacha a la casa y se hace la despedida de acuerdo con la costumbre, después la muchacha sale directamente a la casa del muchacho. Pero muchos han hecho que antes se despide la muchacha, después se van al civil y a la iglesia y se entrega la muchacha en casa del muchacho. La mera fiesta de la despedida se trata de esto. En primer lugar, se arregla la casa. Los papás hacen un pequeño gasto, pero el que hace más gasto es la comunidad. Sabrán que la muchacha se va a despedir. Entonces los vecinos, unos llegan a dejar leña (igual lo hacen cuando nace el niño). Otros llevan masa, otros llevan carne. Los papás sólo se encargan de hacer el guaro, la bebida que se va a tomar... Y, entre nosotros, hacemos dos clases de guaro. Uno que es un alcohol más fuerte que el ron, que la tequila y otro que es como un vino, suave. Tiene un gusto medio dulce. Los padres se encargan de hacer la bebida. Los vecinos traen todas las cosas. Saben qué día se va a despedir a la muchacha. Entonces vienen todos. Ellos actúan como si estuvieran en la casa de cada uno. Agarran las cosas, empiezan a preparar la casa, empiezan a hacer la comida. Es la comunidad la que hace todo. Igual cuando se recibe a la muchacha en la casa del muchacho; la comunidad va a recibir a la muchacha que llega. La muchacha estará bien lista con todas sus cosas, aparte de las cosas que le van a entregar cuando esté el muchacho, y las cosas que tiene siempre. Entonces, muchos de los vecinos traen cositas. Por ejemplo, aquí traigo una sobainita, aquí traigo una ollita. Se hace una gran fiesta. Si los señores van a llegar a las diez de la mañana, por ejemplo, los vecinos desde las cinco de la mañana estarán en la casa de la muchacha preparando todo, para que la casa y la comida, todo esté listo a las diez. Hay algo importante que nace también del corazón de los vecinos. Toda la leña que va a recibir la muchacha tiene que ser cortada el mismo día que va a ser despedida. O sea, los vecinos están desde las cinco de la mañana; los señores, cortando, rajando la leña para llevarle a la muchacha, para que se puedan hacer todas las cosas que se tienen que hacer. Después nombran a uno de la comunidad que le entregará todas las cositas que han juntado a nombre de los vecinos. Primero reciben a los señores papás del muchacho. Van a comer con los vecinos de la comunidad. Allí es precisamente cuando los papás del muchacho, van acompañados con otra pareja, aparte de los tíos, de los hermanos mayores, de los abuelos y del señor elegido de la comunidad. Allí es donde la muchacha va a conocer a los padrinos del muchacho. El papá de la muchacha también tendrá presente a los padrinos de la muchacha. Va a haber dos parejas diferentes de todas las costumbres que ha habido. Los padrinos de la muchacha se eligen cuando la niña nace. Los mismos tendrán que estar presentes. Después del saludo de los señores, la mamá sale con todas las cosas que le va a entregar a la muchacha. "Esto es todo lo que le podemos dar, un estímulo para nuestra hija" y le da un montonón de cosas. Después de que los señores reciban todas las cosas de la muchacha, la abuelita de la muchacha empieza a hablar de todas las cosas que pasan en el actual momento. Los hermanos de la muchacha tendrán preparado un gran ramo de flores. Ese ramo de flores no les toca a ellos entregarlo sino a la abuelita. Entonces la abuelita empieza a hacer como un pensamiento para entregar la rama de flores a la muchacha y es donde le explica que esa flor es bastante sagrada, que es pura y que tiene que vivir como todas las mujeres viven. Que tiene que ser una madre. Al mismo tiempo, la señora va a referirse a todo lo que existe, a lo que ha pasado con nuestra raza. Especialmente se refiere a las prostitutas, las sirvientas, las trabajadoras en la costa, los malos ejemplos. Le da consejos para que ella los tome en cuenta. Que no tiene que tener ni dos ni tres maridos porque nuestros antepasados estaban en contra de esa vanidad. Entonces la señora trata de hacer un panorama acerca de sus sentimientos o acerca de lo que pasa en el mundo. De Guatemala, en general. La señora acaba con gran sentimiento. Le da mucho dolor que pasó eso. Dice, nunca quisiera que una de mis nietas fuera prostituta. Si fuera el muchacho sería el abuelito quien hablara y también hay ciertas costumbres que hacen el muchacho por su cuenta, allá en su casa, con su familia, con sus hermanos. Entonces la abuelita entrega el ramo de flores y es ya la despedida. Después empiezan a tener un diálogo con la muchacha. Más que todo las mujeres. Que no se olvide de los recuerdos de la comunidad. Como mujer tiene que ser respetada. Tiene que guardar las costumbres de nuestros antepasados. Que tiene que ser una mujer muy valiente para enfrentar la vida y que la vida es dura. Que tiene que ser madre. Que tiene que tener corazón como madre. Que sus hijos tienen que respetar la naturaleza como la respetaron sus antepasados. Nosotros no nos besamos sino que nuestro gesto de demostrar nuestro respeto es más que todo hincando y tomando de la mano a los padres y besar la mano de los padres. Entonces ella se hinca delante de todos los señores que están allí presentes y besa la mano de sus padres, de sus abuelitos, de sus tíos, a su hermano mayor y luego toma la mano a los señores que van a ser sus suegros. Luego besa a todos los familiares del muchacho. Ellos le dicen levántese y se levanta la muchacha. Luego el muchacho se hinca ante sus padres, también toma de la mano a sus padres y a sus tíos y de sus abuelos y de su hermano. Luego va con los padres de la muchacha y es el compromiso juramentado. Es el matrimonio ya. Después los papás dicen que entre quince días queremos ver nuestra hija aquí. La muchacha, cuando sale de la puerta de su casa no puede mirar para atrás y hasta los quince días no va a ver su casa de nuevo. La explicación que daban mis papás era que la muchacha ya va a ser una persona mayor y ante todos los problemas que tiene que enfrentar en la vida, nunca debe volver atrás. Seguirá caminando siempre hacia delante. Que al mismo tiempo, su nido, su casa donde nació, ya no será su casa. Y que nunca, jamás, volverá a vivir como un niño.

Muchas veces no hay tiempo para acabar con todas las costumbres de nuestros antepasados. Pero, si hay tiempo, los abuelos de la muchacha o los padres, acompañan a la muchacha. En el caso de mi hermana no hubo tiempo pero, sin embargo, como mi papá era el elegido de la comunidad, él pudo mandar los padrinos de mi hermana y el hermano mayor que la acompañaron a la casa de los señores. Allá en la casa del muchacho, la estará esperando toda la comunidad. Cuando llegó también la recibieron con un ramo de flores. Allí, le entregaron su piedra de moler, su olla que tiene que estar junto a ella para lavar su nixtamal, para lavar sus trastos, para lavar el maíz. Le entregan también su petate y sus petatillos y después le indican el lugar donde va a estar en la casa. Porque rara es la casa que tiene un cuartito para las familias. Antes le mandan a cortar a la muchacha las cuatro esquinas de la casa. Como la casa es de hojas de palma o de caña. Le cortan las cuatro esquinas. A esas cuatro esquinas le ponen la candela del muchacho. Queman el pom y queman también las cuatro esquinas para recibir a la muchacha. De modo que es para pedirle permiso a la casa que va a hospedar a otra persona.

Si llega un momento en que quizá la pareja no se comprendan y no tienen una vida buena, entonces, surgen problemas. Pero es algo importante que los problemas en el matrimonio tratarán de resolverlos entre todos, aclarándoles que ellos mismos deben hacer su vida, entre ellos dos y que es otra vida diferente. Vendrá la señora o el señor elegido de la comunidad. Les tratarán de hablar como a sus hijos. Los padrinos son los que tienen más responsabilidad de seguir ayudando a esa pareja, de ambos lados. Pero si no hay solución, la muchacha es protegida por los padres. Puede regresar, a condición que la muchacha no haya roto con las costumbres de los padres. Ha habido casos donde la muchacha se aburre de esperar todas las costumbres y el muchacho se lleva a la muchacha. Eso corre el riesgo de que si el matrimonio no se entiende, el papá de la muchacha la rechace. Al mismo tiempo los papás del muchacho rechazan a su hijo porque no cumplió con las leyes. Lo que decían nuestros abuelos. Antes no había una ley que nos atara para siempre, como por ejemplo la iglesia, o lo civil, sino que había leyes que había que cumplir, pero no era algo que nos amarra para siempre. De parte de la comunidad, le dará todo el apoyo a la muchacha que parte. Y por eso está la comunidad presente cuando la muchacha se va. Entonces le expresan todos sus sentimientos. Para cualquier cosa, estamos aquí. Tú tienes que realizar tu vida, pero si algún día no te resulta, nosotros te defendemos. Eso tiene una mujer indígena, que tiene todo el apoyo de una comunidad si no rompe con las leyes. Pero si rompe, claro, la comunidad tiene corazón, pero la verán con otros ojos. Eso depende de la muchacha. Porque también existe en los grupos indígenas que los hombres llegan tomados y empiezan a pegar a las mujeres. Pero depende del cariño que tiene la mujer hacia el hombre y si considera que es el papá de todos sus hijos, entonces la mujer no se quejará tanto, como debe ser, porque apoyo tiene... El caso de mi hermana, le fue un poco mal con el matrimonio. Porque llegó un tiempo en que ella por la otra lengua, y otras costumbres de los papás del muchacho y del mismo muchacho no se acostumbró a la otra comunidad, porque como nosotros estamos acostumbrados a vivir en una comunidad, si no se entiende la otra comunidad, ¿cómo va a vivir, pues? Entonces, esa problemática se discutió entre mis papás y los papás del muchacho y con el señor elegido de la comunidad. Mi papá dijo, aquí la comunidad está dispuesta a ayudarles como familia. Creo que mi hija debe venir a vivir acá cerca para poder ayudarlos mejor. Entonces, llegaron a la conclusión de que mi hermana regresara a la comunidad de nosotros. Claro, mi hermana ya no regresó a casa. La comunidad ayudó a mi hermana y en quince días estaba arreglando su casita... No regresó a casa de nosotros porque era muy grande la familia. Al mismo tiempo estaban mis cuñadas con nosotros. Mi hermana tenía ya un hijo y los mismos papás dijeron tienen que hacer su vida propia. La comunidad se dedicó a darles parte del trabajo colectivo. Maicito y frijolito para que ellos pudieran vivir y trabajar. Porque si es una mujer que trabaja por su cuenta, o trabaja en colectivo, que sea casada o soltera, no tiene ningún problema si no abusa de las leyes de la comunidad. Si tiene algún problema, siempre estarán sus vecinos y cuenta con la comunidad. Eso es precisamente algo de lo que los padres le dicen a uno en los diez años.

XII

VIDA EN LA COMUNIDAD. ACTIVIDADES DE LOS MUCHACHOS Y DE LAS MUCHACHAS. JUEGO DE PELOTA. RESPONSABILIDADES HACIA LA COMUNIDAD

"¿No comprenden que el juego es signo de libertad y de muerte y azar que rige las sentencias de los jueces? Los únicos que podrían ser tan osados para atreverse a jugar estan muertos."

Popol Vuh

"Soy una catequista que sabe caminar sobre la tierra y no una catequista que piensa sólo en el reino de Dios."

Rigoberta Menchú

Ya cuando tenía doce años es cuando me recuerdo muy, muy bien. Lo que pasa es que yo razonaba como una mujer con responsabilidad. Por ejemplo, cuando hacemos trabajo en común para guardar un poco de reserva para cualquier muerto, para cualquier enfermo en la comunidad, sólo trabajan los mayores. Claro, esa relación con la comunidad siempre la hemos tenido pero, sin embargo, se concretiza cuando uno empieza ya a tener un compromiso directo con su comunidad. Cada miembro de la familia siempre tiene una tarea que cumplir. Por ejemplo visitar a los vecinos. Platicar un rato con ellos en momentos en que uno está libre. No pelear con los vecinos. Si no, surgen muchas veces los chismes. Porque un niño no hace chismes como una gente que poco a poco va siendo grande. Empieza a pelear con la gente de su edad, con los vecinos. Fueron los tiempos en que yo me integré al trabajo colectivo. Como tapizcar la milpa y que yo ya podía trabajar junto con los otros. Eran los tiempos en que yo empecé a tener amigos así más íntimos de la comunidad y al mismo tiempo, yo empecé a asumir el papel de mi mamá. Mi mamá era una mujer que coordinaba ciertas cosas con la comunidad. ¿Qué vamos a sembrar, antes de sembrar la milpa? ¿Si sembramos sólo fríjol? ¿O si sembramos otra cosa? ¿Cómo lo vamos a hacer? Es más que todo, tarea de nosotros sembrar fríjol, sembrar papa, sembrar cualquier clase de frutillas que puede dar la misma tierra donde se va a sembrar la milpa. Ponerle palitos a los fríjoles para que no dañe la milpa o acomodar los bejucos de los chilacayotes o cualquier fruta que esté sembrada en la milpa. Ya definimos a una tarea, que tenemos que hacer parte por parte. Cada compañero, cada vecino, tiene su partecita que va a cuidar, va a tapizcar, va a recoger la cosecha. La va a cuidar desde el primer día de sembrado, cuidarla en todo el proceso que necesita la planta hasta dar la fruta y recoger la fruta. Uno se compromete a eso. Es un compromiso colectivo, ya. Esos eran los tiempos en que yo empecé a ser responsable. En ese tiempo ya existía la religión católica en nuestra región. La religión católica escoge, o los curas, los sacerdotes, escogen una gente, por lo menos, para que sea catequista. Y a partir de los doce años, yo fui catequista. El cura llegaba cada tres meses a la zona. Nos traía documentos para enseñar la doctrina a nuestra comunidad. También por nuestra propia iniciativa lo hicimos porque mi padre fue muy cristiano.

Aceptar la religión católica no era como aceptar una condición, abandonar nuestra cultura, sino que era como otro medio. Si todo el pueblo cree en ese medio, es como otro medio por el que nosotros nos expresamos. Es igual como que nos expresáramos con un árbol, por ejemplo; consideramos que el árbol es un ser, parte de la naturaleza y ese árbol tiene su imagen, su representante o su nahual, para canalizar nuestros sentimientos al dios único. Ésa es nuestra concepción indígena. La Acción Católica es como otro elemento que se puede integrar a los elementos que ya existen en nosotros, los indígenas. Claro, allí es donde precisamente a nosotros se nos confirma una vez más que sí hay un Dios y que sí hay un padre de todos. Pero, sin embargo, es algo que nosotros lo consideramos como sólo para allá arriba. En lo de la tierra, nosotros tampoco tenemos que seguir adorando a nuestros medios como lo hemos hecho, todos los elementos que presenta la naturaleza. Claro, esto nos ayudó mucho a ser catequistas y a tener una responsabilidad de enseñar a los otros, como se trata en nuestra comunidad de enseñar, de ser ejemplo de los otros que crecen. En la Acción Católica, muchas imágenes, son parecidas a lo nuestro, aunque lo nuestro no está escrito. Pero mucho es parecido. Por ejemplo, nosotros creemos que existieron antepasados; y nuestros antepasados son importantes porque son gente buena, porque obedecieron las leyes de nuestros antepasados. La Biblia también narra de unos antepasados. Entonces, no es algo extraño. Nosotros los acomodamos los antepasados de la Biblia como si fueran nuestros antepasados, siguiendo en nuestra misma cultura y nuestras mismas costumbres. Al mismo tiempo, se referían muchas veces a jefes, a reyes. Por ejemplo, antes había reyes que pegaron a Cristo, todo lo que narra la Biblia. Nosotros lo relacionamos con nuestro rey, Tecún Umán que fue derrotado por los españoles, que fue perseguido, tomándolo como nuestra realidad. Así es como fuimos acomodándolo, aceptando lo que es la religión católica y el deber de un cristiano, como nuestra cultura. Es otro medio, como decía. No es la única forma estable para expresarnos sino que es un medio para seguir expresándonos y no abandonar nuestro medio de expresar lo de nuestros antepasados. Es un doble trabajo para nosotros; porque tenemos que aprender la doctrina, tenemos que aprender a rezar. Nosotros siempre rezamos en nuestras ceremonias, en nuestra cultura, entonces, no es tan diferente, sólo memorizar las oraciones que nos mandan y es otra oración que integramos a lo nuestro. Tiene que ser todo en lengua. Bueno, hay muchas veces eso es algo también que no es que lo hacemos porque lo entendemos, de la Acción Católica sino que hacemos porque así tiene que ser. Porque, en un principio me recuerdo que las oraciones ni siquiera eran en español. Eran en latín o algo así. Entonces, para nosotros, es algo que decimos y expresamos con toda la fe que sentimos pero no entendemos qué quiere decir. Como los curas no saben la lengua, como los curas hacen las oraciones en español entonces la tarea de nosotros es memorizar las oraciones, memorizar los cantos. Pero no entendemos exactamente qué quiere decir. Pero es un medio que aceptamos como canal de nuestra expresión. Significa mucho para nosotros pero no le entendemos. El cura venía cada tres meses a la aldea.

Mi padre fue huechajal de la iglesia y después se casó y tuvo sus hijos y aceptó muy bien lo que es la Acción Católica. Él nos enseñaba que existe un Dios, que hay un Dios, y que tenemos que tener otro medio, adorando a los santos. Pero no es adorar a los santos, las imágenes, sino que es una expresión. Por ejemplo, tener la imagen de la tierra, que es madre, es importante. Que es creada por un padre, un único señor, al igual que los santos, que fueron los antepasados. Nosotros nos expresamos por medio de nuestros dibujos, por ejemplo de nuestro huipil, de nuestro traje, como una imagen de los antepasados. Sería como un santo en la Acción Católica. Allí es donde está un poco la mezcla de la cultura y de la religión católica. Nos sentimos muy católicos porque creemos en lo católico, pero al mismo tiempo nos sentimos muy indígenas, orgullosos de nuestros antepasados. En un principio, para mí, exactamente lo católico, era algo que no entendía, pero, sin embargo, estaba dispuesta a desarrollarme. Entonces yo empecé a enseñar la doctrina a la comunidad. Más que todo mi tarea era con los niños. El cura venía a celebrar la misa, formar los grupos de catequistas, dejarles un documento que estudiar. Pero como no sabíamos leer, ni escribir, muchas veces teníamos que aprenderlo de memoria. Así es cuando empezamos a aprender un poco. Mis hermanos tuvieron la capacidad de aprender a leer y a escribir desde ese tiempo con los primos. Tengo primos que tuvieron oportunidad de tener su sexto año de primaria. Se quedaron allí porque no tuvieron capacidad de seguir. Esos primos les enseñaban a leer. Cuando mis hermanos fueron jóvenes, tuvieron relación con muchos amigos. Entre amigos empezaron a aprender a leer. En mi caso, como todas mis amigas, era analfabeta... Cuando somos amigas, no hablamos de diversiones, no hablamos de cosas así, sino que hablamos de trabajo o de qué es lo que vamos a hacer. Peor, cuando ya tenemos nuestros animalitos, y hablamos, dando vueltas a todos nuestros animalitos, para ver qué es lo que soñamos, qué es lo que queremos hacer con ellos. Así un poco hablando de la vida, pero muy general. No se habla de ir a otros lugares a pasear o a bailar o a aprender a bailar. Eso no lo hablamos. Los varones sí, empiezan a enseñarse unos a otros lo que sabe el otro y empiezan a jugar. Por ejemplo, el indígena tiene un juego como un deporte. Es una cera, no son avispas, sino de otra clase de animal en la montaña, que hace una cera negra. Esos animales, cuando abandonan su casa, construyen otra casa y se quedan las ceras en los árboles. Entonces, los jóvenes, encantados, cada tiempito libre, se van a la montaña a buscar cera, regresan con su cera y empiezan a hacerle borlequitos para jugar. Es como una especie de lotería para ellos. El que gana más es el que logra voltear la cerita, de los otros. Gana un centavo o le proporcionan otra cosa. El juego que hacen con la cera es una competencia. También lo hacen con una fichita de a centavo y esa fichita la ponen sobre algo de hierro; se lanza un centavito, que le pega y le da vuelta al otro centavo, y así quiere decir que ganó la persona. Si no da vuelta, entonces no gana. Es un juego en que poco a poco agarran práctica. Los muchachos indígenas en su tiempo libre en la montaña, platican mucho entre ellos y, al mismo tiempo, regresan a jugar en comunidad, en grupo. Por lo general, nosotras, las muchachas no jugamos, porque, incluso para nuestra mamá, es difícil que deje a una muchacha sola a ir a jugar. La muchacha, más que todo, tiene que aprender las cositas de la casa, los detalles de la mamá. La mamá nunca se queda sentada en la casa sin hacer nada. La mamá siempre está en constante oficio y si no tiene qué hacer, tiene su tejido y si no tiene tejido, tiene otra cosa que hacer. Más que todo el juego de nosotras es haciendo tejido o cosas así. Pero también podemos hacerlo en colectivo porque hay un lugar del campo que es tan maravilloso y que es tan lindo y que hay sombra, entonces todas las muchachas se unen, unas siete u ocho muchachas, y se van bajo de los árboles, cuelgan su tejido y platican y tejen. Es más nuestra diversión con nuestras amigas. Y, por ejemplo, cuando vamos a acarrear agua, nos llamamos todas las muchachas de la aldea, gritándonos unas a otras, vamos a acarrear agua, y todas se van y nos vamos en fila, platicando, a acarrear agua. Y como para acarrear agua siempre usamos tinajas de barro en la cabeza, entonces cuando regresamos, venimos despacio, bajamos nuestra tinaja, nos sentamos un rato. Mas cuando el agua no existe cerca, hay que caminar lejos para ir a traer el agua. Es otra parte de nuestra diversión, de plática directa con los vecinos, con las amigas. Nos hacemos amigas en ese sentido. Eso sí, cualquier oficio que realizamos las mujeres, siempre avisamos a nuestra vecina. Más que todo cuando somos muchachas. No nos gusta tanto juntarnos con las señoras. Aunque sí, tenemos un gran respeto por las señoras, nos gusta más platicar con nuestras compañeras de igual edad. La educación que nos dan, no juntarse con una muchacha de veintidós años, por ejemplo y nosotros de doce años, porque esa gente no nos va a comprender lo que nosotros entendemos. Entonces, siempre andamos con la gente de nuestra edad, de nuestro tamaño. Otra de las veces es cuando queremos hojas de las plantas de la montaña para hacer tamalitos. Nos llamamos todas las muchachas una tarde, por ejemplo, para ir a cortar hojas en la montaña. Yo, en mi caso, me gustaba mucho estar encima de los árboles. Nos subíamos encima de los árboles pero cuando no nos veía la mamá; pues, para la mamá es un escándalo una muchacha subida arriba de los árboles. Nos dan grandes regañadas cuando nos ven. Nos subíamos encima de los árboles, gritando, cantando, llamándonos unas a otras y así, contentas. Para nosotras, es suficiente esas diversiones que tenemos porque ya en las fiestas, ninguna muchacha se separa de su mamá, ya sea en una fiesta del pueblo. Aunque estemos en el mismo pueblo, pero siempre tenemos que estar con la mamá, para guardar todo el respeto hacia la muchacha que está creciendo. Porque, dicen nuestros padres, una muchacha se vuelve callejera; sólo cuando se separa de sus mayores, entonces aprende malas cosas. Tiene que estar con sus papás. Así todas las fiestas, aunque nos saludamos y todo, pero andamos siempre con la mamá. El caso de los hombres, son menos privados en muchas cosas. Quizá no es machismo, sino que es algo que los hombres, por ejemplo, no les pasaría nada de lo que le pasaría a una mujer cuando tenga relación con un hombre. Entonces, los hombres están un poco más libres pero, por ejemplo, los hombres saben mucho respetar la ley de los padres. Si el papá dice a tal hora te quiero ver en casa, a tal hora, pues. Pueden salir solos a jugar con sus amigos, pero ya cuando son hombres de catorce, quince años, están con más trabajo y no tienen tiempo de salir a pasear. Casi para nosotros pasear, es ir a hacer leña o hacer un trabajo. Porque los muchachos también se llaman para ir a hacer leña, para cortar una planta o para hacer cualquier oficio. Se juntan y se van. Es casi igual la diversión de las mujeres y los hombres. Ahora sí, es algo prohibido por nuestros papás de juntarnos con grupos de muchachos, ya sean vecinos, ya sean primos, tíos, lo que sea, nosotras tenemos que andar con las niñas, y no con los muchachos, porque muchas veces los muchachos son muy groseros. Tampoco les gusta que una mujer ande con ellos entonces, es una gran separación en ese sentido. Eso sí, a veces armamos una plática, hablando de los muchachos o los muchachos hablando de las muchachas. En la casa yo hablaba mucho con mi padre porque era la hija más consentida. Había mis hermanos y todos pero, no sé, me quería mucho mi papá y yo también me encariñé mucho, mucho con él. Hay veces que me daba la palabra para que yo hablara con la comunidad y para que la misma comunidad nos tomase cariño como le toma a mi padre. No era tanto de que yo fuera importante porque yo era catequista, sino que era más mi participación en la comunidad. Siempre los papás se preocupan por la participación en la comunidad. Pero tampoco participar a nivel adulto porque los adultos tienen a veces reuniones en que platican las cosas más serias. Lo que pasa es que el indígena siempre guarda un secreto. Ese secreto, a veces no es conveniente que los hijos lo sepan. No es porque sea inconveniente, sino porque no hay necesidad... Son los niveles que respetamos en la comunidad. Si hay necesidad, uno se entera de las cosas de los adultos. Si no hay necesidad, el niño sabe respetar la plática de los adultos. Por ejemplo, si en mi casa llega un vecino a platicar con mi papá o mi mamá, y si me dicen "vaya a traer una leña". Eso significa para mí que no quieren que yo esté en la plática. En este caso mi padre quería que nosotros nos integráramos como parte de una comunidad y que tomáramos en serio las cosas de la comunidad y nuestra participación directa con nuestra gente. Así es cómo yo empecé a enseñar la doctrina. Mucha gente, lo tengo que reconocer, la mayor parte de mi comunidad es católica, muy católica. Hay rosarios, hay novenas, celebración de la palabra de Dios y todo eso. Entonces, yo empecé a aprender el santo rosario de memoria y me solicitaban los vecinos para ir a rezar a un cumpleaños de un niñito de dos años, por ejemplo. Y así, yo empecé a participar como catequista, como misionera ya católica en la comunidad. No sólo era yo. Estaban mis hermanos y los demás hijos de los vecinos que siempre tenemos un pequeño papel que asumir en la comunidad. Así es cuando nosotros empezamos a organizarnos y a hacer una colecta cada vez cuando nos reuníamos. Dar un centavo, dar dos centavos y a lo largo del tiempo, se juntó una cantidad de dinero en nuestra alcancía, y pudimos comprar cosas para la comunidad. O sea, poner una pequeña tienda que tenga sal, que tenga cosas que la comunidad puede usar. Es iniciativa del pueblo, ayudado por el mismo cura, porque el cura siempre nos trata de decir que tenemos que unirnos, que tenemos que estar juntos. Y de hecho, estamos juntos. Lo que hacía yo en ese sentido, por ejemplo, era empezar mi trabajo cotidiano una hora antes del tiempo en que yo empezaba a trabajar siempre. Por ejemplo, si yo empezaba a trabajar a las seis de la mañana, a las cuatro de la mañana ya estaba yo saliendo para el trabajo, de modo que empezaba el trabajo, a las cinco de la mañana. Porque nosotros siempre caminamos para el trabajo. Nos lleva una hora, hora y media, para llegar al trabajo. En principio tendría que salir a las cinco de la tarde del trabajo, pero salía una hora antes y llegaba a las cinco de la tarde a mi casa preparada para ir a rezar con los vecinos. Es un ambiente muy lindo el que vivimos en la aldea, porque esto permite que se llame a los vecinos para que vengan a rezar. El señor no pide su rosario individual en su casa, sino que tenemos una reunión, fija. Nuestra reunión cultural como indígenas, la teníamos el viernes. Nuestra reunión como católicos, el lunes. El lunes, el señor o los señores, que quieran rosario, lo piden el lunes en la reunión de catequistas. Los señores que quieren una ceremonia diferente de la católica, lo piden el día viernes. O sea, no se confunde esto. Así es cuando yo me interesé tanto, tanto en aprender a tocar los instrumentos de nuestros antepasados. Por ejempo, el tún, el tambor, el sijolaj, que todavía conservamos, la chirimía. Empezábamos a practicar con mis hermanos. Rezábamos como católicos con los vecinos y a la vez, tocando nuestros instrumentos. Sabíamos algunos cantos católicos. Los primeros cantos que enseñaron a nuestros papás, nos los enseñaron a nosotros y esos casi siempre los cantamos, pero los nuevos cantos nos cuesta mucho porque implica memorizar. Entonces decidimos reunirnos los lunes. El lunes está reservado. Cuatro de la tarde tenemos que estar en la reunión. Se practica todo lo que la Biblia exige. Cuando hay un enfermo, se recurre a nuestros medios indígenas pero, al mismo tiempo, se cree que la Acción Católica es un medio para expresarse entonces, el señor pide un rosario para el enfermo, vienen los vecinos y rezamos en esta forma. Primero se hace una oración para abrir la ceremonia. Luego, como nos enseñaron las letanías y los misterios, rezan los misterios, las letanías, el Credo, que también utilizamos mucho. Y luego, entre el Credo, hay un espacio general para el enfermo. O sea, que todos los vecinos piden por el enfermo. Ya después se acaba la oración. Por lo general, siempre rezamos hora y media, dos horas, con el enfermo. Ya después de eso, todo el mundo tiene esperanza de que el enfermo se cure. Todo el mundo le da apoyo a los señores que tienen el enfermo, para que no desesperen y sigan adelante. Practicamos los cantos de la Acción Católica. Practicamos la doctrina. Entregamos cuenta a los papás qué es lo que saben sus hijos y después platicamos cosas de la religión católica. Por ejemplo, tal día viene el cura, qué es lo que vamos a hacer, qué fiesta le vamos a hacer, dónde lo vamos a recibir y así, se platican cosas del colectivo. También hay veces que no hay tantos puntos que discutir porque también los curas nos mandan una serie de cuestionarios, que muchas veces hay que contestarlos o elaborarlos en comunidad. Así nos reunimos y platicamos de lo que tenemos que platicar como catequistas y si no hay tanto que discutir, siempre no se pierde el tiempo porque hay que hablar de cosas de la comunidad. Por ejemplo, un vecino necesita una casita porque ya sale su hijo aparte. Entonces, cómo vamos a hacer para ayudarle, quiénes son los que se van a ir a ayudar, a quién le toca el turno. Hay siempre algo en común, ya sea el viernes o el lunes. Además viene otra reunión que es la reunión de los señores y de las señoras importantes de la comunidad. Y con respecto a la tierra. Esto fue cuando empezaron a quitarnos la tierra. Todos los jueves se reúne la comunidad para discutir quién se va a la capital, quién acompañaba a mi papá, que era el señor elegido de la comunidad. Como va a ser su pasaje. Esto implica que tenemos que dar tiempo a atender a la comunidad en cualquier cosa. Implica que tenemos que dar tiempo a nuestras ceremonias, nuestras celebraciones indígenas. Implica dar tiempo a la religión católica, que también lo expresamos como un medio. Y entonces, se nos complica más la situación. Pero toda la comunidad está dispuesta a hacerlo. Nadie dice no, porque la mayor parte de nuestro pueblo, no es ateo, porque los indígenas no vivimos cerca de los ladinos.

XIII

MUERTE DE SU AMIGA INTOXICADA POR LA FUMIGACIÓN EN LA FINCA

"Siempre había visto llorar a mi madre. (...) Yo tenía un miedo a la vida y me decía, ¿qué será cuando yo sea más grande?"

Rigoberta Menchú

En la comunidad, por ejemplo, desde chiquita me querían mucho, me expresaban todo su sentimiento, su alegría porque éramos muy antiguos en la comunidad. No dejábamos pasar ni una cosita. Cualquier fiesta, armábamos un relajito a través de nuestras costumbres. Era nuestro compromiso ya directo con la comunidad. Me recuerdo, empezaría los catorce años, cuando bajamos a la finca. Ya íbamos un grupo de gentes más unido porque antes, cada gente iba dispersa a cualquier finca y no nos veíamos hasta cuando regresábamos al altiplano. En ese tiempo bajamos juntos con los vecinos, con los hijos de los vecinos, y así bien alegres. Llegamos a la finca y con una amiga de la comunidad y nos tocó corte de algodón. Un día con ella que era una catequista, siempre andábamos juntas porque éramos muy amigas, y mi amiga se intoxicó con la fumigación del algodón. Entonces, tuvimos que enterrarla entre todos en la finca... Entonces decidimos no trabajar dos días. No era tanto una huelga. Era para guardar el dolor. Se llamaba María. Era mi amiga. Habíamos bajado a la finca como unas diez personas.

Entre los catequistas había muchachos, señores, señoras. La presidenta del grupo era mi mamá. Era un grupo de mujeres que empezaron a organizarse más en lo cristiano. Había un grupo de jóvenes que eran los jóvenes que atendía mi hermanito, que ya lo mataron. El grupo de niños yo lo atendía, porque yo tenía mucho cariño a los niños. Yo tenía mucha paciencia. También había un grupo de hombres. Los jóvenes en ese tiempo ya participaban juntos, los muchachos y las muchachas. Organizábamos muchas cosas en la comunidad, pero organización como organización, no existía. Más que todo se iban las mujeres a practicar la doctrina, a cantar, a platicar un rato y después se iban a sus casas. Era igual con los niños, enseñarles la doctrina, enseñarles algo y jugar un ratito. Había veces que organizábamos textos por medio de mis hermanos que saben ya leer, entonces leíamos un texto y analizábamos qué era el papel de un cristiano. Eso nos hacía unirnos más y preocuparnos más de la problemática de cada uno de nosotros. Para la comunidad, mi amiga era una gente muy importante. La querían mucho. Desde ese tiempo, no sé, pero yo me sentía desgraciada en la vida porque pensaba qué sería de la vida de uno cuando fuera grande. Pensaba en toda la niñez, en todo el tiempo que había pasado. Siempre había visto llorar a mi madre, muchas veces escondida, pues nunca nos enseñaba cuando ella tenía grandes penas. Pero siempre la encontraba llorando en la casa o en el trabajo. Yo tenía un miedo a la vida y me decía, qué será cuando yo sea más grande. Y esa amiga me había dejado muchos testimonios de su vida. Me decía que nunca se iba a casar porque si se casaba implicaría tener hijos y tener hijos, le costaría ver un hijo morir de hambre o de sufrimiento o de enfermedad. Eso me hacía mucho pensar y que yo estaba loca de pensar, yo me recuerdo que pensaba que yo no podría seguir así, que yo tenía que ser una mujer grande. Y que cada vez yo era más grande y cada vez tenía más responsabilidades. Yo tenía miedo. En ese tiempo yo decidí decir que yo nunca me iba a casar también. Cuando murió mi amiga, yo decía, nunca me voy a casar, como ella dijo que nunca se casaba. Sólo por no pasar todas las penas que tendría que pasar. Completamente se me cambiaron todas las ideas; se me venían muchas ideas. ¿Qué voy a hacer? Muchas veces decía yo, me dedicaré quizás a trabajar en el altiplano, aunque pase hambre pero no bajaré a la finca, ya que yo le tenía un odio a la finca. Precisamente porque mi amiga allí se murió, mis dos hermanos se han muerto allí. Uno de mis hermanos, me contaba mi madre, se murió de intoxicación también y otro de mis hermanos, que yo vi morir de hambre, de desnutrición. Me acordaba de todos los momentos de mi madre, a quien que yo veía sudar y trabajar y nunca se arrepentía. Seguía trabajando. Muchas veces no tenía nada. Llega un mes y decía, no tenemos ni un centavo. ¿Qué vamos a hacer? Eso me daba tanta cólera y yo decía, ¿pero qué más se puede hacer en la vida? Para mí no había ninguna salida para que yo no viviera lo mismo que viven todos, que sufren todos. Yo estaba preocupadísima.

En ese tiempo no nos expulsaron del trabajo, ya que reconocieron que teníamos razón. Bueno, es que nos tocó un caporal que era menos criminal que los otros. Trató de no echarnos por los dos días que faltamos y tampoco nos cobró al final del mes los dos días. En ese tiempo yo tenía un dolor bastante grande. Yo decía, por qué no quemamos todas estas cosas para que no vengan a trabajar la gente aquí. Yo tenía odio hacia la gente que fumigó. Yo pensaba que eran culpables, ¿por qué echaban el veneno si habíamos gente allí? En ese tiempo regresé muy mal a la casa. Andaba sola con mis vecinos, con mi hermana mayor, pues mi papá se había quedado en el altiplano. Cuando llegué a casa, le conté a mi mamá, ha muerto tal compañera. Y mi mamá lloraba y yo le decía: ¡ay, mamá, yo no quiero vivir! ¿Por qué no me mataron cuando era niña? ¿Ahora cómo es posible que vivamos? Mi mamá me regañaba y me decía de no hablar cuentos. Pero para mí no eran cuentos. Eran cosas muy serias. Después me acerqué a los curas. Me recuerdo que no sabía hablar el castellano. No podía expresarme con ellos. Pero yo los veía como buenas gentes. Yo tenía muchas ideas pero sabía que no podía llegar a decir todas mis ideas. Yo deseaba un día poder leer o escribir o hablar el castellano. Eso le decía a mi papá, yo quiero aprender a leer. Tal vez cuando uno lee, sea diferente. Entonces mi papá me decía, ¿quién te va a enseñar? Tienes que aprenderlo por tus medios, porque yo no los tengo. No conozco colegios, tampoco te podría dar dinero para un colegio. Entonces yo le decía, si platicas con los padres quizá me pueden dar una beca. Y me decía mi papá, en eso si que no estoy de acuerdo contigo porque tratas de salir de nuestra comunidad, de alejarte y buscarte lo que te conviene más. Entonces, tratarías de olvidarte de lo que hay en común. Si te vas, sería de una vez. Te apartas de nuestra comunidad y yo no te apoyaría. Mi papá tenía una gran desconfianza de las escuelas, de todo eso. Entonces me ponía como ejemplo de que muchos de nuestros primos han sabido leer y escribir, pero no han sido útil para la comunidad. Tratan de apartarse y de sentirse diferentes cuando saben leer y escribir. Todo eso me explicaba mi papá. Yo decía, no, "yo quiero, yo quiero aprender" y seguía y seguía. Llegó un momento en que bajamos por última vez en la finca. Por supuesto, fue en otra finca. Uno de los terratenientes pedía a mi papá que yo fuera sirvienta de él. Mi papá decía no. "Esas son cosas malas. Te van a tratar mal como nosotros nunca te tratamos mal. Yo no sería capaz de aguantar que mi hija esté sufriendo en otro lado; mejor sufrimos juntos." Como yo estaba en esa gran problemática de pensar qué hacer para buscar una salida, entonces el terrateniente me ofreció veinte quetzales al mes si yo me decidía a ser sirvienta. Yo dije no, mejor no. Y estábamos en la misma problemática con mi hermana mayor. Entonces mi hermana mayor dijo, yo me voy. Y mi hermana mayor se decidió. Mi papá le decía, pero hija, te vas a ir a perder. No sé ni donde te van a llevar. Mi papá estaba muy preocupado porque nunca eran sus intenciones de que nosotros fuéramos sirvientes en la capital. Muchas más, pensaba él, eran las deformaciones que teníamos que vivir después. Tenía miedo que nosotras perdiéramos todas las cosas que ellos nos enseñaron desde pequeños. Mi hermana se fue y yo me quedé todavía unos días con mis papás y yo pensaba: ¿cómo estará mi hermana? Al mes mi papá fue a buscar a mi hermana y me dijo cuando regresó: "Tu hermana está bien pero, sin embargo, está sufriendo mucho. Porque el trabajo ya no es igual que nuestro trabajo y porque también la tratan como una basura en la casa de un rico." Entonces yo decía que no importa que la traten mal pero si ella puede aprender el castellano, puede leer... Eran mis ambiciones. Después mi hermana no aguantó y regresó a casa. "Ni por tantas voy a servir un rico por segunda vez", decía ella. Yo ya fui a aprender que los ricos son malos. Yo decía, ¿será que es más difícil que nuestro trabajo? Porque uno piensa que más difícil de lo que hacemos sería imposible, pues. ¿Por qué aguantamos todo lo que hacemos? Así es cuando yo me fui de sirvienta a la capital. No había cumplido los trece años, era muy jovencita.

XIV

SIRVIENTA EN LA CAPITAL

"Yo no era capaz de desobedecer. Y estos patrones abusaban de toda mi obediencia; abusaban de toda mi sencillez."
Rigoberta Menchú

Cuando salimos de la finca, el terrateniente iba vigilado con toda la gente detrás. Incluso tenían armas. ¡Yo tenía un miedo! Pero a la vez decía, tengo que ser valiente. No me van a poder hacer nada. Y mi papá decía: "No sé, hija, si te va a pasar algo; tú eres una mujer madura." Entonces llegamos a la capital. Me recuerdo que llevaba mi ropa bien viejita porque era trabajadora de la finca y llevaba mi corte bien sucio; bien viejo, mi huipil. Tenía un perrajito y era el único que llevaba. No tenía zapatos. No conocía ni cómo es probar un par de zapatos. La señora del señor estaba en la casa. Había otra sirvienta que era para la comida y yo tendría que tener el trabajo de limpiar la casa. La sirvienta era también indígena pero había cambiado su traje. Tenía ya ropa ladina y hablaba ya el castellano y yo no sabía nada. Llegué y no sabía qué decir.

Yo no hablaba el castellano, pero entendía algo. Por todos los caporales que nos mandaban, que nos maltrataban y que nos daban las tareas. Muchos de ellos son indígenas, pero no quieren hablar la lengua como nosotros porque ellos se sienten diferentes de los mozos. Entonces, yo entendía el español, pero no lo hablaba. La señora llamó a la sirvienta: Recoge a esta niña; llévatela al cuarto que está atrás. La muchacha vino y me miraba con todos los ojos indiferentes. Y me dice, vente por acá. Me llevó al otro cuarto. Era un cuarto donde tenían arrinconado un montonón de cajas, bolsas de plástico donde guardaban también la basura. Tenía una camita y me bajaron la camita y me pusieron un petatillo encima de la camita y me dejaron una chamarra; me dejaron allí. Yo no llevaba ninguna cosa para cubrirme ni nada. Entonces la señora ya más tarde me llamó. La primera noche, me recuerdo que no sabía qué hacer. Así es cuando yo sentí lo que mi hermana había sentido. Claro, mi hermana estuvo con otro señor. Entonces, me llamaron. La comida que me dieron era un poquito de fríjol con unas tortillas bien tiesas. Tenían un perro en la casa. Un perro bien gordo, bien lindo, blanco. Cuando vi que la sirvienta sacó la comida del perro. Iban pedazos de carne, arroz, cosas así que comieron los señores. Y a mí me dieron un poquito de fríjol y unas tortillas tiesas. A mí eso me dolía mucho, mucho, que el perro había comido muy bien y que yo no merecía la comida que mereció el perro. Entonces comí, ya estaba acostumbrada, pues. No extrañaba la comida del perro, porque yo en la casa sólo comía tortillas con chile o con sal o con agua. Pero, me sentía muy marginada. Menos que el animal que existía en casa. Vino la muchacha más tarde y me dijo, te duermes porque mañana vas a trabajar. Yo estaba acostumbrada en mi casa a levantarme a las tres de la mañana para el trabajo y ellos se levantaban a las siete de la mañana, ocho de la mañana. Yo desde las tres de la mañana estaba despierta en mi cama. La cama para mí tampoco era extraña, porque en mi casa me duermo en el suelo sobre el petate y a veces no tenemos ni siquiera con qué cubrirnos. Pero, fui a conocer la cama de la otra muchacha, tenía más o menos un poco de comodidad. Por el hecho de que ella tenía ropa ladina y que hablaba el castellano. Pero después, nos conocimos muy bien. Ella comía las sobras de los señores, que venían en el plato. Primero comían los señores y si sobraba quedaba para ella. Si no sobraba, ella también buscaba así tortillas o frijolitos que quedaban tiesos, por ahí, o las sobras de comida en la refri. Las comía y me daba parte, después, cuando nos conocimos muy bien ya. Yo me decía, Dios mío, mis papás estarán trabajando y yo aquí. Pero pensaba, tengo que aprender y tengo que regresar a la casa. Yo decía siempre, tengo que regresar. Las tres de la mañana, las cinco, las seis. A las siete, se levantó la muchacha y me vino a decir, venite por acá, vas a lavar los trastos. Yo me fui con mi misma ropa y viene la señora y dice: *Shuca,* quita a esa niña de aquí. ¿Cómo es posible que la acerqués a los trastos; no ves como anda de sucia? Me dijo la muchacha: "Dejá los trastes ahí." Pero la muchacha también lo sintió. Aquí está la escoba y vaya a barrer, me dice la señora. Y fui a barrer el patio. Riegas las plantas. Ése es tu trabajo, me dijo. Después vienes a lavar aquí. Aquí está la ropa, me dice. Pero lavando muy bien, me dice, porque si no te voy a echar a la calle. Claro, yo estaba en la ciudad y no sabía ni cómo, pues. Yo no conocía nada de la ciudad. Aunque sí había viajado con mi padre, pero íbamos a un solo lugar y a algunas oficinas. Yo no sabía como ubicarme en la ciudad y tampoco sabía leer ni números ni calles. Entonces, tuve que hacer lo que la señora me mandó a hacer y después, como a las once del día, terminaron de comer y me llamaron. "¿Ya comió?" "No." "Dale un poco de comida." Entonces me dieron de comer sobras de comida. Yo me moría de hambre. Claro, en la casa uno no come lo suficiente que tendría que comer pero sin embargo, uno está acostumbrado a comer su tortilla, aunque con sal. Yo estaba bien preocupada. Después la señora, como a las once y media, me dijo, vente para acá. Me metió en un cuarto y me dijo: "Te voy a adelantar dos meses de tu sueldo." Me dijo: "Dos meses y te tienes que comprar un huipil, un corte nuevo y un par de zapatos, porque me da vergüenza. Van a venir mis amigos y que tú estás en la casa. ¡Qué serías para mis amigos! Mis amigos son personalidades así es que te tienes que cambiar de cómo estás. Yo voy a comprar tus cosas, tú te quedas en casa porque me da vergüenza que vayas conmigo al mercado. Así es que te adelanto dos meses de tu sueldo." Entonces, yo no sabía qué decirle, pues, porque ni siquiera sabía hablar el español como para protestar o para decirle lo que yo sentía. Yo la maltrataba en mi mente. Me decía, si pudiera mandar a esta mujer a la montaña y si pudiera hacer el trabajo que mi madre hace. Yo creo que ni siquiera era capaz. Yo desestimaba mucho su forma. Se fue la señora al mercado. Cuando regresó traía ya el corte. Un corte de ocho varas. El corte más sencillo que existe. Traía un huipil también sencillo, lo conseguiría por tres quetzales, o en dos cincuenta. Y el corte quizá le costó quince quetzales o le costó menos; unos doce quetzales. Mi fajita de siempre; no me compró otra. Entonces me dijo, no te compré los zapatos porque no alcanzó el dinero de los dos meses que tienes que ganar. Entonces me dio el corte. Tuve que romper el corte en dos partes para que una parte me sirviera para cambiarme. Rompí el corte en dos partes. Yo, soy una mujer que sé tejer, bordar, sé hacer todo. Después la muchacha me empezó a tomar confianza y me dijo: "¿Tú sabes bordar?" "Sí", le dije. "¿Sabes hacer blusas?" "Sí", le dije. "Entonces, yo te doy una manta." "Tengo unos hilos por ahí, si quieres te coses una blusa", me dijo. Me regaló la muchacha una manta para bordarla y para hacer una blusa. Entonces, rompí el corte en dos pedazos y me cambié inmediatamente. "Anda a cambiarte. Te acercas a mi cuarto y vas a hacer mi cama cuando estés cambiada", me dijo la señora. Me fui a cambiar... Me mandó a bañarme. Regresé y me puse a hacer su cama. Cuando terminé de hacer la cama, viene la señora a revisar mi trabajo y me dice, "Repite esa cama porque no la hiciste bien". Empieza a regañar a la otra muchacha. "¿Por qué no le enseñaste? Aquí yo no quiero gentes amontonadas si no saben ganar ni la comida", dice. Entonces, empezamos a hacer nuevamente la cama. Yo no sabía trapear porque tampoco era mi trabajo. Entonces, la muchacha me enseñó a trapear, me enseñó a lavar los baños. Y fue cuando yo descubrí exactamente lo que decía mi abuelito, que a esos ricos hasta sus platos brillan, pues; hasta sus baños brillan. Que nosotros ni siquiera tenemos eso. Yo estaba requeteafligida y acordándome de todos los consejos de mis papás y de mis abuelos. Aprendí muy rápido a trapear, a lavar, a planchar. Planchar fue lo que me costó más porque yo nunca había planchado. Nunca sabía como manejar una plancha. Y me recuerdo que se me amontonaba la ropa. El terrateniente tenía tres hijos. Sus hijos se cambiaban muchas veces al día. Toda la ropa que dejaban tirada tenía que lavarla nuevamente, plancharla nuevamente, colgarla en sus respectivos lugares. Y la señora todos los días andaba vigilándome y me maltrataba mucho. Me trataba como que si fuera no sé qué, ni como un perro, pues al perro lo trataba bien. Al perro lo abrazaba. Entonces yo decía: "Pero ni siquiera me compara con el perro." Como tenía un jardín, entonces en el jardín yo sembraba las plantas; como ése era mi trabajo en el campo, entonces, con eso yo me acomodaba un poco. Era lo que veía todos los días. Llegó un momento en que yo trabajaba mucho, hacía todas las cosas muy bien. Me sacaba todos los oficios en un rato. Para mí no era difícil. Tuve que trabajar los dos meses de lo que la señora gastó en mi ropa; sin ganar ni un centavo. Tampoco salía a pasear aunque los días sábados me decía la señora, puedes salir, puedes irte de aquí; estoy harta de ver sirvientas aquí. Y era lo que daba cólera, pues, uno trabajaba, uno hacía todo. Quizás uno no se entregaba tanto con sus padres como se entregaba a esa vieja rica. Pero los días sábados, decía, salgan de aquí, no quiero ver montones de sirvientas aquí. Ésa es la transformación que sufren los indígenas en la capital. Los sábados, nos dejaban salir por las tardes pero era un poco para adaptar a sus sirvientas a la prostitución, pues, nos mandaban y nosotras teníamos que encontrar donde ir a dormir. Se podía salir el sábado y regresar el domingo. Entonces, la muchacha, gracias a Dios, era una gente muy clara. Ella me decía, yo tengo unas amigas aquí, vámonos con ellas. Me iba con ella pero si estuviera yo solita, no tendría dónde quedarme, en la calle porque tampoco podía hablar para decirle a la señora que no me echara y tampoco tenía conocimiento de la capital. Entonces la muchacha me llevaba a la casa de sus amigas. Nos íbamos a dormir a la casa de sus amigas, todos los sábados. Los domingos regresábamos en la noche porque todo el día domingo nos permitían también ir a bailar, a ir a salones de baile, a todo lo que es el ambiente de las muchachas de la capital. Los hijos nos trataban mal. Uno tendría sus veintidós años, el otro quince y el menor unos doce. Son pequeños burgueses que no saben recoger un trapo. No saben guardar sus trastos. Les gusta tirar sus trastos en la cara de los sirvientes. Era nuestra tarea. Nos tiraban los trastos y nos gritaban por dondequiera, nos maltrataban por dondequiera. Cuando regresaba la señora, a saber ni a donde diablos se iba parte del día, una regañadera por dondequiera. Que hay polvo arriba de mi cama, que hay polvo aquí, que no lo sacudieron bien, que las plantas, que los libros... La señora estaba para regañar harto todos los días. Sólo controlaba y se dormía en la cama. Entonces en la noche la señora decía, pásenme mi comida porque estoy cansada. Entonces, la muchacha, que era la más limpia, según ella, le llevaba la comida a la cama, con agua caliente para lavarse las manos. Le pasaba todo. En la mañana, tanto el papá de los niños, como los niños, gritaban desde la cama para que les pasáramos sus zapatillas, sus chancletas, todo lo que quisieran. La muchacha se apoyaba mucho en mí. Descubrió que yo no la rechazaba y que yo siempre le ayudaba en muchas cosas. En el desayuno, si no estaba una de las cosas que querían comer, armaban un relajo. Empezaban a decirnos nuestro sueldo: lástima del dinero, porque éstas de mujeres no saben hacer nada. La señora parecía lora, todas las mañanas. Había veces que aburría también. Una vez nosotras nos pusimos caprichosas, de acuerdo con la otra muchacha. Ella dijo, si la señora regaña, que regañe. Entonces, dejábamos de hacer ciertas cosas para provocar a la señora. Entonces la señora se levantaba y empezaba a maltratarnos y como veía que más nos encaprichábamos cuando nos regañaba, no le traía cuenta. Y la muchacha me decía, vamos de aquí, busquemos otro trabajo. Pero a mí me daba tanta pena porque yo no podía decidirme, yo no conocía la capital y si me confiaba en ella, quizá me lleva a otro lugar peor. ¿Qué iba a hacer? Pronto me di cuenta que la señora rechazaba a esta muchacha porque no quería ser amante de sus hijos. Después me contó la muchacha. "Esta vieja quiere que yo entrene a sus hijos, decía. Porque ella dice que los hijos tienen que aprender a hacer el acto sexual y si no lo aprenden cuando son niños, les va a costar cuando sean grandes. Entonces ella me puso el contrato que me iba a pagar un poco más si yo entreno a todos sus hijos." Era la condición que le ponía a la muchacha. Por eso, la rechazaba tanto; porque la muchacha no aceptó eso. Tal vez tenía la esperanza de que yo llegara a ser limpia, ella decía que yo era sucia. Entonces quizás un día serviría para entrenar a sus hijos. Era la esperanza de la señora, aunque me maltrataba, aunque me rechazaba, pero no me echaba directamente.

Me recuerdo que después de dos meses de estar en la casa de un rico, llegó mi papá a visitarme. Y yo pedía a Dios que no llegara mi papá, porque yo sabía que si él llegaba, ¡qué rechazo el que iba a recibir! Y yo no era capaz de soportar que la vieja rechazara a mi papá. Mi papá era humilde, pobre, igual como yo. Llegó mi papá cabalmente, no porque le sobró el tiempo para ir a visitarme sino porque se quedó sin ningún centavo en la bolsa estando en la ciudad. Entonces mi papá fue a ver el asunto de la tierra. Dijo que lo mandaron a Quetzaltenango y después lo mandaron al Quiché. Y luego lo llamaron a la capital y se le terminó todo, todo el dinero que llevaba para el viaje. Entonces mi papá no tenía ni un centavo. Salió la sirvienta a ver quién era, cuando mi papá tocó y él dijo quién era. La muchacha le dijo que esperara un rato, porque la muchacha sabía quién era la patrona. Le dijo a la señora: "Vino el papá de ella, de Rigoberta." Ah, bueno, dijo la señora y salió, fue a ver a mi papá. Entonces vio que, claro, mi papá iba muy pobre. Iba todo sucio. Y, de por sí, mi papá había viajado a muchos lugares. Era nuestro ambiente de pobres. La señora sólo fue a ver y regresó. Entonces me dijo: "Ve a ver a tu papá." "No lo vayas a entrar aquí, por favor." Eso me dijo la señora, y yo tuve que salir a ver a mi papá afuera. Y me dijo: "No lo acerques aquí." De una vez me advirtió la señora que no lo acercara ni siquiera del corredor. Lo tuve que dejar en el patio y le expliqué la situación. Le dije que la señora era muy mala gente y que tenía asco, tenía horror de ver a mi padre y que él no podía entrar ni siquiera a la casa. Entonces mi papá lo entendió muy bien. No era extraño para mi padre porque habíamos recibido tantos rechazos en diferentes lugares. Y mi papá me decía: "Hija, yo necesito dinero. No tengo nada como para regresar o para comer." Y yo ni siquiera había terminado los dos meses que debía a la señora y ni un centavo tenía yo en la mano. Entonces le dije a mi papá, "la señora me tuvo que comprar ropa y por la ropa que me compró me cobró en dos meses, yo no he ganado ni siquiera un centavo". Mi papá empezó a llorar y dijo: "No es posible." Yo le decía: "Sí; toda la ropa que tengo encima es lo que me compró la señora." Entonces fui con la muchacha y le dije que mi papá estaba sin ningún centavo y que no sabía qué hacer con él y no podía pedir dinero a la señora porque no podía hablar el castellano. Entonces la muchacha, aunque por señas me entendía muchas veces, habló por mí a la señora y le dijo: "El papá de ella no tiene ningún centavo y necesita dinero." La muchacha era muy fuerte y sabía enfrentar todo. Tenía una gran cólera contra la señora. Ella dijo, necesita dinero y tiene que recibir un poquito de dinero para su papá. Entonces la señora empezó a decir que estábamos para sacarle su riqueza, estábamos para comerle su dinero y que no sabíamos hacer los oficios que ella nos ponía. Que así eran las muchachas, que así eran las sirvientas. Que no tienen qué comer en su casa y vienen a comer sus cosas. Abrió su bolsa, sacó unos diez quetzales y me los tiró en la cara. Yo tuve que llevar los diez quetzales. Le dije a mi papá, yo creo que me va cobrar todavía un mes más. Sería una deuda más pero, esto es lo que puedo darte, pues. Entonces mi papá regresó con diez quetzales. De eso, la misma muchacha casi no soportaba. Estaba muy herida ella y ella me aconsejaba muchas veces, deja eso ahí, no lo hagas, y si regañan, yo te defiendo. Tenía un plan la muchacha, porque se iba. Entonces, empezó a hacer grandes resistencias en contra de la señora. Yo trabajé y no recibí dinero por más de cuatro meses, creo yo. Después me pagó un poco la señora. Me dio veinte quetzales y yo estaba contenta, guardándolos para mi papá. Entonces me dijo: "Tienes que comprar zapatos porque a mí me da vergüenza que ande una gente aquí sin zapatos." Yo no tenía zapatos. Entonces yo me dije, no voy a comprar. Si ella quiere, que me compre, pues. Me recuerdo, pasamos una Navidad allí junto con la muchacha, en la casa del señor. Eran grandes señores. No le teníamos que decir una palabra, por ejemplo, de tú, sino que le teníamos que decir usted, porque eran respetados. Entonces, una vez, que a mí me costaba el castellano y apenas empezaba a hablar algunas palabras, yo quizá le dije tú a la señora. Casi me pega. Y me dijo: "Tú será tu madre. Tienes que respetarme tal como soy." Eso claro, no era tan difícil comprenderlo porque ya sabía que siempre nos tratan así. A mí, a veces, risa me daba, pero, a uno como humano, le dolían todas esas cosas. Salía yo con la muchacha y trataba de guardar lo poco que recibía. Yo estaba contenta porque ya entendía muy bien el español. Pero como nadie me enseñaba palabrita por palabrita, a memorizar, no podía hablar todo. Sabía decir las cosas principales que me servían en el trabajo pero no sabía abrir un diálogo ni contestar algo, protestar algo. Ya, cinco meses, seis meses tenía de estar en el trabajo. No me hablaba la señora. Como yo ya sabía hacer mi trabajo, no tenía tampoco necesidad de hablar a la señora. Ratos hablábamos con la otra muchacha pero como también no tenía tiempo para platicar, cada quien hacía su tarea. Llegó un momento en que me privó de hablar la señora con la otra muchacha y me dijo, no hables con la otra muchacha. Si hablas, te echo. Porque ella pensaba que la muchacha me estaba enseñando muchas cosas: cómo protestarle y lo que no le convenía. A escondidas le contaba a la muchacha lo que me decía la señora. De plano que sí, respondía ella; porque le duele mucho cuando le contestamos. Pero no seas tonta. No te dejes.

Después de ocho meses llegó la Navidad y teníamos mucho por hacer, porque la señora nos dijo que iba a hacer unos doscientos tamales. Que nosotras teníamos que hacer los doscientos tamales porque llegaban sus amigos, y porque se había comprometido hacer tamales para sus amigos. Entonces la muchacha dijo que si quería se pusiera ella a trabajar, pues nosotras no íbamos a hacer nada. Yo tenía pena porque no me había pagado los dos meses y era capaz de echarme sin pagarme. Como yo tenía pena le decía a la muchacha: "¿Y si no me paga?" "Si no te paga, vamos a salir de aquí con una de sus joyas", respondía la muchacha. Nos tenemos que ir con algo, así es que no te preocupes. No te preocupes, yo te defiendo. El día veintitrés de diciembre, estaba yo con una gran preocupación de pensar si hacíamos o no hacíamos lo que ella nos pedía. Entonces llegó el señor, nos llevaba unos aretillos de a cinco centavos. Era el regalo que nos tenía para Navidad; unos aretillos chiquitos. El señor nos dijo que teníamos que hacer los tamales porque iban a venir los señores. El señor no era tan violento con nosotras porque muchas veces no se daba cuenta de lo que la señora hacía con nosotras.

Nos pusieron a matar los chumpipes, en primer lugar. Nos mandaron a matar cuatro de ellos. Y los matamos, pero teníamos un plan con la muchacha. Los vamos a matar, los vamos a pelar, pero no los vamos a arreglar. Y si se pudren ahí, que se pudran y que vea la señora qué hace. Vamos a pedir dos días de permiso y, si no nos los dan, nos vamos a pasar la Navidad a otra parte. Yo tenía pena. En ese tiempo yo no era capaz. Tal vez por la misma formación con mis padres. Yo no era capaz de desobedecer. Y estos patrones abusaban de toda mi obediencia. Abusaban de toda mi sencillez. Cualquier cosa, la hacía, tomándolo como un deber mío. La muchacha tenía sus planes y la señora se dio cuenta, pues, de que nos la estábamos baboseando muy bien, y sacó a la muchacha de su casa. La echó, antes de la noche de Navidad. Esto lo hizo también para que yo no pudiera salir. Pero, si yo salía, no sabría ni a dónde irme. Todavía no conocía nada, nada de la capital. Entonces, sacó a la muchacha diciéndole de que si llegaba a pararse cerca de su casa, era capaz de apalearla, de meterle dos plomazos a la muchacha. La echó y la muchacha también le dijo: "Yo también soy capaz de hacerlo. No crea que yo no soy capaz de hacerlo." Se dio un gran pleito entre ellas. La muchacha me dijo: "Un día tengo que plomear a la señora; un día regresaré y sabrá qué es enfrentarse conmigo." Entonces la muchacha se fue. Todo el trabajo tuve que hacerlo yo. La señora me puso a servir las cosas, aunque ella tuvo que trabajar un poco haciendo los tamales que ella había prometido. Casi no durmió haciendo todo lo que ella había prometido. Hicimos los tamales, hicimos los oficios que teníamos que hacer en casa. Se acumuló la ropa que tenía que lavar y la casa estaba sucia porque no había tiempo de hacerla. Era una casa grande, tenía muchos cuartos. Ah, un relajo. Llegó el 25 de diciembre, me recuerdo que ellos empezaron a tomar: a chupar y a chupar. Se pusieron bolos. Obligatoriamente me mandaron a la calle después de medianoche el 25, a buscar vinos, a buscar guaros en las cantinas. Tuve que caminar. Claro, yo no salí lejos del lugar porque yo sabía que ellos estaban borrachos adentro, pero tampoco sabía yo cómo hacer, porque si llegaba, me echaban. Yo tenía grandes preocupaciones y salí. No encontré nada. Todo estaba cerrado cerca de la casa. Fuera de la casa, ya más lejos del sector, yo no fui. Y pasé el tiempo caminando en la calle, pensando que en mi casita, tal vez lo hubiéramos pasado también tristes, porque no hubiéramos tenido nada, pero no habría sufrido lo que estaba sufriendo en casa del rico. Regresé a casa y me dijeron: "¿Traes el guaro? No, no encontré nada. No fuiste a buscar. Ella te enseñó a hacer caprichos. No eras así, no eras tan malcriada como son los indios, como la otra que se fue." Entonces empiezan a platicar de los indios en la casa y dicen: "Es que los indios son unos huevones, es que los indios no trabajan, por eso son pobres. Enseñan la mierda porque no trabajan." Y empiezan a hablar. Medio borrachos estaban. Yo estaba soportando, oyéndolos en otro cuarto. Entonces me dice la señora: "Aquí te dejo un tamal para que probés mi trabajo." Y me dejó un tamal. Yo de la cólera que tenía, algo que no era capaz de soportarlo, ni siquiera fui a ver el tamal que me había dejado en la estufa. Llegó un montontón de gente y sacaron todos los trastos de lujo que existían en casa. Yo tenía toda la preocupación de pasar dos días lavando trastos porque yo pensaba siempre en el trabajo que viene después. Sacaron todos los trastos, sacaron las cosas más modernas. Llevaban regalos que brillaban, pues. Toda la gente que llegaba, llevaban grandes regalos para ellos. Ellos entregaron paquetes de regalos también a todos los amigos. Estaban bien contentos. Yo, por un lado, estaba triste porque no estaba la otra muchacha. Si hubiera estado, quizá no hubiéramos soportado todo eso. Hubiéramos encontrado otra solución, hubiéramos salido, siquiera. Después me dijo: "Se acabaron los tamales. Mañana te vamos a comprar otro tamal." Y me quitó el tamal que me había dado al principio. Tuvo que darle ése a otro de sus amigos que llegó más tarde. Para mí era algo insoportable, pues. No le dije nada. No era porque yo quería comer el tamal. No era por no comerlo que me sentía herida. Me lo habían dado como un rechazo, como para decir, esto es lo que te quedó. Pero, sin embargo, lo que quedó, me lo tuvo que quitar. Para mí significaba mucho, mucho eso. Yo le dije, ni siquiera quiero comer el tamal. Entonces la señora se fue y yo me dormí. Me encerré en el cuarto diciéndome, que vean los relajos que hacen; que vean cómo se las arreglan. Yo no estoy ni para recoger los trastos ni nada. Y va de gritar estaba la señora. "¡Rigoberta, ven a recoger los trastos!" Y que yo no me levanté. Yo me hice la caprichosa y me dormí. Claro, yo no estaba durmiendo, pues. Yo estaba pensando en todo el ambiente humilde de nosotros y en el ambiente relajoso de ellos. Entonces yo dije: "Triste es la gente que ni siquiera sabe hacer ni mierda. Nosotros los pobres, gozamos más que ellos." Ya pasó el día. Todo el día 26 estaban durmiendo los señores. Entonces, ¿a quién le tocaba recoger los trastos?, ¿a quién le tocaba limpiar la casa?, ¿a quién le tocaba hacer todo?, a mí. Si no lo hacía, era capaz que la vieja me echara de la casa. Me levanté temprano, recogí los trastos, recogí todas las cáscaras de los tamales que habían dejado tiradas. Acumulé todos los trastos en un solo lugar. Eso me llevó casi todo el medio día. No sabía qué empezar primero. Lavar los trastos o limpiar la casa. No tenía ganas de hacer nada porque veía el gran trabajo. Sólo de pensar que a mí me tocaba hacerlo. Se levantó la señora y me dijo: "¿Tienes ya la comida preparada?" "Yo no sé ni qué vamos a comer", le dije, porque yo no sé nada. "Ah, no eres igual como la Cande", me dice. Candelaria se llamaba la otra. "La Cande hacía las cosas con iniciativa y tú estás aquí para comer. No sabes hacer nada. Andate al mercado a comprar carne." Yo no sabía dónde quedaba el mercado. "Perdón, señora pero yo no sé dónde queda el mercado". Yo ya sabía protestar cosas así directo pero, muchas cosas no podía decir. "¿Ah, sí? India, hija de la gran puta", me dijo la señora. "Sabes maltratar, pero no sabes ni siquiera decir ni hacer ni mierda", me dice. Era muy pesada la señora para hablar. Yo no le hacía caso y ni siquiera me detenía. Yo seguía trabajando, aunque ella estuviera hablando todo el día. Después llamó a otro vecino para quejarse. Decía que su sirvienta no valía para nada, que ganaba el dinero a costillas de ellos. Yo estaba clara de que yo no estaba robando mi comida sino que mi comida estaba saliendo de mi trabajo. Pero no podía hacer nada. Tuvo que mandar a su vecina al mercado, a comprar todo. Hicieron su comida, yo no hice nada. Casi dos o tres días estuve en la angustia de que no había comido nada porque ni siquiera probé los tamales que habíamos hecho, con todos los esfuerzos, todos los sufrimientos. Ni siquiera dormí por hacer los tamales. Salían unos de encima del fuego y metíamos otros, y así. Yo decía, esta parte de mi vida nunca la voy a olvidar. Pasó el mes de diciembre. Y seguí trabajando. El trabajo de la Navidad tal vez me dejó mal de dos semanas. Se acumuló toda la ropa nueva que sacaron, los trastos; ensuciaron la casa. Tenía que hacerlo todo. La señora se hacía la loca. Se levantaba y salía. No me regañaba tanto porque sabía que me necesitaba para que yo estuviera haciendo todo... Así es cuando yo pensaba, yo tengo que salir de esta casa. Yo voy a regresar en casa de mis padres.

Me entregó el dinero de dos meses. Eran cuarenta quetzales y tenía guardados los pocos que me habían dado. Entonces, yo me decía, con esto puedo regresar con toda satisfacción a donde mis padres. Quizá no era tanto, pero era una ayuda para ellos. Yo tenía que regresar. Le dije a la señora: "Yo me voy, yo regreso a mi casa." Y que me dijo: "No, cómo es posible, ¡Te queremos mucho aquí! Tienes que estar. Si quieres, te voy a aumentar el sueldo, te voy a dar un quetzal más." "No", le dije, "me voy a ir, así es que me voy a ir." Yo estaba anunciando mi ida, desgraciadamente. Digo desgraciadamente porque fue una situación muy difícil para mí cuando llegó uno de mis hermanos y me dijo: "Papá está en la cárcel."

XV

CÁRCEL DEL PADRE. CONFLICTO CON LOS TERRATENIENTES. DEFENSA DE LAS TIERRAS. PRESO DE NUEVO EL PADRE. CREACIÓN DEL CUC

"Acopiad el grano y las semillas y juntad los retoños que tiempos de sequía y de hambre avecinan. Aguzad las armas, que enemigos ocultos tras las montañas y los cerros no tardarán en acechar con avaricia, la holgura y la riqueza de estas tierras."

Popol Vuh

Fue la primera vez que cayó mi padre en la cárcel. Entonces mi hermano decía: "No sabemos ni qué hacer con él porque según los abogados, papá tiene que estar dieciocho años encarcelado. Ahora necesitamos dinero, para buscar licenciados." Y como en Guatemala, esto es más con los pobres, con los indígenas precisamente, por el hecho de que no saben hablar el español, el indígena no puede reclamar lo que quiere. Entonces, cuando agarraron a mi padre en la cárcel, los terratenientes le habían dejado dinero en grandes cantidades al juez que existía en ese tiempo, al juez del Quiché, porque hay una serie de autoridades. Primero está el comisionado militar, que muchas veces vive en las aldeas o está radicado en el pueblo. Ese comisionado trata de imponer su ley. Luego está el alcalde, que decimos nosotros. Es ya la rama de las autoridades que hacen la justicia cuando alguien la rompe, según ellos. Luego están los gobernadores, que gobiernan toda la región, cada departamento. Luego, están los diputados que no sé qué diablos son. Para hablar con el comisionado militar hay que darle primero una mordida; una mordida decimos nosotros en Guatemala a una cantidad de dinero para que apoye. Para hablar con el alcalde hay que buscar testigos, hay que firmar papeles y, al mismo tiempo, hay que también darle una mordida, una cantidad de dinero para que justifique la causa. Luego, para hablar con el gobernador ya no sólo se buscan testigos del mismo pueblo, ya no sólo se le da un poco de dinero, sino que se necesitan abogados, intermediarios, para hablar con él. Porque el gobernador es un ladino. El gobernador no entiende la lengua del pueblo. Y el gobernador sólo cree cuando es un licenciado o un abogado el que está trabajando, y hablando. Porque a un indígena no lo acepta. El alcalde también es ladino. Es un ladino del pueblo. El comisionado militar también es ladino. Pero esto sí varía en muchas partes porque muchos comisionados militares son indígenas, pero son indígenas que han hecho el servicio, que han hecho el cuartel y llega un momento en que regresan como hombres destruidos, criminales.

Mi padre luchó veintidós años defendiendo, librando su heroica lucha en contra de los terratenientes que querían despojarnos de la tierra, a nosotros y a los vecinos. Cuando nuestra pequeña tierra ya daba cosecha después de muchos años y que el pueblo tenía ya grandes cultivos, aparecieron dos terratenientes: los Brol. Dicen allá, que fueron más famosos por lo criminal de lo que fueron los Martínez y los García. Los Martínez y los García tenían una finca en común antes de la llegada de ellos. Los Brol eran una gran familia, una pila de hermanos. De modo que eran como cinco hermanos que estaban radicados en una finca que hicieron con su poder, a través de su capacidad de despojar a los indígenas de la zona. Es el caso de nosotros. Vivíamos en una aldea pequeña. En esa aldea cultivábamos maíz, fríjol, papas, toda clase de legumbres. Entonces, vinieron los García, los terratenientes, y empezaron a medir la tierra de nuestra aldea. Trajeron inspectores, ingenieros, no sé ni qué diablos. Gente que según ellos, eran gente del gobierno. Y en Guatemala, si se trata del gobierno, quiere decir que nosotros no podemos hacer nada contra ellos. Entonces, llegaron a medir nuestra tierra. Lo que hizo mi papá fue recoger las firmas de la comunidad. Hacían reuniones inmediatamente y mi papá viajaba a la capital. Iba al INTA. Pero lo que hicieron los terratenientes y los del gobierno fue un pacto de quitarles las tierras a los campesinos. Iba mi papá a protestar por la forma que quitan la tierra los terratenientes. Entonces los señores del INTA llamaban a éstos para pedirles una cantidad de dinero, para que ellos siguieran midiendo la tierra. Por otro lado, a los campesinos les daban un papel para que no salieran de la tierra, según ellos. Era un juego de dos lados. A mi padre lo llamaban. Mi papá, antes era muy así..., no podría decir tonto porque los tontos son los ladrones, que nos roban la tierra. A mi papá lo mandaban a firmar un papel y él no sabía qué quería decir el papel. Porque mi padre nunca leyó, no escribió. Resulta que el papel decía que los campesinos confirmaban, una vez más, que tenían que salir de la tierra. Y como el señor elegido de la comunidad, firmó el papel, entonces tenían poder los terratenientes. Mi papá regresaba a protestar nuevamente, por medio de licenciados. Entonces, empezamos a nutrir a los del INTA y a nutrir a los abogados. Muchos abogados querían ayudarnos y nos ofrecían ayuda en diferentes formas. Decían nosotros sí lo hacemos bien. Los campesinos depositaban su confianza y luego veían que les estaban robando hasta por una firma. Iban con otro, lo mismo; y con otro, lo mismo. Entonces mi papá se dedicó completamente a la problemática de la comunidad. Después le dijeron a mi papá, lleva ingenieros, mides la tierra y después van a ser dueños de la tierra donde están. No tengan pena, cultiven todo lo que puedan y no tengan pena, bajen las montañas que quieran, porque la tierra es de ustedes. Mi papá regresaba con toda esa esperanza a hacer reuniones a la comunidad. Y, estábamos ya contentos, seguían trabajando los campesinos, cuando llegaron nuevamente los terratenientes con sus ingenieros. Tal vez nuestra pequeña tierra se ha medido, si no me equivoco, unas veinte veces. Han pasado ingenieros. Lo que no me pasa en la vida, y es algo que contribuye en mi odio hacia esa gente, era que llegaban los ingenieros a favor de los campesinos. Mi papá, mi mamá, la comunidad, nos sentíamos afligidos. Porque eran ladinos. No sabían comer nuestra comida, tortilla con sal. Y si no dábamos bien la comida a esas personas, eran capaces de ir a favor de los terratenientes, pues. Entonces, el temor de cuidar a esa gente. La comunidad entregaba sus animales más buenos, más gordos. Por ejemplo, una gallina, para matarla y darle de comer a esa gente. Precisamente, a los inspectores. La comunidad, que nunca en la vida compra ni un frasquito de aceite, porque nosotros nunca comemos aceite, cuando venían los señores, tenía que comprar arroz, aceite, huevos, gallinas o carne para los señores. Café, azúcar, lo que nunca nosotros comemos en la comunidad. Azúcar, pues esos señores no sabían comer panela. Todo el mundo se iba al pueblo. La comunidad se juntaba, depositaba su colecta, sus diez centavos; que para nosotros ganar diez centavos, es difícil. Se ganan con sudor. Depositaban su colecta. Luego se compraba lo necesario. Peor cuando los inspectores se quedan una semana en la aldea. Cuando se iban, era un respiro para la aldea y una pobreza más para nosotros. Nosotros no comíamos carne. Ellos sí comían. Sacaban datos con toda tranquilidad. Iban a los monjones. Necesitaban que alguien de la comunidad los acompañara. Entonces, el pueblo no está para perder el tiempo. Mi padre era el que disponía su tiempo por amor a la comunidad. Aunque nosotros muchas veces no teníamos qué comer en casa. Mi madre se sentía la mujer responsable de todo para atender a esa gente. Veía la necesidad de todos los vecinos. Entonces mi mamá se quedaba y decía, trabajen, hijos, porque yo tengo que atender a esos señores. Mi papá atendía a esos porque también tenía la responsabilidad como elegido de la comunidad; también mi mamá. Era la gente más importante para la comunidad. Era una gran responsabilidad, los atendían muy bien. Hasta incluso tortillitas pequeñas les hacíamos a los señores porque no sabían comer tortillas grandes. Las teníamos que hacer de acuerdo a lo que comían ellos. Ante esta situación, no podía trabajar mi mamá, ni mi papá. Los vecinos contribuían en todo lo que podían, pero no tenían la capacidad de hacerlo todo. No sabíamos hablar el español. Mi papá sabía un poco para entenderse con los señores. Lo llamaban del INTA. Había veces que le hacían viajar a Quetzaltenango, a Huehuetenango, al Quiché y a la capital sólo para firmar un papel. Imagínense el viaje que tenía que hacer mi papá. El gasto de comida y todo eso. Y, además, teníamos que pagar el licenciado que mueve los papeles.

El gobierno dice que la tierra es nacional. Esa tierra me corresponde a mí, y yo se las doy para que ustedes la cultiven. Y cuando tenemos ya nuestros cultivos, es cuando aparecen los terratenientes. Pero no quiere decir que los terratenientes aparecen solos sino que están ligados con la serie de autoridades para poder hacer sus maniobras. Ante esto, enfrentábamos a los Martínez, a los García y llegó un momento en que también a los Brol. Quiere decir que nosotros o nos quedábamos de mozos o nos íbamos de la tierra. No había otra solución. Entonces, ante esto, mi papá viajaba, viajaba; pedía consejos. No nos dábamos cuenta, pues, que era lo mismo ir con la autoridad que ir con el terrateniente. Eran lo mismo. Mi papá no se quedaba en paz y trataba de pedir ayuda a otros sectores, como por ejemplo a los sindicatos de los obreros. Mi papá acudió a ellos, ante la necesidad de que ya nos echaban.

Nos echaron la primera vez de las casas, si no me equivoco, fue el año 1967. Nos echaron de la aldea, de la casa. Todos los vecinos sacaron las cosas... Nosotros los indígenas no usamos trastos así, especiales. Usamos nuestros trastos de barro. Salvajemente entraron los guardaespaldas de los García. Eran también indígenas. Soldados de la finca. Sacaron a todos de sus casas. Primero nos sacaron a la gente, a toda, y sin permiso de entrar en la casa. Luego, entraron a sacar todas las cosas de los indígenas. Me recuerdo que en este tiempo, guardaba mi mamá sus collares de plata, recuerdos de sus abuelitos y que nunca apareció más todo eso. Todo se lo robaron. Después nuestros trastos, nuestras ollas de barro, los sacaron. Desde lejos los tiraban. Y, ay Dios, llegaban al suelo y ya estaban quebrados todos. Todos nuestros platos, nuestros vasos, nuestras ollas. Los tiraron y se rompieron todos. Era el odio del terrateniente hacia los campesinos porque no abandonábamos las tierras. Nuestras mazorcas que estaban en el tapanco, también las sacaron, las tiraron. Los campesinos tuvimos que hacer en comunidad una tarea de recoger. Todo esto en colectivo, para llevarlo a un lugar. Estaba lloviendo mucho, mucho, me recuerdo. No teníamos nada para taparnos. Para construir una champita de hojas de plantas, teníamos que tardar por lo menos dos días. Entonces, sólo teníamos el nylon que usan los campesinos para taparse del agua. Pero durante la primera noche que pasamos en el campo, pasaban chorros de agua en el suelo. No nos caía agua en la cabeza, pero en el suelo pasaba el agua. Fue el momento en que más confirmé mi rechazo hacia esa gente. Por eso decíamos nosotros que los ladinos eran ladrones, eran criminales, eran mentirosos. Todo lo que decían nuestros papás. Porque veíamos que nos estaban haciendo eso. Pasamos más de cuarenta días en el campo, sin poder entrar en nuestras casitas. Luego se unió la comunidad y dijimos que si nos sacaban otra vez, nos moríamos de hambre. No teníamos ollas para cocer nuestra tortilla. No teníamos las piedras. Las habían tirado en el monte. Todo el mundo buscando las cosas que se quedaron medio bien. Entonces, nos organizamos entre todos y dijimos, tomemos las cosas. Y mi papá decía, si nos matan, que nos maten pero entremos en las casas. Y la gente lo sentía a mi padre como padre de cada uno de ellos. Y nos metíamos a las casas. Había otra aldea que quedaba cerca de nuestra aldea y esa aldea nos defendió. Muchas gentes llevaron sus ollas y sus platos para que nosotros pudiéramos comer y para que pudiéramos cocer nuestro maíz y comerlo.

Mataron a nuestros animales. Mataron a muchos perros. Y para nosotros los indígenas, que maten un animal es como si también hubieran matado a una persona. Nosotros estimamos mucho todas las cosas que hay en la naturaleza. Para nosotros eran grandes heridas el hecho de que hayan matado a nuestros animales. Entonces regresamos a las casas. Y llegan otra vez los terratenientes a hacer las negociaciones colectivas, como les llaman ellos. A decirnos que nos conformáramos con ser mozos, porque la tierra era del terrateniente. Nos quedábamos en nuestros ranchitos, sólo que la tierra no era de nosotros. Y si no nos conformábamos, nos quitaban nuevamente la tierra. Mi papá decía, nosotros somos las primeras familias que vinimos a cultivar la tierra y nadie nos puede engañar de que la tierra sea de ellos. Y si ellos quieren ser dueños de todas las tierras, que se vayan a cultivar a las montañas. Hay más tierras pero no tierras cultivables. Quizá si hubiera estado sola la comunidad, hubiéramos sido mozos y tal vez ahora fuera una gran finca nuestra tierra. Pero mi papá dijo, nada de eso. Aunque quiten la vida, lo hacemos. Pues, claro, en ese tiempo no teníamos una claridad política como para unirnos con los demás y protestar por nuestra tierra. Era más que todo a nivel individual de las comunidades. Así fue que logramos entrar y no aceptamos el pacto de los terratenientes. Nos dejaron como un mes o dos meses en la casa. Pronto, llegó otro allanamiento. Todas las cosas que nos habían regalado los campesinos, los demás vecinos de la otra comunidad, las rompieron por segunda vez. Ya no era soportable lo que hacían con nosotros y nos decidimos todos de una vez irnos a la finca y abandonar la tierra. Pero no era posible vivir todo el tiempo en la finca; ¿qué íbamos a hacer? ¿A dónde íbamos a dar si regresábamos a la finca? Así es cuando nos unimos y dijimos, no vamos a ir.

Nosotros amamos mucho nuestra tierra. Éramos las personas más angustiadas. Desde que esas gentes nos quisieron quitar la tierra. Eso era por lo que mi abuelo lloraba amargamente y decía, antes no había un sólo dueño de la tierra. La tierra era de todos. No había límites para tener nuestra tierra. Estuvimos muy poco tiempo fuera de la casa después del segundo despojo que nos hicieron. Mi abuelo decía, si ellos son capaces de matar nuestros animales, hay que matarlos a ellos, pues. Y era la idea que le venía a mi abuelo. Él era un hombre muy respetado por su edad. Y más nos daba ternura cuando hasta nuestros propios animales sufrían hambre por nosotros. Si nuestros animales se acercaban a nuestros cultivos, también los mataban porque la tierra estaba vigilada por los guardaespaldas de los García. Me recuerdo que el más criminal era Honorio García. El otro era el Ángel Martínez. Nos quedamos como quince días afuera de las casas y nuestros abuelos nos aconsejaban de quemar las casas y que nos fuéramos. Pero, ¿a dónde?, pues, no sabíamos, si bajar a las fincas, o si era preferible aceptar que fuéramos mozos de esos terratenientes. Pero tampoco nos decidíamos. Entramos en plena plática con los vecinos, con la comunidad. En ese tiempo ya no podíamos celebrar nuestras ceremonias, nuestras culturas. Así fue cuando mi papá se dispuso y dijo: "Si me matan, tan sólo por defender esa tierra que nos corresponde, pues que me tengan que matar." Entonces, para nosotros era duro de imaginar vivir sin padre o que nuestro padre fuera baleado por los mismos guardaespaldas. Había veces que mi mamá se angustiaba y pedía favor a mi papá que no expusiera su vida ante los guardaespaldas. Mi papá seguía viajando, viajando. Ya casi no estaba en casa. Ya no nos hacía caso, ya no platicaba con nosotros. Llegaba, juntaba a la comunidad, platicaba con ellos y había veces que sólo llegaba un día y partía al siguiente día. Empezamos a perder el contacto con mi padre. Así, cuando mi papá se preocupó tanto por la tierra, le empezaron a amenazar. Entonces él decía, el mejor guardián y el mejor guardaespaldas de un hombre, son los animales. Nuestros perros tienen que aprender a defendernos. Teníamos unos buenos perros, que eran muy bravos. Tratábamos de dedicar tiempo a los perros para que mordieran a los señores cuando llegaban a nuestra casa; en horas de la noche, a veces. Era una vida en que no podíamos bajar a la finca porque era posible que si bajamos ya no encontráramos nuestras casas cuando regresáramos. La comunidad dispuso comer yerbas o comer lo que fuera en el campo, pero no bajar a la finca. O bajamos parte de la familia. Parte se quedaban en casa, controlando y vigilando la casa. Así fue cuando empezamos a unirnos mejor y cada vez cuando llegaban los terratenientes, nos uníamos todos: o nos echaban a todos o nos mataban a todos o nos dejaban en paz. Empezamos a entrenar a los niños a vigilar a los terratenientes cuando llegaban. Así estuvimos un largo tiempo; así con esas tensiones. Por mi parte, nunca dejaba de ir a la finca porque iba con mis hermanos. Mi mamá se quedaba en casa. O venía mi papá. Pero mi papá casi no se permitía ir a la finca porque lo aprovechaban los terratenientes para entrar en la aldea. Entonces empezaron a poner otras condiciones. Teníamos mucho maíz, teníamos frijoles. Pero como el pueblo quedaba muy lejos, para bajar de la aldea, teníamos que cargar todos nuestros productos. Entonces, los terratenientes pusieron una plaza o un lugar donde se venden los productos. Para apoderarse mejor, más tranquilamente de nuestra tierra, ellos trataban de aislarnos más del pueblo. Llegó INTA y dijo, el problema está resuelto. Les voy a dar un título para que firmen y para que la tierra sea de ustedes. Ahora nadie les va a molestar en la tierra. Cultiven, bajen las montañas. Ustedes pueden meterse más en las montañas. Esto es una proposición del Gobierno. Nosotros firmamos. Me recuerdo, hasta niños firmaron. Nosotros no sabemos firmar con lápiz, con lapiceros. Firmamos con tintas, con nuestras huellas digitales sobre el papel. Mi papá insistía a que se leyera el papel, aunque no lo entendíamos todo pero parte lo entendíamos. Sin embargo, ellos no quisieron leer. Dijeron, este papel era seguro. Es el título de la tierra que les vamos a dar, dijeron los inspectores mandados por INTA. Lo firmamos el papel. Nos dejaron, creo que dos años sin molestarnos para tranquilizarnos. Entonces el pueblo siguió trabajando. Como ya no bajábamos constantemente a la finca, cultivamos más la tierra. Tratamos de bajar grandes extensiones de tierra, bajar las montañas. Teníamos un sueño, pues. En cinco o ocho años nos iba a dar una cosecha nuestra tierra. Pasaron dos años o dos años y medio, cuando vimos nuevamente ingenieros en la tierra. Gritando, midiendo la tierra con todos los guardaespaldas de los terratenientes. Ya no sólo eran los García y los Martínez, también los Brol empezaron a medir parte de la tierra. Entonces, el asunto era más complicado porque incluso nos llevaban el mismo documento que firmamos, donde hacía constancia ese documento de que nosotros nos conformábamos de vivir y sacar producto de la tierra sólo por dos años. Cuando terminaran los dos años nosotros teníamos otro lugar para ir a alojarnos y abandonábamos la tierra. Y no era cierto, pues porque nosotros ni sabíamos qué era lo que firmamos. Entonces mi papá, dijo, no es justo esto porque nos engañaron. Entonces así fue cuando mi papá se acercó a los sindicatos ya más en concretamente. Me recuerdo que había unos sindicatos en FASGUA, Federación Autónoma Sindical de Guatemala. Se acercó mi papá a ellos rogándoles que nos ayudaran, pues, como sindicatos de los trabajadores, de los obreros. Que nosotros también éramos campesinos, y que nos ayudaran. Entonces, allí le prestaron mucha ayuda los sindicatos. Le dijeron, nosotros vamos a protestar por el despojo que les están haciendo de sus tierras. Mi papá constantemente iba a los sindicatos, iba al INTA, iba con los licenciados. De modo que mi papá casi se volvía loco. Entonces nos dijo: "Hijos tienen que aprender por dónde me muevo porque si me matan a mí van a quitarle toda la tierra a la comunidad." Está bien. Uno de mis hermanos mayores empezó a viajar con mi papá, a aprender el castellano; y viajaban por todas partes. A todos los pasajes de mi papá, tenía que contribuir la comunidad. Y como había muchas veces que mi papá no tenía ni un centavo en la bolsa, entonces mi mamá tenía que vender sus animalitos para pagarle el pasaje. De modo que no abandonábamos las tierras. Mas mi mamá pensaba en nosotros. Porque, claro, ellos son gentes que cada vez son más grandes. Sus hijos cuánto van a sufrir después. Era el pensamiento de la comunidad. Con esto, que mi papá se entró a los sindicatos y tuvo el apoyo de los sindicatos, los terratenientes fueron a depositar una cantidad de dinero con el juez de instancia y así fue cuando agarraron a mi papá y lo acusaron como un hombre que abusaba de la soberanía del país. La soberanía de la tranquilidad de los guatemaltecos la ponía en peligro. Así es cuando lo meten a la cárcel. Y me recuerdo que yo tenía un año de ser sirvienta. El poco dinero que había acumulado, según yo era para llevar una sorpresa a mi familia, a mi mamá. Ahorrar para que mi madre no trabajara dos meses en la finca. Entonces mi hermano me dijo, piden dinero, no sabemos qué hacer. Entonces yo me decidí dejar de ser sirvienta y regresar a la finca. Con mi dinero que había acumulado y el sueldo de mis hermanos, que habían trabajado en la finca, tuvimos que pagar testigos, pagar licenciados, pagar documentos, pagar secretarios. Pagamos una serie de cosas para poder hablar con las autoridades. Como no hablábamos el castellano, entonces teníamos que buscar un intermediario que tradujera las declaraciones de mi madre. El abogado era un ladino y no entendía la lengua de nosotros. Teníamos que buscar un intermediario para que tradujera. Inmediatamente los terratenientes pagaron al intérprete para que no dijera lo que nosotros decíamos. El intérprete se vendió a los terratenientes y no decía lo que nosotros decíamos sino que decía otras cosas en lugar de la declaración nuestra. Hicieron grandes maniobras con nosotros. Resulta que el licenciado no le costaba trabajo porque nosotros mismos, decía el intérprete, justificábamos que la tierra era de los terratenientes. Era trabajo que nos habían pagado para cultivar la tierra. Y no era así. Entonces, se temía que mi padre lo mandaran al penal. Mientras estaba en la cárcel del pueblo, su causa no era grave. Pero cuando llegara al penal, a la cárcel de la región, que es la cárcel del Quiché, era imposible que pudiéramos buscar formas para que no hiciera los años a los cuales lo tenían sentenciado. Y si mi padre iba a la cárcel de los criminales, según las autoridades de Quetzaltenango, quería decir que mi padre iba a hacer los dieciocho años o más de cárcel. Teníamos una gran pena por sacar a mi padre de la cárcel. Mi madre tuvo que ir de sirvienta a Santa Cruz del Quiché, lavando ropa en una casa ajena y lo que ganaba lo metía en contribución para pagar los licenciados, para pagar los intermediarios, para pagar todo lo necesario para investigar la causa de mi papá y nosotros en la finca... Me recuerdo que el año que estuvo mi padre en la cárcel, yo no llegué ninguna vez a casa. No abandoné el trabajo. Cada mes mi hermano viajaba al altiplano para dejar el dinero a mi mamá. Y ella seguía trabajando junto con la comunidad por mi papá. Durante un año entero estuvimos vuelta y vuelta y vuelta en tribunales, en juzgados, etc.

Pudimos sacar a mi papá de la cárcel gracias a la ayuda también de toda la comunidad. Los terratenientes pensaban que mi padre era un rey o era un jefe de la comunidad y si vencían al rey o el jefe de la comunidad, podían vencer a toda la comunidad. Pero se dieron cuenta que no era así. Mi papá hacía los madatos de la comunidad pero no era el que elaboraba ley. Así fue cuando con la ayuda de la comunidad pudimos sacarlo de la cárcel. Lo más penoso para nosotros fue que no podíamos hablar. Y yo en ese tiempo decía, tengo que proponerme aprender el castellano. Que no necesitemos intermediarios. Pidieron diecinueve mil quetzales a la comunidad para que la tierra fuera de nosotros. Eso lo pidió el Gobierno a través de INTA. Era como para burlarse de nosotros; como para decir que no valen ni mierda, pues, los campesinos. Sabían que diecinueve mil jamás los podíamos soñar nosotros como campesinos, que apenas encontramos diez centavos. Ahora, diecinueve mil, es como para decir que salgan ya pronto de la tierra. Entonces, salió mi papá de la cárcel. Él salió con tanto valor y con tanta alegría.

Recuerdo la primera vez, cuando dejé de ser sirvienta y me dije, antes de meterme a trabajar en la finca, voy a visitar a mi padre que está encarcelado. Entonces pasé a la cárcel de Santa Cruz. Yo no conocía la cárcel de Santa Cruz del Quiché. Mi padre estaba entre todos los presos. Los presos se pegaban, se mordían. Eran locos la mayor parte de los presos que estaban allí. Mi padre estaba entre toda esa gente. Gente que tenía piojos encima, que comía con sus dedos, que se peleaban constantemente. La sangre se veía en la cara de todos los presos. Y yo decía, cómo es posible que él tenga que vivir aquí. Y pensaba que si hacía los dieciocho años, se iba también a volver loco. Pensé que era un castigo muy grande, un castigo penoso lo que le estaban metiendo a mi padre. Yo decía, hago todo lo posible, aunque mi madre tenga que sufrir también trabajando y todo su trabajo se tenga que ir en abogados. Pero estábamos dispuestos a hacerlo. Así fue cuando con más ganas yo trabajé; trabajábamos con mis hermanos. Pendientes de que se afirmara la causa de mi padre para que no fuera al penal. ¿Cómo sería el penal?, decía yo, si esta cárcel es un infierno. ¿Y cómo sería la otra?, pues. Mi papá, por tan humilde que era, encontró un amigo en la cárcel. Era un señor que tenía treinta años, creo, de estar en la cárcel. No sé qué culpa tendría. El señor ya hacía sus cosas en la cárcel, como su comida y todo. El señor era el jefe de todo el trabajo de los encarcelados. Hacían bolsas, hacían morrales típicos, hacían canastas, hacían un montonón de cosas, los presos. Entonces, el señor les pagaba de acuerdo al trabajo que hacían. Mi papá logró hacer amistad con ese señor y mi papá empezó a comer bien. Lo que comía el señor, comía mi padre en la cárcel. Empezó a hacer su tarea, sus morrales y todo eso, y le pagaba. Entonces también mi papá desde la cárcel nos ayudaba con dinero para pagar lo necesario para salir. Le hicieron un sinfín de declaraciones a mi padre. Decía que cada cinco días le llevaban con el juez y le preguntaban lo mismo para ver si cambiaba de opinión o cambiaba de declaración para justificar su causa. O sea, no tenían justificación, sino que la buscaban para tranquilidad de los terratenientes. Porque los terratenientes cada vez llegaban con más dinero y presionaban a los jueces para que se vendieran y mi padre se quedara como un criminal en la cárcel. Nosotros lo sentíamos, pues no veíamos ni a mi madre, ni a mi padre. Estábamos trabajando en la finca.

Logramos sacarlo. Papá estuvo preso un año y dos meses. Sus enemigos estaban rabiosos cuando salió. Y él salió con tanta gana, con tanta fuerza de luchar. Decía mi papá, nuestros antepasados nunca se sintieron cobardes. Tampoco la cárcel come gente. La cárcel es un castigo para los pobres, decía él, pero no come gente. Así que tengo que regresar a casa y tengo que seguir luchando. Mi papá no descansó. Así fue como aseguró muy bien el contacto con los sindicatos para que le ayudaran.

Teníamos una pena cada vez que salía de casa y nos despedía. Decía: "Hijos, cuídense mucho porque si yo no regreso, ustedes tienen que continuar el trabajo, porque no sólo yo lo hago sino que ustedes también son partes de todo. Y no vamos a dar gusto a los terratenientes jamás. Yo tengo grandes esperanzas" —decía mi papá—, "y tenemos que seguir luchando". Tres meses estuvo mi papá viajando otra vez desde que salió de la cárcel. Luego, lo secuestraron y nosotros nos dijimos, ya lo acabaron. En ese tiempo eran criminales, pero en otra forma. Los guardaespaldas de los terratenientes secuestraron a mi papá. Salía de casa para el pueblo cuando lo encontraron en el camino, cerca de la casa. Iba con mi papá uno de mis hermanos. Nosotros casi ya no dejábamos que se fuera solo porque ya había recibido amenazas directas que lo iban a matar. Entonces nosotros estábamos con pena, aunque nuestro trabajo disminuyera, era más efectivo para la comunidad que alguien acompañara a mi papá. Entonces siempre salía con alguien de la comunidad o con uno de sus hijos. Mi hermano pudo escaparse e inmediatamente movilizó a la comunidad. No lo pudieron sacar lejos del lugar ya que inmediatamente rodeamos todo. Ésa fue la primera vez que nosotros utilizamos nuestras armas populares. Llevaba la gente machetes, palos, azadones, piedras para enfrentar a los guardaespaldas. Eran capaces de pegarle o de matar a uno de ellos. Toda la cólera que llevaba la gente. Después de mediodía encontramos a mi papá torturado en un lugar, abandonado; pero ya no encontramos los torturadores. Sabíamos que eran los guardaespaldas de los terratenientes. Mi papá estaba tirado y el pellejo de la cabeza se lo habían arrancado por un lado. Tenía cortada la piel. Le dieron palos en los huesos de modo que no podía caminar, no podía levantarse, no podía mover ni un dedo. Estaba como en agonía mi padre. Para nosotros era algo insoportable. Entonces la comunidad le hizo una silla que usa el pueblo para transportar a sus heridos y lo bajamos al pueblo. Casi, casi estaba medio frío. Casi estaba muriéndose. Llegamos al centro de salud y allá no lo atendieron porque los terratenientes se habían adelantado para que no se curara mi padre. Habían depositado dinero, entonces, ningún doctor quería atender a mi padre. Todos los doctores eran ladinos. Entonces, mi mamá tuvo que llamar una ambulancia a Santa Cruz del Quiché para llevarlo. Fue internado en un hospital que se llama San Juan de Dios, en El Quiché. Llegó mi padre allá todavía medio vivo. Le pusieron suero y dijeron que por lo menos iba a estar unos nueve meses internado para ver si se puede lograr curar partes de su cuerpo porque le habían dañado mucho. Le habían quebrado muchas partes de sus huesos y era un hombre ya de edad, entonces no era fácil que se curara pronto. Entonces mi mamá, puras amargas penas, tuvo que ir al Quiché a atender a mi padre. Y también se quedó en El Quiché ganando para la medicina de mi padre, para que tuviera una atención especial. En ese tiempo mis hermanos dijeron, ahora no vamos a la finca. Desde ahora tenemos que estar aquí aunque nos muramos de hambre pero tenemos que cultivar nuestra pequeña tierra. Cultivar y calcular para que nos alcance para comer y no ir a la finca. Nos decidimos a quedarnos en casa. Mi mamá llegaba a veces, cada quince, pasaba un día y regresaba. Teníamos ya a la hermanita pequeña. Estábamos cuidándola para que mi mamá no anduviera con su niña. Tenían los vecinos un cabrito que daba leche. Entonces, le tuvimos que dar leche de cabra porque no teníamos vacas para darle leche de vaca. Tenía mi hermanita su año y medio, por ahí.

Después nos llegó otra amenaza a la casa. Decía un mensaje que iban a secuestrar a mi padre en el hospital. Entonces, ante el temor la comunidad dijo, mejor que venga a casa y lo curamos aquí, para que no lo secuestren. Llamamos inmediatamente a mi mamá. Uno de mis hermanos tuvo que viajar al Quiché para ir a avisar a mi mamá el mensaje que habíamos recibido. Y con la ayuda de los curas, y de las monjas de esa región, que nos ayudaron con dinero y todo, para que mi padre estuviera en un lugar privado y que no supieran los terratenientes dónde estaba. De modo que seis meses estuvo en el hospital de San Juan de Dios. Al trasladarlo a otro lugar, estuvo internado de cinco meses más. Después regresó a casa. Pero iba con tanto dolor, así que ya no era igual que antes. Ya no podía cargar ciertas cosas, no podía caminar mucho. Para bajar al pueblo le costaba mucho caminar. Incluso en la noche no podía dormir porque le dolían los huesos, le dolían las partes donde había recibido los golpes. Regresó con más odio hacia sus enemigos, porque si ya eran enemigos de la comunidad, ahora eran más enemigos de mi papá. A nosotros, nos dio una gran cólera hacia toda esa gente. No sólo hacia los terratenientes sino hacia todos los ladinos. Para nosotros eran todos los ladinos los malos en esa región, en todo el pueblo. Mi papá platicó con muchas gentes en el hospital y habían muchas cosas que eran comunes a los indígenas en otros lugares. Eso nos creaba a nosotros otra visión, otra forma de ver todo. Ya después de eso, mi papá siguió trabajando, ya con la ayuda de los sindicatos. Había veces que mi padre no podía ir a la capital pero los sindicatos podían atender el asunto que mi padre iba a ir a ver. Todas las cuestiones que tenía que ver mi papá, podían verlas algunos de los sindicatos que prestaban ayuda. Así fue cuando en el año 1977 cae mi padre por segunda vez en la cárcel. No nos dejaron en paz. Después de que mi papá salió del hospital y regresó a casa, lo seguían amenazando constantemente, porque sabían que no podían entrar con ingenieros a la casa o a las aldeas, ya que la comunidad estaba unida toda. Utilizaba sus machetes o utilizaba sus piedras. Entonces, seguían amenazando a mi papá y decían que lo iban a esperar en el camino para matarlo. Pero mi papá decía, éstos son unos cobardes, nunca hacen, sólo hablan. Pero a nosotros nos daba pena porque si lo hacían, para nosotros sería duro. Aunque mi papá, en ese tiempo, ya nos empezó a recomendar que no confiáramos sólo en él sino que confiáramos en la comunidad. "Ahora soy su padre", decía, "pero después la comunidad será 'el padre de ustedes'." Entonces salía mi papá; no se quedaba quieto. Seguía trabajando. Así fue cuando lo acusaron nuevamente y lo metieron a la cárcel en el 77. Yo ya estaba en ese tiempo aprendiendo un poco de español con los padres, con las religiosas. No estaba estable, viajaba. Por ejemplo los padres me daban un jalón para ir a la capital, para conocer un poco la capital o para estar unos días en un convento, con las monjas. Así empecé yo ya a salir un poco. Cuando mi padre salió del hospital, también viajaba con él. Un poco para conocer el ambiente donde pasaba, porque prácticamente nosotros pensábamos ya en la muerte de mi papá. En un momento lo matan y cuando lo maten y que se sepa dónde anda mi papá. Así fue cuando yo empecé a salir constantemente. Con la ayuda de la comunidad, con la ayuda de los sacerdotes y con la ayuda de otros amigos de mi papá. Había unos europeos, que nos ayudaban. Nos mandaban una cantidad de dinero. Eran unas personas que trabajaron un tiempo enseñando la agricultura a los campesinos. Pero la forma en que se siembra ahí no es la misma forma en que se siembra entre nosotros. El indígena rechaza cualquier clase de abonos químicos que le traten de enseñar. Entonces, no tuvieron bastante acogida en el lugar y se fueron, pero fueron muy amigos de mi padre. Esos señores nos ayudaron y sabían la problemática de mi comunidad. Regresaron a su país. Pero siempre aman a Guatemala y ayudaban así a mi papá. Entonces recibíamos el dinero y ese dinero lo tratábamos de ahorrar para los viajes de mi padre, los viajes de nosotros y para que la comunidad trabajara sin contribuir dinero. Pero sin embargo, en ese tiempo el INTA nos pedía una colecta de modo que cada mes mandábamos unos cuarenta a cincuenta quetzales para los papeles o gastos que nos pedía. No nos daban recibos. A saber dónde se iría el dinero.

Cuando cae mi padre por segunda vez ya lo acusaban como preso político. Yo estaba en casa. En esta última caída, mucho peor era su causa. Estaba sentenciado hasta morir en la cárcel porque lo acusaban ya como político. Era un comunista, era un subversivo decían. Igual que la primera vez, a puros culatazos, los mismos comisionados militares, lo sacaron de la casa y lo llevaron a la cárcel. A puros golpes, amarrado. Era un preso político. Su causa era mucho más peor. En ese tiempo, la comunidad estaba más despierta en todas esas cosas. Tenía más o menos, sus medidas de autodefensa para defenderse de los terratenientes. Mis hermanos ya hablaban un poco el castellano y mi mamá, a través de todos los sufrimientos, de los golpes, de la responsabilidad que tuvo que enfrentar, aprendió ya a hablar, más o menos, el castellano. En ese tiempo teníamos ya el apoyo de los sacerdotes, las religiosas, los sindicatos, la comunidad. Ya no sólo era mi papá, era un pueblo entero el que estaba detrás. Y mi papá era conocido ya en otros lugares como una gente querida. Entonces, se armó la protesta en contra de la caída de mi papá en la cárcel. Precisamente, los sindicatos, presionaron para que a mi papá se le dejara libre. Claro, en eso todavía pidieron testigos, pidieron abogados, pidieron todo. Pero muy pronto salió mi padre de la cárcel. Le amenazaron antes de dejarlo libre. Si seguía trabajando, sería objeto de un asesinato, porque lo iban a matar. Si a él no lo podían matar, a uno de sus hijos sí. Entonces ya le anunciaron de parte de las autoridades su muerte. Claro, las autoridades no dijeron exactamente que ellos mismos lo iban a matar. Si no que le dijeron que el terrateniente se encargaría de matarlo.

Estuvo quince días en la cárcel. Regresó a casa. Iba con gran orgullo, con grandes alegrías, porque se encontró con una persona, un preso, que verdaderamente era un preso político. Era una persona que defendía a los campesinos. El señor que estaba en la cárcel, le decía a mi papá que se tenía que unir con todos los campesinos y formar un grupo de campesinos para reclamar las tierras. Y el señor le decía que no era sólo problema de nosotros. Nuestros enemigos no eran los terratenientes sino que era todo el sistema. El señor tenía más claridad que mi padre. Entonces mi papá regresó con tanto orgullo y dijo, tenemos que enfrentar a esos ricos que han sido ricos por nuestros cultivos, por nuestras cosechas. Así fue cuando mi padre empezó a unirse con los demás campesinos. Desde ese entonces estuvo en plática con los campesinos para la creación del Comité de Unidad Campesina (CUC). Muchos campesinos estaban platicando del comité, pues, pero todavía no había nada en concreto. Entonces mi padre se sumó como un elemento más para participar en el CUC y con tanta claridad. Desde el 77 mi padre fue clandestino. O sea, se escondió; abandonó la casa para no quemarnos a nosotros. Abandonó a toda su familia y se fue a otras regiones a trabajar con los campesinos. Llegaba de vez en cuando. Pero tenía que pasar por montañas para llegar a casa. Para no pasar por el pueblo y para que los terratenientes no se dieran cuenta de que mi padre estaba en casa. A mi padre no hubo necesidad que le explicaran tanto lo que es organizarse. Eran muchos campesinos que estaban pensando como iban a formar el CUC. De hecho, los campesinos ya habían demostrado su inconformidad con toda la situación que vivimos.

Mi padre venía de vez en cuando para saludarnos. Para nosotros era muy triste pensar que mi padre no podía vivir en casa. Entraba de noche y salía a veces de noche. O se quedaba días enteros en casa pero no salía a lugar ninguno. Así fue cuando la comunidad empezó a sufrir mucho porque lo querían como a un padre. Así es, todo ha pasado como una película en nuestra vida. Un constante sufrimiento. Nos pusimos a pensar, con la ayuda de otras gentes, otros compañeros, que nuestros enemigos no eran únicamente los terratenientes que vivían cerca, ni mucho menos únicamente los terratenientes que nos habían obligado a trabajar violentamente y no nos pagaban bien. No nos estaban matando ahora, sino nos estaban matando desde niños, desde pequeños, a través de las desnutrición, el hambre, la miseria. Empezamos a pensar cuáles eran las raíces de la problemática. Y daba una conclusión, que la raíz de nuestra problemática venía de la tenencia de la tierra. Las mejores tierras no las teníamos nosotros en nuestras manos. Las tenían los terratenientes. Cada vez que ven que nosotros descubrimos nuevas tierras, nos tratan de despojar o robarnos en otra forma.

XVI

PERÍODO DE REFLEXIÓN SOBRE LA OPCIÓN A SEGUIR

"Una oscura visión, oscura porque no osaba sacarla muy afuera de su conciencia para examinarla, conformándose con entreverla así, sin explicación..."

M. A. Asturias, "Hombres de Maíz"

Quisiera decir que no sólo era yo la importante. Yo era una de la familia, como todos mis hermanos. Que era toda mi comunidad también. Nos poníamos a discutir muchas cosas de la comunidad. Peor cuando había un enfermo y no encontrábamos medicinas, porque cada vez hemos sido más pobres. Entonces nos poníamos a platicar y echábamos insultos a esos ricos que nos han hecho sufrir por muchos años y por mucho tiempo. En este tiempo, yo empecé a hacer mi formación más política entre la comunidad. Yo traté de acercarme de muchas gentes para sacar mis dudas, para preguntar como era el mundo del otro lado. Porque yo conocía la finca, conocía el altiplano, conocía ya parte de la capital, pero, sin embargo, no conocía la problemática de todos los indígenas en Guatemala. Tampoco conocía la problemática que sufren también con la tenencia de la tierra en otros pueblos. Sabía que habían otros indígenas, en otras tierras, porque desde niña nos conocíamos con muchas otras etnias en la finca. Sin embargo, no sabíamos el nombre del pueblo de donde vienen, cómo hacen, ni qué comen aunque éramos trabajadores todos. De hecho, nos imaginábamos que eran lo mismo que nosotros somos. Yo empecé a analizar mi niñez y llegaba a una conclusión: que yo no tuve niñez, no tuve infancia, no tuve escuela, no tuve suficiente comida para crecer, no tuve nada. Yo decía, ¿cómo es posible? Relacionaba la vida de los hijos de los ricos donde yo he pasado. Cómo comían. Los perros. Hasta educaban a los perros para que conozcan sus meros dueños y que rechacen hasta a las sirvientas. Todo eso a mí se me juntaba, y no sabía como compartir mis ideas. Así es cómo yo empecé a tener amigos de otra comunidad, siempre en Uspantán. Yo hablaba, ¿y ustedes qué comen?, ¿cómo hacen el desayuno?, ¿qué comen en el almuerzo?, ¿qué comen de cena? Y exactamente decían lo mismo, pues. "En la mañana comemos tortillas con sal y un poco de pinol", me decían. "Y al mediodía, nuestra mamá busca yerbas del campo y tortillas. En la cena comemos más chile con tortillas", decían ellas. Chile con tortillas y nos dormimos. Eran lo mismo, pues. Eso a mí me hacía mucho qué pensar. Yo puedo decir, no tuve un colegio para mi formación política, sino que mi misma experiencia traté de convertirla en una situación general de todo el pueblo. Me daba más alegría cuando me di cuenta exactamente de que el problema no era sólo mi problema. Que mis inquietudes de niña, de no querer ser una mujer grande, no era sólo mi problema sino que también era inquietud de todos ante la vida amarga que nos espera. El CUC empezó a surgir, a arder entre todos los campesinos de Guatemala. Logramos entender que toda la raíz de nuestra problemática era la explotación. Que había ricos y pobres. Que los ricos explotaban a los pobres; nuestro sudor, nuestro trabajo. Por eso eran cada vez más ricos. Luego, el hecho de que no nos escucharan en un despacho, que teníamos que hincarnos ante las autoridades, era parte de toda la discriminación que vivimos los indios. La opresión cultural, que trata de quitarnos nuestras costumbres para que nos dividamos y que no exista la comunidad entre nosotros. Esto se radicaliza precisamente cuando entran los generales asesinos que han pasado al poder; los presidentes de turno, yo no los conocía. Precisamente los conocí, a partir del 74, cuando entró el general Kjell Laugerud al poder. Llegó a la región y dijo, nosotros vamos a resolver el problema de tierra, porque la tierra es de ustedes. Cultiven la tierra y yo me propongo a repartirles la tierra. Nosotros confiados... Incluso yo estaba en el mitin donde llegó Kjell Laugerud. Y después lo que nos dio: mi padre fue torturado, fue encarcelado. Para mí se descubrieron todas las maniobras de ellos. Tenía un odio hacia esa gente. Decía: "¿Qué saben decir de hambre, mientras que todos los días chupan la sangre de nuestros hermanos?" Yo tenía una cólera de no ver a mis hermanos grandes; de que se murieron de hambre, de desnutrición, porque no tuvieron comida en la finca. Yo decía, si hubieran tenido comida, esos hermanos convivirían con nosotros, estuvieran con nosotros como nosotros estamos vivos. No se murieron porque quisieron. Luego tuve oportunidad de conocer a otros indígenas, indígenas achies, que son los que viven más cerca de nuestra región. También tuve oportunidad de conocer algunos indígenas mam. Y los indígenas me decían: "Los ricos son los malos." "No todos los ladinos son malos." Así fue cuando yo comencé a pensar: "¿Será que no todos los ladinos son malos?" Para mí eran todos malos. Y ellos decían es que con nosotros viven ladinos pobres. Hay ladinos pobres y hay ladinos ricos. Los ladinos ricos son los que nos explotan. Los ladinos pobres también son explotados. Así es cuando yo empecé a distinguir la explotación. Seguía bajando a la finca. Ya con ánimos de conocer para comprobar si era cierto, ver todos los detalles. En la finca había ladinos pobres. Trabajaban lo mismo. Sus hijos eran hinchaditos como mis hermanitos. Entonces yo decía, es cierto, pues, que no todos los ladinos son malos. Yo empecé a tratar con los ladinos. En ese tiempo intentaba yo ya, más o menos, hablar el español. Entonces, yo trataba de juntarme con los ladinos. Y yo le dije a un ladino pobre: "Usted es ladino pobre, ¿verdad?" Y el ladino casi me iba a dar una manada, pues. Y me contestó: "¿India, qué sabes tú?" Entonces yo me decía: "¿Pero cómo es posible que yo diga que los ladinos pobres son iguales que nosotros, si éste me está rechazando, pues?" Yo no pensaba que era el mismo sistema el que ha tratado de aislarnos, como barreras de indios y ladinos. Sabía que somos rechazados por todos los ladinos, pero no encontraba la causa; y yo me confundí más en ese tiempo. Yo seguía con mi idea que son malos los ladinos. Después de eso, una vez que estaba con las monjas, fuimos a una aldea del mismo pueblo de Uspantán. Sólo que la pueblan más ladinos. Entonces la monja preguntó a un niñito que si eran pobres. Entonces el niño dijo: "Somos pobres pero no somos indios." Y yo me quedé con todo eso. La monja no se dio cuenta. Siguió platicando. Ella era extranjera. No era guatemalteca. Entonces platicó con otra persona y la persona le dijo: "Sí, somos pobres, pero no somos indios." Para mí era bastante doloroso aceptar la idea de que el indio es menor que el ladino. Yo seguía en mis inquietudes... Es una barrera muy grande la que nos han sembrado, la barrera indio y ladino. Y no se entendía.

Nosotros en la aldea seguíamos trabajando. Yo sin tener una claridad política de quiénes eran exactamente nuestros enemigos. Empezamos a utilizar nuestros medios de seguridad en la aldea. Empezamos a practicar las trampas que usaban nuestros antepasados, según nos contaron nuestros abuelos. Nuestros antepasados que nos las han dejado como un testimonio. Entonces decíamos, si vienen los soldados de los terratenientes, los vamos a matar aquí. Fue allí donde nosotros, nos decidimos a usar la violencia. Me recuerdo que mi tarea en la comunidad era platicarles a los niños que la situación no es una suerte que nos ha tocado sino que es algo que nos han impuesto. Yo enseñaba a los niños a defenderse en contra de todo esto. A defender los derechos de nuestros padres. Era como una charla política lo que tenía con los niños. Sin embargo, yo no estaba tan clara políticamente de la situación. Pero para mí, no había necesidad de plática, de cursos, de nada de eso. Yo sabía muy bien todas las experiencias. No era como ponerse a leer un libro porque las experiencias nos habían nacido de los sufrimientos. Que yo apenas probé un par de zapatos cuando tenía quince años. Al mismo tiempo adoraba mucho mi par de zapatos que defendía mis pies cuando había mucho calor y cuando había muchas piedras. Era una situación donde no sabía ni qué hacer con mi par de zapatos. Tiempos eran en que yo no me dormía pensando, como sería después. Y cómo sería si todos los indígenas nos levantáramos y les quitáramos la tierra y la cosecha y todo a los terratenientes. Sería que nos matarían con armas. Hacía grandes sueños. Claro, mis sueños no fueron vanos. Mis sueños llegaron cuando nos organizamos todos. Los niños tenían que ser como gentes adultas. Las mujeres teníamos que actuar como mujeres de la comunidad, junto con nuestros padres, con nuestros hermanos, con nuestros vecinos. Todos, todos, nos teníamos que unir. Hacíamos reuniones. Empezamos por solicitar una escuela para nuestra comunidad. No había escuela. Juntamos firmas. Yo andaba metida en todo eso. Claro, era una mujer un poco clave por el hecho que estaba aprendiendo el castellano y el hecho de que era conocida por los curas, conocida por otros amigos de mis papás. Yo pedía y sacaba ayuda por dondequiera. Teníamos un amigo en el pueblo que era ladino y nos daba un poco de dinero para mi papá y para la casa. Pero no lo metíamos en casa el dinero que nos daba, sino que lo echábamos en la alcancía común de la comunidad. Ya empezábamos a organizarnos. De hecho, existían ya nuestras organizaciones, así, nuestros grupitos de niños, grupos de jóvenes, grupos de mujeres, grupos de catequistas. Entonces empezamos a alimentar todos esos grupos que existían para ver qué hacíamos y para que todos aprendieran a hablar el castellano. Teníamos una tarde para enseñarles a los niños el poco castellano que yo sabía. No a escribir, porque yo no escribía. No sabía leer ni escribir. Hablar con ellos como platicar nuestra lengua. A finales del 77 fue cuando yo decididamente me integré a un grupo más formal que era el de campesinos en Huehuetenango. Eran campesinos muy secretos y bajábamos a la finca. Los compañeros del CUC también movían la masa trabajadora en las fincas. Sin embargo, yo no había alcanzado esa riqueza de poder integrarme como indígena, en primer lugar; en segundo lugar como mujer, como campesina, como cristiana, en la lucha de los demás. Así fue cuando empecé a atender mejor. Y mi padre seguía trabajando. Mi padre decía, hijos, hay ricos y pobres. Los ricos se han hecho ricos porque quitaron todas las cosas de los antepasados y, al mismo tiempo, se alimentan de nuestro sudor. No es mentira porque esto lo vivimos, dice mi papá. No es porque nos contó el vecino. Los ricos tratan de meternos obstáculos. O sea, los ricos vienen desde allá donde está el gobierno de los ladinos, el gobierno de los ricos, hasta los terratenientes. Ya empezamos a ver más claras las cosas y, como decía, no nos costó entender que había que luchar junto con los demás porque eso era algo real, que habíamos vivido.

Empecé a viajar por diferentes lados. Consultando todas las cosas. Y una de las cosas, no es tanto para desestimar, porque también los curas hicierón mucho por nosotros. No es tanto como para desvalorizar lo bueno que también nos enseñaron, pero hay muchas cosas que nos enseñaron, a acomodarnos, a adormecernos como pueblo. Por ejemplo, la religión nos decía que era pecado matar. Pero, sin embargo, a nosotros nos están matando. Y nos decían que Dios está allá arriba y que Dios tenía un reino para sus pobres. Eso a mí me había confundido porque yo fui catequista desde niña. Entonces tenía ya muchas ideas en la cabeza. Es un obstáculo como para desarrollar la mera verdad que vive el pueblo. Yo, sacando mis dudas, les preguntaba a las monjas, y si se lucha en contra de los ricos, ¿qué pasaría? Entonces las monjas trataban de desviar la idea. Era con intenciones, o quizá no era con intenciones. Pero de modo que nadie aclaraba las dudas. Yo estaba muy inquieta. En ese tiempo era una mujer mayor de edad, para la comunidad. Con mucha vergüenza mostraba mis dudas porque muchos de mi comunidad entendían mejor que yo porque tenían la mente muy sana, por el hecho de que ellos nunca habían salido fuera de su comunidad. Hemos bajado a las fincas pero tampoco han tenido una cierta diversión. El hecho de que yo viaje en camioneta en la capital, es un pequeño cambio que sufre el indígena internamente. Entonces, entendían mejor mis hermanitos, mis hermanos, que yo, pues.

XVII

AUTODEFENSA EN LA ALDEA

"...Empezaron a cumplir con el destino que traían guardado en la médula de los huesos..."

Popol Vuh

Me creó muchas confusiones, pues, la estancia de sirvienta, estar en la finca por mucho tiempo sin regresar a mi casa. Los problemas de mis padres. Estaba confundida. Un cierto cambio que sufrí internamente. Para los demás, no era tan difícil para ellos comprender que aquí está la realidad y aquí está lo falso. A mí me costó un poco eso. ¿Qué quería decir explotación para mí? Empecé a ver, ¿por qué los términos son diferentes? ¿Por qué nos rechazan? ¿Por qué al indígena no lo aceptan? ¿Y por qué antes, la tierra era nuestra? Eran nuestros antepasados los que vivían allí. ¿Y, por qué los extranjeros no nos aceptan como indígenas? ¡Allí se ubica la discriminación! Una opresión tremenda que nos ha metido la Acción Católica. Que trata de adormecer al pueblo; y los otros que se aprovechan de ese adormecimiento de todos. Ya al fin logré tener una claridad. Fue cuando yo me dediqué al trabajo organizativo, a los demás. No me enseñaron a organizar a la gente, porque, de hecho, yo sabía organizar como catequista. Entonces, empezamos a hacer grupos de mujeres con ganas de luchar. Y yo, de mi parte, consideraba como parte de la lucha el hecho de educar a los niños como comportarse cuando viene el enemigo. Fue un elemento importante para mí cuando aprendí a distinguir a los enemigos. Entonces, el terrateniente era un gran enemigo, negro, para mí. El soldado, también era un enemigo criminal, pues. Y los ricos, en general. Empezamos a emplear el término enemigos. Porque en nuestra cultura no existe un enemigo como el punto a que han llegado esa gente con nosotros, de explotarnos, de oprimirnos, de discriminarnos; sino que para nosotros, en la comunidad, todos somos iguales. Todos tenemos que prestar servicios unos a otros. Todos tenemos que intercambiar nuestras cosas pequeñas. No existe algo más grande y algo menos. Pero nos dimos cuenta que en Guatemala existía algo grande y algo menor, que somos nosotros. Que los ladinos se disponen como una raza mejor. Hubo un tiempo en que dicen que los ladinos dudaban que nosotros éramos gente. Que éramos una clase de animal. Todo eso llegué a clarificarlo en mí misma. Así fue cuando yo me entregué al trabajo y me dije, tenemos que derrotar al enemigo. Empezamos a organizarnos. No tenía nombre nuestra organización. Todos empezamos a recordarnos de las trampas de nuestros antepasados. Dicen que hacían trampas en sus casas; hacían trampas en el camino, cuando llegaron los conquistadores, que eran los españoles. Que nuestros antepasados eran combativos. Eran gentes. Eran mentiras lo que dicen los blancos que nuestros antepasados no supieron defenderse. Porque usaban trampas. Eso es lo que decían los abuelos; mi abuelo precisamente, cuando vio que nosotros empezamos a decir, tenemos que defendernos contra las terratenientes. Y si es posible echar al terrateniente para que nos deje en paz. Si ellos nos amenazan, ¿por qué nosotros no amenazamos al terrateniente? Mi abuelo nos apoyaba mucho. Armábamos un lío en la casa porque mis hermanos sacaban sus conclusiones, yo sacaba mis conclusiones y todo el mundo sacaba sus conclusiones. Mi abuelo decía: "Sí, hijos, tienen que defenderse. Nuestros antepasados se defendieron. Es mentira lo que dicen los blancos de que nos encontraron durmiendo. Ellos pelearon también." Y nosotros, ¿por qué no vamos a pelear con las armas que usa el terrateniente? Si una persona mayor nos dice eso es porque es la verdad, pues.

El primer paso que dimos nosotros en la comunidad fue que mi papá, por ser el elegido, viviera en el medio de la comunidad. Era la opinión de la comunidad que mi papá viva en el centro de la comunidad. Después que Kjell dividió nuestras pequeñas tierras en parcelas, los demás fueron a vivir por un lado o por otro, en las diferentes parcelas. De modo que estábamos a cierta distancia de los vecinos. Entonces lo que nosotros proponemos con mis hermanos —mi papá tuvo oportunidad de estar con nosotros—, fue que la pequeña tierra que tenemos en el llano, en el planito, la compartiéramos. Que bajara toda la comunidad que vive lejos y que viviéramos juntos, con nuestras casitas bien estrechas, con nuestras casitas cercanas para que podamos llamarnos en caso que entre el terrateniente. Fue el primer paso que dimos. Pero, ¿qué ibamos a decir a la gente? La gente sabía que teníamos que defendernos contra el terrateniente, pero no teníamos la claridad que un día la represión nos iba a llegar a matar masivamente. Hicimos una reunión y en la reunión se habló familiar. Se habló de que se reparta la pequeña tierra que tenemos atrás de la casa para que los vecinos pudieran vivir cerca. También de hablar con el otro vecino para que reparta parte de su lugarcito. Nos propusimos en dos meses tener todas las casas de los vecinos cercanas a nuestra casa. Esa proposición se planteó a la comunidad. Ustedes están dispuestos a bajar sus casas, que vivamos juntos y cuando vengan los terratenientes, nos encuentren juntos. Estábamos planeando esto cuando llegó la represión cerca de nuestra aldea. Llegó la represión a San Pablo, una aldea que queda cerca. Secuestraron a los líderes principales de la comunidad, al catequista principal de la comunidad, al señor elegido de los indígenas, los secuestran con toda su familia. Secuestran a otros catequistas más. Fueron hombres, mujeres y niños los secuestrados. Ellos estaban peleando también en contra de otros terratenientes pero, al mismo tiempo, no estaban organizados. Eso nos dio a nosotros un ejemplo y nos repartimos tareas con mis hermanos, con los vecinos. Todo el mundo fue a cortar palmas para levantar las casas. Unos estaban haciendo el lugar de las casas, otros estaban cortando las hojas, otros cortando palitos para las paredes. Se distribuyó el trabajo. Construimos las casitas más cerca. Y llegó un momento en que entró la tropa de soldados. Primera vez que vemos una tropa de noventa soldados en la aldea. Entonces nosotros no pudimos hacer nada, pero tampoco no les provocamos. Y si agarran a uno. Más o menos, la comunidad tenía una idea de cómo iba a enfrentar esto. La idea, desde un principio era, que nos matan a todos o que nos dejen en paz. Pero un solo compañero no vamos a dejar que salga de esta aldea. Así fue. Los soldados estuvieron quince días en la población, utilizando nuestra casa común, o sea, nuestra casa donde celebramos nuestra ceremonia, nuestras reuniones. La utilizaron como una casa de ellos. Vivieron allí. En la noche salían a la milpa a escarbar las papas sembradas, a cortar elotes o fríjoles tiernos y comían muy bien. Cortaban los elotes que querían. Y para nosotros los indígenas, antes se tiene que hacer una ceremonia para probar el elote, fruto de la tierra y del trabajo de los campesinos. Era una violación en contra de nuestra cultura. Nosotros estábamos enojados pero nuestro enojo no lo enseñábamos porque eran noventa soldados y eran capaces de masacrarnos a todos. Tenían armas. Después de eso, se fueron a los quince días.

Mi mamá estaba en casa una noche que estábamos ya para dormir, como a las diez, cuando mira hacia abajo de la casa donde hay una pequeña siembra de papas y ve que una cosa negra está moviéndose entre las papas. Mi mamá pensó que era uno de los animales de los vecinos y empezó a tirarle leña; y era un soldado, pues, que estaba robando papas. Fue la primera vez que mi madre se puso agresiva en contra de los soldados, sin importar si la iban a ametrallar. Mi mamá estaba con todos los perros, teníamos bastantes perros. Los vecinos nos propusimos de comprar un perro más cada uno, porque los perros nos iban a servir para defendernos. Entonces, mi mamá con leñas y con perros y el soldado dijo: "No, yo soy una gente, pues." Entonces mi mamá le dijo: "Si quieres comer algo, por qué no vas a trabajar, pues. Que tú estás cuidando a los ricos y ni te dan de comer. Aquí si que todo cultivo ha costado trabajo, muchachito", le dijo. "Dejás mis cosas o te meto un palo." Entonces el señor tuvo que abandonar las papas y se fue corriendo. Al siguiente día salieron de allí. Se fueron. Después de que salieron los soldados de la aldea, fue cuando la aldea se une prácticamente para decir qué vamos a hacer con la milpa. Dejemos las costumbres, las ceremonias, planifiquemos nuestra seguridad primero y después vendrá todo lo que queremos hacer. Así fue cuando la comunidad se decidió. Ahora, compañeros, nadie va a sacar el secreto de nuestra comunidad. Tiene que ser un secreto que ni el enemigo, ni otros vecinos sepan lo que estamos haciendo aquí. Todos estaban de acuerdo. Se empezó a educar a los niños a ser discretos. De hecho, son discretos, pero a recomendarles que no tienen que contar una sola palabra a otros niños fuera de la comunidad, de lo que hacen los padres, de lo que hace la comunidad. Elaboramos nuestra seña. Nuestra seña era, todo lo que utilizábamos; era todas las cosas de la naturaleza. Me recuerdo que los indígenas hicimos una ceremonia antes de empezar todas nuestras medidas de autodefensa. Una ceremonia de comunidad donde nosotros pedimos al dueño de toda la naturaleza, que es el dios único para nosotros, que nos ayude y que nos dé permiso a tocar cualquier cosa de la naturaleza para defender nuestra vida. Se hizo una ceremonia, mucho de sentimentalismo y mucho de eso, pues, porque pensábamos, depende de nuestra comunidad, depende de nuestra autodefensa si salen dos, tres, cuatro o cinco de nuestra comunidad asesinados o secuestrados o torturados. Después de eso fue cuando al siguiente día todos los de la comunidad trajeron una idea para defenderse. Unos traían piedras, otros traían machetes, otros traían palos, otros instrumentos de trabajo. Las mujeres con sal, con agua caliente, etc. Empezamos a poner en colectivo nuestras ideas. Cómo lo vamos a utilizar esto. Dicen los compañeros, yo creo que esto sirve para defenderse. Cómo lo vamos a utilizar. Mi idea es así. Y ponen su idea de cómo la utilizarían si vienen. Cada uno pone su parte. Así es cuando organizamos muy bien a quién le toca enseñar y pensar cómo se utilizan las ideas de la comunidad. Quiénes son las personas que les toca pensar. Cómo se da formación a los niños, cómo se les da tareas a los niños como adultos y a quiénes les toca atender a las mujeres para que participen en cosas concretas como mujeres y cuándo vamos a hacer la asamblea general para evaluar todo esto. Empieza la idea más organizativa en la comunidad. A mí me fascinaba todo eso. Como decía anteriormente, cuando nos repartieron las pequeñas parcelas y trató el Gobierno de meter entre las comunidades divisiones como las de sus propias parcelas con su propia tierra, entonces la tierra ya no alcanzaba para que viviéramos todos juntos en un solo lugar. A raíz de eso, muchos de nuestros vecinos les tocó vivir así lejitos, con distancia entre las casas. Porque nos entregaron parcelas muy separadas, muy distantes. El fin de ese general que entró a la presidencia era más que todo, dividirnos como comunidad, unidos como estábamos desde hace mucho tiempo. Vivimos como unos dos o tres años así divididos en parcelas. A pesar de todo ese método que nos quisieron meter de dividirnos, no nos alcanzaban las pequeñas tierras. Casi nos quedábamos con una manzana de tierra cada uno de la comunidad. Se repartió todo. Lo que hicimos fue de que todos los vecinos pusimos algo en común de las tierras. Pero, sin embargo, quedaron divididas las casas. Y precisamente, cuando llegó la represión cerca nos dimos cuenta que había que unir las casas para poder enfrentar a los soldados cuando llegaran a reprimirnos a las aldeas. Pero, las aldeas que estaban cerca no eran las únicas reprimidas sino que habían masacres por otros pueblos. Por ejemplo, Chajul, Nebaj, Cotzal, son los pueblos que sufrieron primero la represión.

Como entre todos tuvimos que construir las casitas de los vecinos, nos llevó dos o tres meses para hacerlas todas para que viviéramos juntos. Eso fue también para que las medidas para defendernos fueran más efectivas. Así fue cuando empezamos a impulsar la autodefensa o las medidas para defendernos, llegamos a un momento en que teníamos que realizar ciertas tareas cada uno de los miembros de la comunidad. Desde los niños, las mujeres, los jóvenes, los hombres y los ancianos, que también asumen un papel en la comunidad. También nuestros animalitos como perros, así, animales que nos pueden ayudar, que también sean un medio de autodefensa. Así fue también cuando empezamos a incrementar los secretos que tenemos que hacer secretamente, las trampas. Que nadie tiene que conocer las trampas que hacemos en nuestras aldeas. Teníamos que conocer cada uno de nosotros las trampas del otro vecino, porque si no, en lugar de prensar a uno del ejército o a uno de los guardaespaldas de los ricos, era a uno de nuestra comunidad. Uno de nuestros compañeros o un grupito se encargaba de implementar y perfeccionar las trampas que existían. Inicialmente, las trampas eran más para los ratones, que comen la mazorca, para animales de la montaña que bajaban a comer nuestra milpa. A esas trampas les dimos otra utilidad, para pescar al ejército. Se trata más que todo de grandes zanjas con hilos que sean invisibles, que no vea el ejército o el animal. También consisten en algo metálico, que sirve para detener al ejército. Es más, sabemos que el ejército no llega en camiones ni en bicicletas ni en motos, ya que para nuestra aldea, no hay carreteras, tienen que llegar a pie y tienen que caminar por un solo camino. Porque hemos comprobado que por cobardía, el ejército no se anima a meterse en las montañas. Les tienen miedo porque piensan que allí están los guerrilleros. Pobre del ejército, pues, porque ni siquiera sabe qué es un guerrillero; entonces se lo imaginan como un monstruo, como pájaros o cualquier tipo de animal. Entonces, tienen miedo de meterse en las montañas. Tienen que caminar en caminos. Nuestras trampas cubren todos los caminos principales para llegar a nuestra aldea. No se trata de una sola trampa, son varias porque una de las trampas puede fallar. Eran los primeros experimentos que hacíamos. Entonces, teníamos que utilizar por lo menos unas tres trampas en cada camino. Después de las trampas de camino, hay trampas en cada una de las casas de cada compañero, de modo que si el ejército logra entrar en la aldea por otros caminos, de todas maneras se llevará un susto en la casa de cualquier compañero. Así había también la salida de emergencia de cada uno de nuestros compañeros, cada uno de nosotros. En mi caso, yo trabajaba en ayudar un poco en la autodefensa, en las trampas o en lo que se trataba de medidas de seguridad. Pero, al mismo tiempo, participaba en lo organizativo y en la formación de nuestros compañeros. En ese tiempo podíamos asumir cualquier tarea que exigía la comunidad y que exigía el momento. Eso es precisamente cuando nos dedicamos a la formación de muchos compañeros que tienen que hacer el mismo papel que uno. Entonces ya no hay necesidad de estar en el mismo trabajo. Se cambia constantemente para que cada uno de nosotros también tenga una cierta experiencia en diferentes tareas. Empezamos a organizar a los niños, a las mujeres, a los hombres. Empezamos a implementar nuestras medidas de seguridad, por ejemplo, la salida de emergencia. Quiénes son los que salen primero, los que salen de segundo, de tercero y de último, en caso de que el ejército tome la aldea. Inicialmente, cuando no teníamos práctica y nos faltaban muchas iniciativas para enfrentar al ejército, teníamos planeado que las mujeres salieran con sus hijos, los niños y los hombres quedaban de último en la salida de emergencia. Sin embargo, la misma práctica nos enseñó que no es tan efectivo ese método o ese esquema que nosotros habíamos hecho. Fue así que cambiamos constantemente nuestra forma de salir. Llegó un momento en que las mujeres con sus niños puede que sean más respetadas por el ejército porque a los que secuestraban más era a los hombres, a los señores, precisamente a nuestros líderes de la comunidad. Ante esta situación, que los hombres se retiren y que las mujeres sean la retaguardia para enfrentar los golpes. Esto no era sólo un esquema de pensar teoría y de elaborar papeles y que se quede ahí, sino que constantemente estamos practicando lo que pensamos, practicando juntos lo que tenemos que impulsar. Entonces, en el momento menos pensado, se da una seña de agitación en la aldea para ver como reaccionamos. O sea, empezamos a practicar nuestras trampas, nuestras salidas de emergencia. Vimos que no sería tan efectivo que nosotros saliéramos en fila para ir al monte a escondernos cuando llegara el ejército. Tuvimos entonces que abrir grandes hoyos o grandes caminos abajo de la tierra. De modo que con una seña que dé el responsable de la aldea, podamos salir todos, ir a dar en un solo lugar, allí fue precisamente cuando rompimos con muchos esquemas culturales, pero, sin embargo, tomando en cuenta que era una forma de salvarnos. La mayor parte de la comunidad sabía responder a muchas cosas y sabíamos cómo actuar. La comunidad eligió al responsable pero todo lo que se hace tiene que ser aprobado por las opiniones de los demás. Lo que no apruebe la comunidad, no se puede impulsar. Todo el mundo tome parte por igual, hombres y mujeres y los niños también. Lo que nosotros impulsamos en primer lugar fue que en la salida de emergencia, haya una seña. Esa seña es muy seria. Sólo se da cuando el enemigo está cerca. Y, de acuerdo al lado donde está el enemigo, así será la seña. Hay una seña del día y hay una seña de la noche, ya que en la noche no podemos ver de dónde viene el enemigo. Entonces tuvimos que construir una casa en colaboración con otras aldeas, en los cuatro puntos de la aldea por donde puede entrar el ejército. En la noche les tocará a unos el papel de vigilarnos de noche. Y en el día les tocará a otros. Pasó un caso, cuando yo estaba en la aldea, la primera vez que implementábamos nuestra autodefensa; después de que salieron los soldados que estuvieron quince días en la aldea. Éstos se llevaron la duda de que el pueblo estaba organizado. Sospecharon ciertas cosas cuando estuvieron en la aldea, por más secreta que era nuestra organización. Regresaron una noche y ya funcionaba toda nuestra red de información. Habíamos construido un campamento de la aldea, para que en un momento dado, cuando no podamos vivir en la población, podamos irnos al campamento. Y fue precisamente cuando nosotros empezamos a darle utilidad a todos esos seres de la naturaleza: las plantas, los árboles y las montañas. La aldea empezó a adaptarse más a una vida aún más difícil, en el caso de que no podamos bajar durante quince días, veinte días a la aldea. Pero es preferible para nosotros no ser masacrados. Entrenamos eso de que todo el mundo en la noche, ya sea que haya enemigos o de que no haya enemigos, vamos a dormir al campamento de la aldea, para más seguridad. Nos daban la seña nuestros compañeros, lejos. Claro, estaban las trampas en el camino, estaban las trampas en las casas, estaban todos los medios, como por ejemplo, una casa de un compañero en cada camino... Esa casa se quedaba vacía, pero quedaban los perros. Cada vez, cuando el soldado entra en la noche, los perros ladran y siguen a los soldados. Hasta que los perros no se callen, sabemos que no se han ido. Los perros contribuyen en este sentido. Sabemos que el ejército está en la aldea. El día o la hora en que sale el ejército, también los perros hacen ruido. Es la señal de que el ejército salió de la aldea. Pero no bastaba con eso. Entraron la primera noche y llegaron a las casas y no encontraron a nadie. Empezaron a pegar a los perros porque ninguno de los vecinos vivía en casa. Pegaron a los perros, mataron a algunos y se fueron. Entonces nosotros dijimos, entraron en las casas, nos van a seguir buscando. Entonces ahora, con justa razón, tenemos que buscar nuevas formas. Así es cuando la misma comunidad trata de perfeccionar ciertas cosas que todavía no lo estaban. Después trabajamos en común ya que en nuestra comunidad no hay un trabajo específico sólo para la mujer o sólo para el hombre. Sino que si tenemos que ir al campo, si se necesita construir una casa de un vecino o lo que sea lo hacemos colectivamente. No tenemos cosas individuales, porque eso permitiría que se disperse la comunidad y si viene el enemigo, es capaz de secuestrar a unos cuantos. Entonces, tenemos que trabajar en común si entra el ejército. Las mujeres nos turnamos unas dos o tres noches haciendo guardias en la noche. Otra semana les toca a los compañeros hombres.

Antes de hacer estas tareas tenemos que estar claros de cómo las vamos a hacer. Entonces se pensó que si en un momento, podíamos salir, por ejemplo, si no podíamos utilizar nuestras trampas, si no eran efectivas. Si no podíamos utilizar nuestras salidas de emergencia o cualquier otra cosa para nuestra seguridad, teníamos que tener por lo menos como armas del pueblo, el machete, las piedras, el agua caliente, el chile, la sal.

A todas esas cosas les dimos utilidad. Sabemos cómo lanzar una piedra si el ejército llega. Sabemos cómo tirar una libra de sal a la cara y que sea efectivo. Esto sería más en el caso de los enemigos paramilitares del régimen ya que sabemos que tendríamos toda la incapacidad de responder a metralletas. Pero si entra un judicial con una pistola, es posible que nuestras armas populares sean efectivas. Hemos utilizado más la cal. La cal es muy fina y para lanzarla hay que tener cierto pulso para que llegue al lugar que uno se fija, a los ojos. Hemos aprendido a través de nuestra práctica y del entrenamiento constante que hacemos, de tener pulso y de fijarse dónde está nuestro enemigo. Con la cal puede ponerse ciego al judicial entonces; tendríamos que lanzarle la cal a la cara. Una piedra, por ejemplo, tendríamos que buscar la cabeza, la cara de nuestro enemigo. Si le damos en la espalda, sería efectivo pero no tanto como ciertos puntos del enemigo. Eso se practica en constante entrenamiento de la aldea, del pueblo. Otro recurso, sería tirarles agua caliente si ya no podemos salir de nuestra pequeña casa. Esto significa que todo el pueblo tiene que estar preparado, en un solo lugar con todos sus materiales de autodefensa. Toda la familia sabe dónde están concentrados los materiales del vecino, del tío, de todos, por si en un momento los de nuestra casa no los podemos utilizar. Necesitamos constantemente buscar nuevas formas y basarnos en algo porque si no se caería en algo que nos gusta actuar pero no sabemos porqué lo estamos haciendo. Así, nuestra arma principal, nuestro documento, sería la Biblia. Empezamos a estudiar la Biblia como un documento de formación de nuestra aldea. Hay lindas historias en la Biblia.

Nosotros empezamos a estudiar la Biblia como un documento principal. La Biblia tiene muchas relaciones como las relaciones que tenemos nosotros con nuestros antepasados y con los antepasados que también vivieron una vida que es parecida a la nuestra. Lo importante es que nosotros empezamos a integrar esa realidad como nuestra realidad. Así es cómo empezamos a estudiar la Biblia. No es algo a memorizar, no es algo de hablar o de rezar nada más. Incluso, quitando un poco la imagen que teníamos, como católicos o como cristianos, de que Dios está allá arriba y Dios tiene un reino grande para nosotros los pobres; no estábamos pensado en nuestra realidad como en una realidad que estamos viviendo. Así es cuando empezamos a estudiar textos principales. Tenemos el caso del texto del "Éxodo", que es algo que hemos estudiado; lo hemos analizado. Se trata mucho de la vida de Moisés que trató de sacar a su pueblo de la opresión, trató de hacer todo intento para que ese pueblo sea liberado. Nosotros comparábamos al Moisés de aquellos tiempos como los "Moiseses" de ahora, que somos nosotros. Se trata de la vida de un hombre, de la vida de Moisés.

Nosotros empezamos a buscar textos que representan a cada uno de nosotros. Como comparando un poco con nuestra cultura indígena. Tenemos un ejemplo de Moisés que representa a los hombres. Tenemos el ejemplo de Judith, que es una mujer también famosa en su tiempo, que aparece en la Biblia, y que luchó tanto por su pueblo, hizo muchos intentos en contra del rey que había en ese tiempo, hasta quitar la cabeza del rey. Va con la victoria en la mano, la cabeza del rey. Eso a nosotros nos da una visión nos da una idea más de cómo nosotros los cristianos tenemos que defendernos. Y eso nos hacía pensar que sin la violencia justa no podía, cada pueblo, llegar a sacar su victoria. No es que nosotros los indígenas pensamos en grandes riquezas, sino que tengamos lo necesario para vivir. También la historia de David que es un pequeño pastorcito que aparece en la Biblia y que pudo dominar al rey de ese tiempo que era el rey Goliat; eso va dedicado a los niños en nuestra comunidad. Y así es cómo buscamos textos, salmos, que nos enseñen como defendernos de nuestros enemigos. Yo, me recuerdo que sacaba grandes ejemplos de todo texto que servía a mi comunidad, que nos servía a todos para entender mejor la situación. No sólo ahora aparecen grandes reyes, grandes poderosos que tienen poder en la mano, sino que también nuestros antepasados lo sufrieron. Así es como vamos relacionando con la vida de nuestros antepasados que fueron conquistados por tanta ambición de poder y que fueron asesinados y torturados nuestros antepasados como indígenas. Así es como vamos profundizando mejor. Llegamos a una conclusión, pues. Que ser cristianos es pensar en los hermanos que están alrededor, pensar en que cada uno de nuestra raza indígena tenga qué comer. Y que es una imagen también del mismo Dios que dice que en la tierra se tiene derecho a tener lo que uno necesita tener. Era nuestro documento principal para estudiar como cristianos y nos hacía ver cuál es el papel de un cristiano. Desde niña, como catequista, estudié la Biblia, estudié cantos, la doctrina, pero en una forma muy superficial. Otra idea que nos han metido en la cabeza es que todo es pecado. Entonces, llegamos a reflexionar que si todo es pecado, por qué el terrateniente mata a los humildes campesinos que ni siquiera sabemos abusar de la naturaleza y después nos quitan la vida. Inicialmente yo era catequista y pensaba que sí había un dios y que había que estar a la disposición de Dios. Yo pensaba que allá arriba estaba Dios. Que tenía un reino para los pobres. Pero descubrimos que Dios no está de acuerdo con el sufrimiento que vivimos; que no es el destino que Dios nos ha dado, sino que son los mismos hombres de la tierra quienes nos han dado ese destino de sufrimiento, de pobreza, de miseria, de discriminación. Incluso hasta de la Biblia hemos sacado ideas para perfeccionar nuestras armas populares; que fue la única solución que nos quedó. Yo soy cristiana y participo en la lucha como cristiana. Para mí, como cristiana, hay una cosa. Es la vida de Cristo. Tuvo todo un proceso, donde Cristo fue humilde. Nació en un pequeño rancho, como narra la historia. Fue perseguido y, sin embargo, tuvo que optar por tener un pequeño grupo para que su semilla no se desaparezca. Fueron sus discípulos, fueron sus apóstoles. E incluso, quizás, en ese tiempo no había forma de defenderse de otra manera, si no Cristo la hubiera utilizado en contra de sus opresores, en contra de sus enemigos. Hasta dio su vida, pero la vida de Cristo no se murió, pues lo siguen todas las generaciones. Y eso es precisamente lo que hemos entendido los vecinos, nuestros principales catequistas que han caído. Ellos se murieron pero el pueblo los hacemos vivos a través de nuestra lucha. A través de nuestra participación en contra del régimen, en contra de un enemigo que nos oprime. No necesitamos mucho de consejos o de teorías o de documentos, ya que la vida nos ha enseñado. Yo, de mi parte, con los horrores que he sufrido es suficiente. También he sentido en lo más hondo de mi ser lo que es la discriminación. Lo que es la explotación, eso narra exactamente mi vida. En mi trabajo, he pasado hambre muchas veces. Yo creo que si se tratara de narrar las veces que he tenido hambre en la vida, me llevaría mucho tiempo. Cuando uno entiende eso, ve su realidad, dentro de uno mismo nace un odio hacia esos opresores, que dan ese sufrimiento al pueblo. Y como decía, repito, no es nuestro destino ser pobres. No es porque no trabajamos, como dicen los ricos; que los indios son pobres porque no trabajan, porque están durmiendo. Y la práctica me enseña que desde las tres de la mañana estamos afuera de nuestra casita para ir al trabajo. Eso significó mucho para mí para poder decidirme en una lucha. Ésa es mi motivación, pero también es la motivación de todos. Más que todo de los padres de familia. Hacen grandes recuerdos de sus hijos, que hubieran querido tener un hijo a su lado, pero ha muerto de intoxicación en las fincas; ha muerto de desnutrición o simplemente lo han regalado porque no tienen forma de cuidar al niño. Es una historia larga y precisamente cuando se ve la vida de todos los personajes cristianos que vivieron en ese tiempo, la realidad nos demuestra qué papel tenemos que asumir los cristianos como cristianos. Sin embargo, me veo obligada a decir que incluso las religiones están manipuladas por el mismo sistema, están manipuladas por los mismos regímenes que existen en cada lugar. Ellos las emplean a través de sus concepciones o a través de sus medios. Podemos ver, pues, que un cura nunca trabajará en la finca, nunca trabajará en el corte de algodón, en el corte de café. No sabrá decir qué es corte de algodón. Muchos sacerdotes no conocen qué es el algodón. Entonces, a nosotros, la misma realidad nos enseña que, como cristianos, tenemos que hacer una iglesia de pobres, pero que no nos vengan a imponer una iglesia que ni siquiera sabe decir de hambre. Ahí es precisamente donde nosotros sabemos distinguir lo que el sistema ha querido imponer, para dividirnos mejor y para adormecernos como pobres. Entonces, nosotros tomamos esto y eso. Con respecto a los pecados, quiero decir que la concepción, por ejemplo, de la religión católica o de cualquier otra religión mucho más conservadora que la católica, dice que Dios quiere a los pobres y que Dios tiene un gran paraíso para los pobres en el cielo. Entonces hay que conformarse con la vida que uno tiene. Pero precisamente, nosotros como cristianos hemos entendido que ser cristianos no es estar de acuerdo con todas las injusticias que se cometen con nuestro pueblo. No es estar de acuerdo con toda la discriminación que se comete en contra de un pueblo humilde que ni siquiera sabe comer carne y después se le humilla más que a un caballo, podría decir. Todo esto lo hemos descubierto viendo todo lo que ha pasado en nuestra vida. Claro, este despertar que existe en el indígena no nació de un día a otro, porque tanto la Acción Católica, las otras religiones, como el sistema, todos han tratado de dejarnos como estamos. Mientras que no nazca del mismo pueblo, lo que es la concepción de cada religión, es para mí un arma principal del sistema. Claro, para la comunidad no era difícil entender todo lo que se refiere a opinar todo lo que se refiere a nuestras medidas de seguridad porque es una relidad que vivimos.

Como decía, para nosotros la Biblia es un arma principal que nos ha enseñado a caminar mucho. Y, quizá, para todos los que se llaman cristianos, pero los cristianos de teoría no entienden por qué nosotros le damos otro sentido, precisamente porque no han vivido nuestra realidad. En segundo lugar, porque quizá no saben analizar. Yo les aseguro que cualquier gente de mi comunidad, analfabeta, que la mandaran analizar un párrafo de la Biblia, aunque sólo lo lean o lo traduzcan en su lengua, sabrá sacar grandes conclusiones porque no le costará entender lo que es la realidad y lo que es la distinción entre el paraíso afuera, arriba o en el cielo, y la realidad que está viviendo el pueblo. Precisamente nosotros hacemos esto, porque nos sentimos cristianos y el deber de un cristiano es pensar cómo hacer que exista el reino de Dios en la tierra, con nuestros hermanos. Sólo existirá el reino cuando todos tengamos qué comer. Cuando nuestros hijos, nuestros hermanos, nuestros papás no se tengan que morir de hambre y de desnutrición. Eso sería la gloria, un reino para nosotros porque nunca lo hemos tenido. Es exactamente diferente a lo que piensa un cura. Pero tampoco es general, pues, porque hay muchos curas que llegaron a nuestra región que eran anticomunistas y sin embargo comprendieron que el pueblo no era comunista sino que era desnutrido, vieron que el pueblo no era comunista sino que era discriminado por el sistema. Así es cuando ellos optaron por la lucha de nuestro pueblo, optaron por la realidad que vivimos precisamente los indígenas. Claro, muchos curas se llaman cristianos pero defienden sus pequeños intereses. Para no golpear esos pequeños intereses, se aislan del pueblo. Mucho mejor para nosotros, porque sabemos que no necesitamos un rey que esté en un palacio sino que necesitamos un hermano que esté viviendo con nosotros. Nosotros no necesitamos un jefe que nos enseñe dónde está Dios, o si existe o no existe, sino que nosotros, a través de nuestra concepción, creemos que hay un Dios, pero ese Dios es padre de todos y al mismo tiempo no está de acuerdo cuando uno de sus hijos está muriéndose o es infeliz y que no tenga ni una alegría. Consideramos que cuando empezamos a emplear la Biblia, cuando empezamos a estudiar la Biblia de acuerdo a nuestra realidad fue porque en ella encontramos un documento que nos guía. Tampoco es el documento principal para hacer el cambio, sino que cada uno de nosotros tiene que conocer nuestra realidad y optar por los demás. Era más que todo, nuestro estudio. Si tuviéramos otro medio como estudiar, tal vez sería diferente. Pero, hemos entendido que cualquier ser de la naturaleza sirve para cambiar al hombre cuando el hombre está dispuesto a cambiar. Consideramos que la Biblia es un arma fundamental para nuestro pueblo. Hoy día, puedo decir que es una lucha incontenible. Es una lucha que ni el régimen ni el imperialismo pueden detener porque es una lucha de hambre, de miseria. Ni el régimen ni el imperialismo pueden decir, no tengan hambre, mientras que todos estamos muriendo de hambre.

Con respecto a la autodefensa, como decía, empezamos a estudiar la Biblia. Empezamos a perfeccionar nuestras armas populares. Sabíamos muy bien que el régimen, que los cobardes de los soldados... Tal vez es muy duro que hable así, pero no puedo decir otra palabra ante ellos. Nuestras armas eran tan simples. Pero sin embargo no eran tan simples. Cuando empezamos a utilizar todo esto, que todo el pueblo tenemos armas populares... Como dije una noche que llegaron los soldados, el pueblo no estaba en casa. Todo el pueblo había salido de la población, hacia el campamento de la aldea. Comprobaron que nos habíamos ido de la aldea y pensaron que en el día tal vez les salía mejor tomar la aldea. Otro día, el menos pensado, quizás unos quince días más tarde, estaban nuestras postas haciendo vigilancia y entró el ejército en nuestra aldea. Nosotros estábamos construyendo las casitas de los vecinos. Nos hacían falta unos ranchitos por allí. Eran dos las postas. A uno que le tocaba avisar a la comunidad y al otro entretener o detener al ejército cuando entrara. Estaban conscientes de que tenían que dar su sangre por su comunidad. En este caso el que no pueda salvarse estará dispuesto a aceptar la muerte. Llegó el ejército, entraron dos primero que iban disfrazados. Como los niños saben muy bien cuáles son las características del ejército, por su forma de caminar, su forma de vestir, su forma de todo, las postas descubrieron que eran soldados disfrazados. Pedían nombres de algunos compañeros de la comunidad para agarrarlos o secuestrarlos. Una de las postas logró irse, se pudo escapar, y fue inmediatamente a avisar a la comunidad que el enemigo estaba cerca. Se le preguntó muy bien si era cierto o no. "Sí, es cierto, allá viene el soldado y son dos, pero cuando me subí, vi a los otros que vienen más allá y vienen con uniforme verde olivo." Toda la comunidad se tuvo que escapar inmediatamente fuera de la aldea y nos concentramos en un solo lugar. Teníamos tanta pena que la otra posta no apareciera. Eran capaces de haberle secuestrado. Pero apareció después y contó cuántos soldados llegaron, cómo era cada uno de ellos. Qué tamaño de armas llevaban. La retaguardia y la vanguardia del ejército. Esa información nos ayudó a nosotros a pensar porque era de día y no teníamos puestas las trampas. Entonces dijimos: ¿qué vamos a hacer con este ejército? Entraron a la aldea y empezaron a pegar a los perros, a matar a los animales. Entraron a las casas y robaron todo. Nos buscaban como locos. Entonces preguntamos, quiénes se ofrecen a exponer su vida en esta situación. Yo la primera y mis hermanos y otros vecinos inmediatamente levantamos la mano. Se planificó darle un susto al ejército para demostrarle que nosotros somos un pueblo organizado y no sólo estamos pasivos esperando al ejército. Menos de media hora tuvimos para planificar el modo en que la gente iba a desarmar al ejército. Sacamos gentes: quiénes iban primero, segundo, tercero, cuarto para agarrar al ejército. ¿Cómo lo vamos a hacer? No teníamos capacidad de agarrar los noventa soldados que entraron en la aldea, pero siquiera a la retaguardia. Mi aldea es una aldea muy retirada del pueblo, muy montañosa. Para pasar a otra aldea hay que atravesar montañas. Tenemos un caminito donde apenas pasan los caballos para ir a la aldea... Hay grandes ríos cerca de la casa. El camino no es recto sino que hace curvas. Entonces dijimos, vamos a esperar al ejército en una curva y cuando pasen todos los soldados le vamos a hacer una emboscada al último. Sabíamos que exponíamos todos la vida, pero, sin embargo, estábamos claros que era con ese ejemplo que se iba a hacer mucho en beneficio a la comunidad para que el ejército no llegara constantemente a vigilarnos. Y así fue, de modo que sacamos a una compañera más joven, una compañera muy señorita todavía, la más bonita de la comunidad. Ella también exponía la vida y se exponía a ser violada. Sin embargo, ella dijo, yo estoy clara que si éste es mi papel en la lucha, tengo que hacerlo. Si esta es mi contribución por la comunidad, lo voy a hacer... La compañera se adelantó por otros caminos, llegó al camino donde el ejército tenía que pasar al salir de la aldea y nosotros montamos una emboscada. No teníamos armas de fuego, teníamos nuestras armas populares. Habíamos inventado un coctel Molotov. En un frasco de gaseosa habíamos echado gasolina, un poco de hierros, así revueltos con aceite, con una mecha. De modo que si en un momento el ejército agarra a uno, o que no podamos hacer nada, les prendíamos fuego encima. Ese coctel tiene capacidad para quemar a dos o tres soldados porque se pegaría encima de los soldados y les quemaría la ropa. Teníamos hondas, o sea, las que usaban nuestros abuelos para cuidar la milpa cuando está dando elote. Los pájaros se ponen encima de la milpa comiendo los elotes. Tenemos hondas que impulsan una piedra lejos y cuando uno mide bien donde va la piedra, llega al lugar que uno desea. Teníamos machetes, piedras, palos, chile, sal. Todo lo que se trata de nuestras armas populares, pero no teníamos armas como las que tiene el ejército. Se dijo en la comunidad que la muchacha que iría en camino, trataría de coquetear al último soldado y trataría de detenerlo para hablar con él. Estábamos numerados quién caía primero, sobre quién iba apantallar al soldado, quién iba a asustarlo y quién iba a desarmar al soldado. Cada uno de nosotros teníamos que asumir una tarea concreta y específica a la captura del soldado. Primero pasaron los desarmados que eran los judiciales, los soldados disfrazados. Pasaron los demás. Toda la tropa tenían como dos metros de distancia y así fue cuando vino el último. La compañera venía en el camino. No hizo caso a los otros y fue milagro que no la violaran puesto que los soldados, cuando llegan a la región, tratan de agarrar a las muchachas para violarlas y no les importa quién es ni de dónde viene, pues. La compañera iba decidida a sufrir cualquier cosa. Se encontró con el último soldado y le preguntó a dónde fueron. Entonces el soldado empezó a decirle: "Fuimos a esta aldea y ¿no sabes qué se hicieron la gente?" La compañera dijo: "No, no sé." "Dos veces que llegamos y no hay nadie", dijo el soldado, "y allí vivían". Mientras, uno de los vecinos se tiró al camino, otro venía atrás del soldado. A mí me tocó tirarme arriba del camino, de modo que descontrolábamos al soldado. Uno de nuestros compañeros le dijo: "No te mueves, manos arriba." Entonces lo que pensó el soldado es que tal vez tenía un arma en la cabeza o atrás, o lo que fuera, y no hizo nada. Vino el otro compañero y dijo, "Tira el arma"; entonces tiró el arma. Le quitamos la cintura. Registramos su bolsa. Le quitamos granadas, todo y le llevamos el arma. Era muy chistoso para mí y es algo que nunca voy a olvidar porque no sabíamos cómo manejar el arma. Recuperamos un arma larga, grande; recuperamos una pistola pero no sabíamos ni usar ni siquiera la pistola. Me recuerdo que yo le quité la pistola al soldado y se la puse enfrente, haciendo como si supiera usarla y yo no sabía nada. Me la hubiera podido quitar porque yo no sabía usarla. Pero lo llevamos a punta de arma. Lo hicimos subir a los montes para que si los otros regresaban no nos encuentren en el camino porque sería soportar una masacre. En esa actividad habían participado dos compañeras como de cuarenta y cinco años y un compañero de cincuenta años. La compañera que conquistó al soldado era como de catorce años. Llevamos al soldado ya desarmado a mi casa, empleando todas las medidas necesarias. O sea, le tapamos los ojos para que no conociera la casa donde iba. Le hicimos perderse. Le dimos muchas vueltas cerca del lugar para que se descontrolara. Llegamos en casa. Para mí era una risa; y no aguantaba la risa porque no sabíamos usar el arma. Había una alegría en nosotros, una alegría en la comunidad. Cuando llegamos al lugar cerca de donde está el campamento, toda la comunidad nos estaba esperando. Y que llegamos con nuestro soldado capturado. Llegamos a mi casa. Estuvo mucho tiempo, le quitamos el uniforme que llevaba, le pusimos un pantalón viejo, una camisa vieja, de modo que si vinieran sus compañeros —tratábamos de dejarle amarrado—, no diera pista de que era un soldado. También teníamos la idea que esa ropa nos iba a servir para confundir a los otros soldados después. Fue una actividad muy linda, donde todas las madres de esa aldea rogaron al soldado que llevara un buen mensaje al ejército donde estuviera para que todos los soldados que estaban ahí pensaran un poco en nuestros antepasados. El soldado era un indígena de otra etnia. Las mamás le decían que cómo era posible que haya llegado a ser un soldado, un enemigo de su etnia, de su pueblo, de su raza indígena. Que nuestros antepasados nunca enseñaron esos malos ejemplos. Le rogaron que ese soldado fuera una luz en el campamento donde estaba. Las madres le hacían ver que para dar la vida a un hijo, se necesitan muchos esfuerzos, mucho trabajo y para crecerlo también. Y después que fuera criminal como él. Ellas no lo soportaban. Todas las madres de la comunidad pasaron frente al soldado, después los hombres también le rogaron que fuera a contar su experiencia al ejército y que asumiera el papel, como soldado, de conquistar a sus compañeros para que no fueran tan criminales como lo son y que no violen a las mujeres de los mejores hijos de nuestro pueblo, los mejores ejemplos de nuestros antepasados y una serie de recomendaciones. Después se le dijo al soldado que somos un pueblo organizado, que es capaz de dar hasta las últimas gotas de su sangre, pues tiene que responder a todo lo que el ejército hace. Y le hicimos ver que el soldado no es culpable sino que los culpables son los ricos, y los que no exponen su vida, y los que están en una casa buena. Los que están para elaborar papeles. Que el soldado es el que anda en las aldeas para arriba y para abajo buscando atropellar a su pueblo y asesinando a su pueblo. Ese soldado se llevó una gran impresión, un gran mensaje. Inmediatamente nos surgen otras ideas, pues queríamos utilizar ese arma pero no podíamos hacer nada. No era tan sólo por matar al soldado, porque nosotros estábamos claros que una vida vale más que muchas vidas. Sabíamos que ese soldado trataría de ir a decir lo que vio y lo que sintió y lo que le hicimos y eso significaría para nosotros una masacre donde tendrían que morir niños, mujeres, hombres y ancianos de la comunidad; donde todo un pueblo tendría que morir masacrado. Entonces dijimos, lo que vamos a hacer con este hombre es ajusticiarlo, matarlo. Pero no matarlo aquí en la comunidad sino fuera. Inmediatamente al pueblo, ante todo el riesgo que corríamos, le surgían nuevas ideas de qué hacer. Nos decidimos, aunque tuviéramos que morir, pero que ese soldado verdaderamente cumpliera con el papel que tenía que cumplir y que le recomendamos. Después de unas tres horas que lo teníamos allí, lo dejamos ir. El soldado todo disfrazado. Todos sus compañeros, o sea la tropa de noventa soldados, ya no regresaron ante su cobardía, pues pensaron que eran guerrilleros los que habían hecho la emboscada. Entonces lo que hicieron es que corrieron más hacia el pueblo. Se fueron rápido y no trataron de defender al compañero de ellos que había quedado. Nosotros no matamos al soldado, los mismos soldados se encargaron de matarlo a él cuando llegó nuevamente al campamento y le dijeron que era un infiltrado porque cómo era posible que se quedó y después regresó. Ellos dijeron que la ley decía que el hombre que abandona el arma es hombre fusilado. Entonces lo mataron. Ésa era la primera actividad que hicimos en mi aldea y estábamos felices. Teníamos dos armas, teníamos una granada, teníamos cartuchos de balas pero no sabíamos cómo utilizarlas, nadie sabía. Todo el mundo estaba ansioso para buscar una gente que nos enseñara pero no sabíamos dónde ni con quién, ya que si íbamos con cualquier persona éramos acusados como guerrilleros que portamos armas. Y nos daba pena abrir el arma y de ver qué era lo que llevaba dentro, porque sentíamos que mataba a otros o les salía las balas por dondequiera. No pudimos usar el arma, sin embargo, nuestros padres guardan sus materiales cuando es importante. Por ejemplo un machete que no sirve por el momento, le tratan de poner aceite y envolverlo en bolsas de plástico para que no se oxide, no le entre la humedad o la lluvia. Y eso tuvimos que hacer con las armas porque no sabíamos cómo utilizarlas. Desde ese tiempo el ejército tenía una cobardía de llegar a nuestras aldeas. Nunca volvieron a la aldea ya que para llegar tenían que pasar por montañas. Si van por avión de todos modos tendrían que pasar por encima de montañas. Tenían un terror de las montañas y de nosotros. Nosotros estábamos felices. Para nosotros era la alegría más grande que existía. Tratamos de unirnos todos. Nadie bajó a la finca, nadie bajó al mercado, nadie bajó a otros lugares porque sería secuestrado. Lo que hicimos fue salir por montañas, ir a otros pueblos donde venden una sal del lugar, o sea, unas piedras negras. Pero es sal. No sé si sólo en Guatemala existe pero es una piedra negra, negra y esa piedra es sal. Tiene un sabor muy lindo, muy precioso. Entonces, conseguir piedras grandes y tratar de comer con esas piedras grandes y no comprar sal en el mercado. Entonces los compañeros salieron por otros medios a buscar sal. Esas piedras se dan en Sacapúlas, un pueblo del Quiché que es un pueblo muy raro porque está ubicado en el altiplano, en donde hace frío. Pero cuando se baja un poquito, es caliente. Está en un barranco, y ese barranco produce toda clase de frutas que se produce en la costa sur. Da mangos, sandías, plátanos. Allí se encuentra esa piedra de sal. Tratan de vender esa piedra y la venden muy barata porque nadie la compra. Se dice que es sal de los indios, como la llaman en Guatemala. Nosotros no comemos azúcar, no estamos acostumbrados a tomar café. Vivíamos con nuestro atol, la masa de maíz haciéndola atol. Era nuestra bebida. Producíamos maíz en nuestros lugares. Nos unimos todos para cultivar mejor y apropiarnos de nuestra pequeña tierra. Los terratenientes tenían un miedo de acercarse a nuestra aldea porque pensaban que serían secuestrados allí o que iban a enfrentar una aldea organizada. Entonces, no se acercaban. De modo que los terratenientes se fueron. Ya no nos amenazaban como antes. Los soldados ya no llegaban. Nos quedamos en nuestra pequeña tierra como dueños. Empezamos a cultivar, ya no bajar al pueblo. Era una disciplina que teníamos que cumplir en la comunidad por guardar la vida de todos y exponerla cuando haya necesidad. Desde en ese tiempo mi comunidad estaba organizada. Yo no podía ya estar más allí porque no tenía un papel importante que asumir en mi comunidad, ya que toda mi comunidad era capaz de dirigir su lucha, era capaz de organizarse y de opinar y de sacar cosas inmediatas. Con un papel de dirigencia o de una persona principal que tiene que decir todas las cosas, no había espacio. Entonces, yo me decidí a salir de la comunidad, ir a otra comunidad a enseñar; a poner en práctica las trampas que mi aldea había descubierto y que mis mismos vecinos han puesto en práctica. Así es cuando yo paso a otra aldea a enseñarle a la gente.

XVIII

ACTIVIDAD POLÍTICA EN OTRAS COMUNIDADES. AYUDA A SUS AMIGAS VIOLADAS POR EL EJÉRCITO. PROBLEMAS DE COMUNICACIÓN POR LAS DIFERENCIAS DE LENGUA. TOMA DE LA ALDEA POR EL EJÉRCITO. UN SOLDADO HECHO PRISIONERO

"No esperéis que los extranjeros os recuerden lo debido, que para tal empeño tenéis conciencia y espíritu. Todo lo bueno que hagáis ha de salir de vuestra iniciativa."

Popol Vuh

En ese tiempo yo estaba libre. Mi padre me decía, tú eres independiente, tú tienes que hacer lo que quieres hacer, pero siempre y cuando vaya en función de nuestro pueblo. Era la idea de mi padre. Yo tenía la plena libertad de decidirme, de irme a otro lugar. Entonces yo dije: "Yo me voy." Precisamente porque nosotros, en la aldea, no nos secuestró ningún soldado. No violó a ninguno. Pero en otras aldeas, yo no soportaba, muchas mujeres, cientos de mujeres, señoritas, viudas, estaban embarazadas porque los soldados las obligaron a utilizarlas sexualmente. A mí me daba vergüenza de quedarme en mi lugar tan sólo porque yo estaba tranquila y no pensar en los otros. Entonces decidí irme. Mi padre sabía y decía, donde te estás metiendo es posible que no seas dueña de tu vida. Te matan en un momento. Te matan mañana, pasado mañana o cualquier tiempo. Pero yo sabía que era un compromiso que yo tenía que cumplir de ir a enseñar a las otras gentes como se tienen que defender en contra de un enemigo. Un compromiso con el pueblo y, precisamente, un compromiso como cristiana que soy, que tengo fe y que creo que existe una alegría para todos pero esa alegría está acaparada por unos cuantos. Era mi motivación. Tenía yo que enseñar a los otros. Por eso me fui a la comunidad más necesitada, donde estaban más amenazados y donde yo ya tenía amigas. En las fincas conocí a muchas compañeras, amigas de esa comunidad y también las conocí cuando íbamos al río a buscar los animalitos, los jutes para vender en el pueblo. Esas amigas también buscaban. Es como caracolitos y cuando se venden en el mercado, la gente los come mucho porque vienen de la montaña. Entonces, todos los domingos, mi mamá también bajaba al río a agarrar todos los animalitos, a pescar los jutes y al siguiente día los llevaba al mercado para venderlos. Lo hacen más las mujeres porque los hombres, todos los sábados se dedican a arreglar los corrales para los animales o a hacer pequeños trabajos en la casa que nunca en la semana tienen tiempo de hacerlo. Así es cómo nosotras nos dedicamos a buscar jutes. Al mismo tiempo las mujeres tenemos mucho amor al río. Entonces, es un ambiente muy lindo cuando una baja al río, aunque todo el día tengamos que pasar en el río buscando los jutes en las piedras. Pero, para mí, era un gozo. Así eran las amigas mías y nos conocimos y se confirmó nuestra amistad cuando estábamos en las fincas, precisamente en corte de algodón, cuando ellas eran muy chiquitas. Y, como el corte de algodón tiene tres manos, como decimos en Guatemala. La primera mano le toca cortarla a los adultos. El algodón está como esponja, como nieve. Pero la segunda mano también parte le toca a los adultos. La tercera mano les toca a los niños ya que los niños se meten abajo de los árboles. El algodón no es alto, sino que es pequeño. Un metro de altura y los más grandes a dos metros o metro y medio. Entonces, los niños se meten abajo del algodón para sacarlo todo ya que no se tiene que perder ninguna parte del algodón, pues no nos pagan lo que supuestamente nos deben de pagar. Entonces, con esas amigas, muchas veces hacíamos tratos de que yo ya era grande y ellas chiquitas. Entonces yo hacía la segunda mano, por ejemplo, y mis amigas hacían la tercera mano. Se metían abajo y yo arriba. Así es cuando hablamos, cortando algodón. Nos hicimos muy amigas. Y cuando oigo la noticia de mis vecinos, que dijeron que tales fulanas fueron violadas por el ejército, a mí me daba rabia todo eso. Pensar que mis amigas eran lindas, eran humildes. Más por eso me decidí. Yo decía no es posible que eso pasara así, y que yo me quedara en casa. Claro, no estábamos con un territorio liberado sino que de un rato al otro se temía al enemigo ya que el régimen siempre cuenta con maquinarias modernas, cuentan con armas modernas, entonces era posible que hubiera una masacre en mi aldea. Sin embargo, yo sentía más necesidad de estar en otro lugar y me trasladé a otra aldea. Pude estar cerca de mis amigas y me contaban todas sus desesperaciones de haber sido violadas. Eran cuatro amigas. Dos de ellas se quedaron embarazadas del ejército y las otras dos no. Pero estaban enfermas porque las habían violado cinco soldados cuando llegaron a su casa. Una de las dos embarazadas me decía, cuando estuve viviendo en su casa: "Odio a ese niño que tengo y no sé que hacer con él. Este hijo no es mi hijo", y se afligía y lloraba y todo. Pero yo le decía: "Tú tienes que amar a tu hijo: no tuviste la culpa." Y ella decía: "Porque yo odio al soldado. Cómo es posible que tenga que alimentar al hijo de un soldado", decía la compañera. Abortó al niño. Pero con la ayuda de la misma comunidad; ella era de otra etnia. La misma comunidad le ayudaba y le decía que no era un caso raro sino que así fue con nuestros antepasados que fueron violados, que tuvieron hijos sin querer, sin amor de tener un hijo. Pero sufrían mucho las dos amigas. Yo no sabía qué hacer, me sentía cobarde.

En esa comunidad hablábamos la misma lengua. Lo que pasa es que en Guatemala la lengua quiché domina mucho. Las principales lenguas son la quiché, la cakchiquel y la mam. De las tres madres se desprenden todas las series de lenguas que existen. Sin embargo no es que siempre en una etnia se hable la misma lengua. Por ejemplo los ixiles, son quichés pero no hablan quiché y sus costumbres son diferentes a las del quiché. Entonces, es una conjunción de etnias y de lenguas y de costumbres y de culturas, etcétera. O sea, que existan tres lenguas madres no quiere decir que todos nos entendamos. No nos entendemos. Era así con las compañeras. Eran de otro pueblo, de otra comunidad. Nos entendíamos, aunque con muchas deformaciones de la misma lengua...

Las dos no embarazadas que fueron violadas tendrían sus catorce años. Estaban muy malas y yo no sabía qué era lo que tenían, pues. Una no podía caminar bien y a la otra le dolía mucho, mucho el estómago. Ella decía que le dolía el estómago, y yo, sinceramente, ante eso, no tenía conocimiento. Y las dos embarazadas rechazaban a sus niños y no querían ser madres de los hijos de los soldados. Yo me sentía cobarde ante eso. No sabía qué hacer. Sentía grandes lástimas de verlas. Era muy confusa la situación de ellas. Para ellas mi estancia fue muy favorable porque yo las acompañaba como cuando éramos jóvenes, cuando éramos más niñas. Así es como empezamos a implementar las mismas trampas, aun con otras opiniones, ya que esa misma comunidad tenía muchas cosas ocultas y que no habían implementado por respeto hacia todos esos instrumentos. Entonces, vimos la gran necesidad que había de implementarlo porque valía más la vida, aunque descubran muchos de nuestros secretos como indígenas. Y empezamos a utilizarlos. Otra comunidad que quedaba cerca del lugar donde yo estaba, el pueblo de Cotzal, estaba muy perseguida. Fue muy reprimida en el año 1960. A partir de ese tiempo, fue masacrada, fueron violadas muchas mujeres, fueron torturados muchos hombres. Entonces a esa aldea, vino una señora, era una anciana. Entre nosotros, en Guatemala, desgraciadamente, como decía mi abuelo, hoy día no podemos vivir mucho tiempo. Sino la edad que una persona aguanta, son unos sesenta años, o sea la esperanza de vida. Muy pronto se muere la gente por todas las condiciones. Pero la señora era muy admirable; era un caso en la aldea. Tendría sus noventa años, por ahí. Le acababan de matar a su último hijo. En primer lugar le mataròn a su marido. El marido fue al pueblo, y ya no regresó. Para ir a buscarlo se fue el otro hijo y ya no regresó. El otro se fue, tampoco regresó. Los otros fueron secuestrados en casa. De modo que dejaron la ancianita sola. La anciana buscaba refugio y yo estaba en la aldea. Entonces, con los compañeros habíamos implementado la autodefensa como lo implementamos en mi aldea. Habíamos puesto en práctica todas las trampas de la misma aldea. Entonces, decían mis compañeros que había una anciana que quiere venir a nuestra comunidad y piensa que aquí debe también estar. Entonces yo les decía: "Cómo no, pues, se trata de ayudarnos y de defendernos hasta lo último." Que si el ejército entra a horas de la noche, ya estaba la ancianita. Entonces dijimos que antes de que entrara la noche, todos nos teníamos que ir al monte a dormir. En la noche hacíamos guardias combinadas. Un muchacho o una señorita o un señor y una señorita, y así nos turnábamos para cuidar la comunidad toda la noche. Ya era un cambio en la concepción de la aldea. La misma aldea pedía que combináramos las tareas por una razón. Porque para hacer la guardia de noche teníamos que hacer la imagen de un tronco, sin movernos, porque sino seríamos carne de cañón del ejército. Entonces la compañera tendría que estar por un lado, como dando la imagen de algo diferente a un hombre. La concepción de la misma aldea. Las mismas trampas eran diferentes. Las armas eran diferentes. De acuerdo con las costumbres de los compañeros de la comunidad. A mí me aceptaron, aunque debo decir que entre nosotros los indígenas, desgraciadamente nos separan las barreras étnicas, las barreras idiomáticas: es algo característico de Guatemala. Existimos en un pequeño lugar y tanta barrera no permite el diálogo de unos a otros. Al mismo tiempo entre nosotros los indígenas, decimos aquí está mi etnia y aquí tengo que estar, pues. Otra etnia no tiene por qué venir a meterse en esta etnia. Todas las barreras que el mismo régimen alimenta cada vez más. Entonces empezamos a trabajar, me aceptaron muy bien, por toda la utilidad que daba a la aldea.

Así es cómo el ejército toma la aldea en la noche. Y cuando oían los perros, disparaban a lo loco al aire. Disparaban por todas partes y nadie estaba en su casa. Prácticamente la aldea había sacado todas sus cosas de las casas y las había llevado a su campamento de aldea de la comunidad. Entonces aunque el ejército quisiera robar, nada había en las casas. Y aunque quemaban las casas, no significaban mucho ya que las mismas montañas cubrían a las comunidades. Así es cuando van dos, tres, cuatro noches. La anciana señora se aburría. No aguantaba el frío. Llovía mucho, mucho. Cuando empezaban los torrentes de lluvia en la noche, el agua pasaba abajo de los campamentos que teníamos en la montaña y nos mojábamos todos. Entonces la señora ya era grande, no aguantaba el frío y un día se decidió. "Que me maten pero yo ya no me voy con ustedes a la montaña." Para nosotros era difícil aceptar de dejar una buena anciana que nos había enseñado tantas cosas y que incluso nos había ayudado a perfeccionar muchas cosas a través de su experiencia como anciana. Entonces la comunidad dijo que no estaba de acuerdo con que la señora se quedara en su ranchito. Pero ella dijo: "No, me quedo. Tengo que quedarme aquí. Si me matan, que me maten, pues, yo no tengo hijos, no tengo nietos, todos mis nietos han sido secuestrados y, no hay por quién, pues. Y, aunque si he contribuido, pero ésta fue mi parte." Entonces, con tanta tristeza, con tanto dolor hubo de dejar a la señora en su casa. Entra la noche y nos vamos todos para la montaña. Individualmente salimos y nos encontramos todos en la montaña. En todas las casitas habían trampas en las puertas de las casas. La trampa consiste en un palo, una zanja grande, grande. Como de la profundidad entre el techo y el piso. Ese hoyo está atravesado por un palo y encima se le pone una tabla de modo que el que se pare encima, se va al hoyo. En el día se arregla pero en la noche se pone. Eso lo sabíamos nosotros, y toda la comunidad para que nadie de nosotros se fuera al hoyo. Y la señora puso su trampa. La señora puso su trampa, preparó su hacha, su machete, sus azadones, sus piedras, todo lo que necesitaba para defenderse, lo puso en un lugar y se durmió. Nosotros fuimos y vimos que nos dieron la seña desde lejos. Siempre tenemos compañeros que vigilan en los puntos principales por donde entra el ejército. Entonces los compañeros nos dieron la seña a través de ocotes. Encendían una gran llama y según las vueltas que le da el compañero a la llama significa el número de soldados que entran en la aldea. Y cuando sale el ejército, el compañero también tiene que hacer la seña para indicarnos si salieron todos o si no salieron todos. Entonces, todo el mundo estaba desesperado. Yo, de mi parte, estaba desesperadísima porque estaba segura que iban a matar a la señora o la iban a violar porque yo sabía que esos asesinos eran tan criminales, que no sabían respetar la vida de una persona, de un anciano como de un niño. Les gusta mucho violar a los ancianos como a los niños. Eran como las dos de la mañana, los perros ladraban, disparaban y todo y que no se oían gritos de la señora. Estábamos lejos de la comunidad pero, al mismo tiempo, podíamos recoger todos los sonidos de la aldea. No se oía nada. Pensamos que ya la habían matado a la pobre señora. Eran como las tres y media de la mañana, el compañero dio señas que el ejército había salido de la aldea. Nos indicó el número que había salido. No había salido una parte. Nosotros no sabíamos qué hacer. Entonces, esperamos que amaneciera para ver si regresábamos a la aldea o nos quedábamos en la montaña. Como a las cinco y media de la mañana, casi estaba amaneciendo, y vamos viendo la señora que llega. Cómo es posible que la señora escapó a la muerte. La señora se paró y dijo: "Tengo una sorpresa para ustedes", y se reía y al mismo tiempo lloraba. Pero lloraba de alegría que llevaba. Una ansiedad, algo que se podía ver en la cara de la señora. Y nosotros inmediatamente dijimos que era una oreja. Porque en muchas comunidades han existido orejas que se venden al mismo régimen y puedo decir que no es su culpa sino que es la misma necesidad, obliga a que ellos se vendan. Como son amenazados no ven otra alternativa. Y se prestan como un instrumento para sacar información a la comunidad y pasarla al régimen; lo que causa muchas muertes. Entonces nosotros pensamos que la señora era una oreja, aunque lo dudábamos porque la señora era una persona muy clara. E inmediatamente la comunidad tomó muy en serio la cosa porque ya en ese tiempo estábamos claros que, no es que nos gustara la violencia, pero sí que era la única alternativa que nos quedaba para defender la vida de nosotros, pues la empleábamos con justa razón. Entonces si la señora se vende, tendríamos que ajusticiarla con todo sentimiento. Y la señora dice: "Les traigo una sorpresa. Yo he matado un soldado", dice; "he matado un soldado". Y nadie creía. Claro, cómo era posible creer que la señora que en primer lugar era anciana, en segundo, ya ni veía y en tercer lugar, no tenía armas iguales a las armas del enemigo... Entonces la señora dijo: "Estoy contenta, no quiero morir, quiero vivir más. Yo maté a un soldado." Y nadie le creía. "Yo estoy diciendo la verdad", decía. "Si quieren les enseño las armas." Llevaba el arma grande del soldado, llevaba una pistola y la señora estaba feliz. Enséñame, enséñame cómo se usa esto. Para mí era un sueño, era como una telenovela, de no creer. Después la señora dijo: "Lo que pasó es que entraron en mi casa, lograron brincar la trampa, todos, la mayor parte de los soldados, yo me escondí y salí por otro lado, tratando de escapar de la casa, como me di cuenta que me iban a coger, sólo traje hacha porque no tenía otra cosa. Y al soldado que estaba afuera mirando adentro, yo le di con el hacha en la cabeza y cayó al suelo y los otros pensaron que eran guerrilleros. Entonces por salir corriendo, uno de los soldados cayó en la trampa y el otro estaba rodándose en el suelo. Los demás soldados se encargaron de ametrallar a su compañero que estaba herido. Él estaba tratando de escaparse."

Estaba viejo, y claro, después vimos que la herida no era grande, no era como para que lo mataran. Pero los otros se encargaron de matar a su compañero y se fueron. A eso se debía la seña que nos dieron de que no estaban todos y nos creó más sospechas cuando la señora llegó al campamento, pues sabíamos que todo el ejército no había salido de la aldea. Para mí era un gozo que gozaba tanto, tanto. Y yo decía, esto es el triunfo de nuestros secretos que nadie ha descubierto y eso es lo que necesitamos hacer porque no es justo que la vida de nosotros no valga como la vida de cualquier pájaro y nos matan como nos quieren matar. La señora necesitaba un premio, pero un premio grande. Sin embargo, no sabíamos ni qué darle, pues. Un agradecimiento de lo que ella había hecho. La señora se propuso y dijo: "Yo quiero vivir, yo quiero seguir con ustedes." La señora casi bailaba, ahora tenemos con qué defendernos. Si sabemos manejar esto, tendríamos un arma igual a la que tienen ellos. Esto es lo que mató a mis hijos, dice la señora. Claro, para ella era algo diferente y para nosotros también. ¿Qué hacíamos con el soldado? Porque cayó en la trampa con todo y armas. Incluso tenía granadas. Estaba bien equipado. Pudimos recoger al muerto, lo sacamos de la comunidad y lo fuimos a dejar en un camino donde lo pudieran ver pero que no quemara la comunidad. Aunque de todos modos los otros sabían que allí se quedó. El otro no estaba muerto, estaba vivo, pero en la trampa. No sabíamos qué hacer con el otro porque si nos acercábamos a la trampa, era capaz de ametrallarnos. Entonces, le dijimos que pusiera todas las armas. Le mandamos un lazo al hoyo, hablándole de fuera, diciéndole que nos mandara las armas y que tenía vida, pero que si él se oponía, también se iba a morir. Entonces el soldado que tendría tanta pena de estar en el hoyo, dijo que sí, nos amarró las armas en el lazo y lo sacamos. Pero, ¿quién confirmaba si tenía otra arma? Por eso teníamos grandes penas. Pero muchos de la comunidad dijeron: "Aunque tenga armas, podrá matar uno de nosotros pero no podrá matar a todos." Entonces sacamos al soldado con un lazo y lo jalamos todos. Salió y era cierto que estaba todo desarmado. Nos había entregado todas las armas. Con ese soldado se hizo el mismo método que se hizo con el otro en mi comunidad, y también le decían, cómo es posible que un soldado sea así. Y las compañeras embarazadas tuvieron que explicarle al soldado que ellas estaban criando un hijo de un soldado. Pero que ellas no eran capaces de darle vida a una sangre como la sangre que tiene un soldado. O sea, para el indígena, era algo como un monstruo que no soportaba. Entonces, el soldado lloró y dijo: "Yo no tengo la culpa. A mí me mandan. Antes de venir aquí, nos obligaron", dijo el soldado. "Y si no cumplimos, nos matan. Nosotros obedecemos a un capitán y por medio de ese capitán, nosotros actuamos. Y, si yo me voy del ejército, de todos modos soy enemigo del pueblo y si dejo las armas, soy enemigo del ejército. Entonces, si no me matan por un lado, me matan por otro. Yo no se qué hacer," dijo. Entonces le dijimos que desde ahora, si para él era difícil, que tratara de esconderse o de buscarse qué hacer pero no fuera un criminal como el ejército. Y él nos explicó muchas cosas de las torturas que le daban en el cuartel. Y él decía: "Desde el primer día, cuando yo llegué al cuartel, me dijeron que mis padres eran tontos" —y como él era indígena, también—. Mis padres son unos tontos porque no saben hablar, que a mí me iban a enseñar a hablar como debían de hablar las personas. Entonces, me empezaron a enseñar el castellano y me dieron un par de zapatos que a mí me costó usar, pero sin embargo, los tenía que usar a puros golpes. Me pegaban para que yo me acostumbrara. Después me decían que yo tenía que matar a los comunistas de Cuba, de Rusia. Tenía que matarlos a todos y así es cuando me dan un arma." Nosotros le preguntábamos: "¿Y a quién matas con esta arma? ¿Por qué nos estas buscando a nosotros? ¿Es que te dicen que si tu padre o tu madre están en contra de ti, también esta arma sirve para matarlos?" "Yo uso el arma como me mandan hacerlo. Todo esto no es porque tenga la culpa. A mí me agarraron en el pueblo." Lloraba y a uno hasta le daba ternura como humano que es uno.

En ese tiempo yo ya entendía muy bien la situación, yo sabía que los culpables no eran los soldados. Son los regímenes que obligan también a nuestro pueblo a ser soldados. Ya allí habló el soldado y nos dijo todo lo que hacían. En ese tiempo fuimos más listos, porque la primera vez, como decía, sólo se le rogó al soldado y ni siquiera se le preguntó por qué lo hacía. Ya en el segundo le pudimos sacar muchas informaciones, sobre cómo tratan al soldado en el ejército. "Tenemos que obedecer al capitán. El capitán siempre va detrás y si no cumplimos, nos ametralla." Nosotros le decíamos: "¿Y por qué no se unen, pues, si es un solo capitán?" "Es que no todos pensamos igual", decía. "Muchos han llegado a creer en lo que hacemos." Y le preguntábamos: "¿Y, ustedes, qué defienden? ¿Dónde están los comunistas?" El soldado ni sabía cómo eran los comunistas. Le preguntamos: "¿Qué cara tenían los comunistas?" Y él decía: "Es que nos dicen que están en las montañas, que no tienen cara de gente y así." No tenía ni siquiera idea de lo que estaba haciendo. Entonces le dijimos: "Tu estás defendiendo a un rico. Tú estás defendiendo al poder, pero no estás defendiendo a tu pueblo." "Es cierto", dijo. "Desde ahora, yo ya no voy a regresar. Les prometo, les juro, que no regreso al cuartel." Y nosotros le decíamos, si eres verdaderamente un hijo del pueblo, si verdaderamente te acuerdas de los consejos de nuestros antepasados, tienes que irte a buscar tu vida donde sea pero que no sigas siendo criminal. No nos sigas matando. Y el soldado se fue convencido y supimos que el soldado ya no regresó al ejército, sino que se escondió. Tal vez lo hayan matado o estará vivo, pero el soldado ya no regresó al campamento. Y era la segunda experiencia que yo tenía en lo organizativo, en la lucha del pueblo. Mis sueños eran seguir luchando y conocer más a mi pueblo indígena de cerca. Al mismo tiempo, me preocupaba mucho todo lo que era de nuestros antepasados, seguir poniéndolo en práctica; aunque las torturas, los secuestros, han dañado mucho al pueblo. Pero no por eso tenía que perder su esperanza en el cambio. Así es cuando empecé a trabajar ya como organización campesina y pasé a otra etapa de mi vida. Ya son otras cosas, otras formas.

XIX

MUERTE DE DOÑA PETRONA CHONA

"Inhumanos serán sus soldados, crueles sus mastines bravos."
Chilam Balam

Y hay algo que no dije anteriormente y que creo oportuno decir, cuando hablaba de los terratenientes en mi región, los García y los Martínez. Vi un caso que ahora me recuerdo, pues me vienen también los recuerdos de la vida de otras personas. El año 1975, los García, que tienen una plaza cerca de mi tierra, trataban que todos los indígenas vendieran su maíz, su fríjol allí para comprarlo barato y ellos transportarlo a otros lugares donde cobraban más caro. En esa finca también estuve trabajando muchas veces en mi niñez ya que quedaba muy cerca de la casa. Me tocaba cortar café. Allí se daba más el café. Los bananos eran la sombra del café. Entonces, el terrateniente este, no dejaba que nosotros cortáramos los bananos por ser la sombra del café. Se pudrían los bananos en el tallo y todos nosotros teníamos hambre y no podíamos comer el banano. Y tenía una amiga que se llamaba Petrona Chona: esa amiga tenía dos niños. El niño tendría sus dos años y la niña tendría sus tres años. Tenía marido. Petrona era muy jovencita y su marido también. Trabajaban los dos en esa finca de los García. Llegó un momento en que el hijo del terrateniente, Carlos García se llama el hijo, empezó a cantinear a la señora. Lo odio en lo más hondo de mi ser. Entonces le decía a la señora que si quería ser amante de él. Ella era indígena. Dice ella: "¿Cómo es posible, pues? Yo soy una mujer casada." Entonces, él siguió con tantas amenazas hacia la señora... Le decía que la quería, que la quería y que la amaba y todo. Todos los días llegaba al trabajo el hijo del terrateniente y como no tenía qué hacer, se dedicaba a eso. Un día viernes la señora no fue a trabajar porque estaba enfermo su niñito, que quedó en casa. Vivían en la finca. Pagaban renta y trabajaban de mozos y no ganaban. Lo que ganaban era la renta del terreno y para la casita que tenían. La señora me decía que se desesperaba mucho porque nada comían y trabajaban todo el tiempo. Un día viernes se quedó en casa y el hijo del terrateniente llegó a la casa de ella. Fue a buscarla al trabajo y como no la encontró, fue a la casa, al ranchito; y allí le empezó a decir que si quería ser amante de ella y que si dejaba hacer uso de ella al hijo del terrateniente. Ella estaba muy preocupada por su niño y dijo que no y que no. Estuvieron discutiendo mucho y desgraciadamente estábamos trabajando un poco lejos. Había mozos cerca de la casa pero estaban trabajando. Por fin ella no quiso dejarse y se fue el hijo del terrateniente. Lo que hizo el asesino Carlos García, fue a mandar al guardaespaldas de su papá a asesinar a la señora en casa. Pero él dijo al guardaespaldas que no la tenía que matar con armas de fuego sino que la tenía que matar a puros machetazos. Claro, el guardaespaldas lo hacía también por obedecer y se vino a la casa de la señora y la empezó a machetearla de sorpresa. Es el primer cadáver que vi en la vida y por eso decía, me tocará narrar muchos cadáveres que he recogido pero fue el primero que recogí. Y, macheteó a la señora, le quitó un dedo al niño, pues la señora llevaba a su niño en la espalda y el otro salió corriendo de la casa del susto. Le quitó al niño de la espalda, lo puso por un lado y macheteó a la señora de modo que la partió si no me equivoco, en veinticinco pedazos. En pedacitos se quedó la señora. No se me olvida porque, antes, en la mañana, la señora habló conmigo. Me decía que iban a abandonar la finca, y sin embargo, no le dio tiempo. La señora gritó pero nadie de los mozos se acercó porque vieron que primero llegó el hijo del terrateniente y después llegó el guardaespaldas. Entonces ¿quién de los mozos se metía? De plano que iba a ser también asesinado o despojado del trabajo. Entonces, la dejaron en pedazos a la señora. El día viernes en la tarde fui a ver el cadáver de la señora, tirado en el suelo. Por un lado estaban todas sus partes. Y no creía que era Petrona la que estaba allí tirada. Se quedó allí. Nadie se animaba a levantarla. Ni la comunidad. Llegó mucha gente. Y como trabajaban allí diferentes gentes, venían de diferentes lugares, nadie se acercaba del cadáver de la señora. Mi papá llegó y lloró de ver la señora. Decía, tan buena gente que era doña Petrona. Nadie lo creía. El niño se recogió y le amarramos su dedito de modo que no saliera tanta sangre. No sabíamos qué hacer. Se quedó allí en la noche, la mañana del sábado.

Entre la noche del sábado y el domingo. Nadie podía recogerla. Mi papá dijo, bueno, sí, nos toca recoger a la señora. Ya ella hedía mucho. Lejos de la casa iba el olor de la señora. Mi papá decía, sí, nos toca recogerla, lo tenemos que hacer. Y como en la ley de Guatemala, no hay que recoger un cadáver mientras que no llegan las autoridades, nosotros inmediatamente avisamos a las autoridades. Pero como las autoridades viven en el pueblo y no vendrían hasta que se desocuparan, entonces no llegaron sino el lunes. Y el domingo el cadáver tenía ya moscas y todo eso. Y es un lugar muy caliente y el olor y todo eso. Entonces mi papá decía, bueno, aunque nos consideren los culpables del crimen, nos toca recoger al cadáver. En canastas recogimos a doña Petrona y su sangre estaba bien cuajada en el suelo. Sus manos, su cabeza, todo, todo partido. Lo recogimos en canastas, lo metimos en una caja, lo enterramos el día domingo. Las gentes, muchos se acercaron después, y muchos ni se acercaron, pues era un crimen y nadie quería comprometerse, porque era también acusado por las autoridades. Sabíamos que el terrateniente podía hacer muchas cosas. El lunes llegó el alcalde. Y era por primera vez que yo me sentía, no sé cómo decirlo, como una inválida. No podía hacer nada. Inmediatamente antes de que llegue el alcalde, el terrateniente habló con el alcalde y se reían. Y, como no entendíamos lo que decían, no pidieron declaración de cómo fue, cuándo fue, a qué hora fue. Nada. Llegó el alcalde como que si no fuera nada. Y se regresó tranquilamente. Y para conformar, para que el pueblo no dijera nada, se llevaron al guardaespaldas quince días a la cárcel. A los quince días regresó a su trabajo. Cada vez que me acuerdo se me presenta la misma sensación. La primera vez que me tocó recoger un cadáver. Todo despedazado. Quizá durante unos seis años, soñé con doña Petrona. No había ninguna noche que no me quedara con la sensación de soñar con doña Petrona. Mucho tiempo no pude dormir por pensar en ella.

XX

SE DESPIDE EL PADRE DE LA COMUNIDAD. ELLA DECIDE APRENDER EL CASTELLANO

"Nunca será dispersada nuestra gente. Su destino vencerá los días aciagos que han de venir en tiempo que no se sabe. Siempre tendrá asiento seguro en la tierra que hemos ocupado."
Popol Vuh

Mi padre salió de la cárcel el 77. De vez en cuando llegaba a visitarnos y como decía anteriormente, él no podía caminar ya por caminos. No podía viajar en camionetas sino que tenía que atravesar grandes montañas para llegar a la casa porque era posible que el ejército o los terratenientes se encargaran de asesinarlo. Ese año se incorporó al CUC. Era cuando se estaba fundando. De hecho el CUC ya estaba como una organización oculta. Pero salió a la luz pública en mayo de 1978, cuando ya podía resistir como organización. Estuvo con muchos compañeros, con Emeterio Toj Medrano, con otros compañeros que han sido asesinados y otros que están vivos. Empezaron a pensar más cómo iba a ser el CUC y cuáles eran sus objetivos. Así fue cómo no se le dio un reconocimiento al CUC de parte del Gobierno. Entonces se dio la necesidad de que el CUC fuera una organización espontánea y a la vez secreta. Luego empezamos nosotros también a integrarnos como colaboradores, después miembros. Ya el 78 fue cuando mi padre regresó a casa y yo también regresé a casa y así fue como nos dieron la despedida. Fueron los últimos tiempos que nos encontrábamos juntos todos los de la familia. Era el tiempo en que quizá mi padre no iba ya a poder llegar más a casa.

De hecho estaba perseguido. Aunque, a veces pasaba disimuladamente. Pero era muy arriesgado que él llegara más. En segundo lugar, uno de mis hermanos estaba amenazado. Era el hermanito que fue quemado. Porque él también era un catequista desde niño y siguió y llegó a ser secretario de nuestra comunidad. Pero no se entiende por secretario una gran persona que sabe leer y escribir. Ponía en práctica lo poco que había aprendido.

Llegamos a la comunidad. Todos los vecinos estaban requetealegres porque hacía mucho tiempo que no llegábamos. Entonces dijeron que iban a celebrar una fiesta de la comunidad en la cual iban a sacar todos los instrumentos mayas que conservamos en las aldeas. El tún, el sijolaj, la chirimía, la marimba. Hicieron una fiesta. Inventaron una fiesta en ese tiempo, que no eran tiempos de ceremonias. Tampoco eran tiempos de fiestas. Entonces, dijeron que la fiesta iba a ser de nuestra despedida, porque ellos pensaban que un día ya no nos íbamos a ver. Ya que la mayor parte de ellos se habían ido a luchar a la montaña. Algunos habían bajado y estaban ahí. Y era un gran honor para la comunidad. Empezó la fiesta. Fuimos invitados. Me recuerdo que estábamos en la casa que tenemos para reuniones, desde hace mucho tiempo. Ahí nos sentamos todos. En Guatemala, en nuestras costumbres indígenas, cuando es una fiesta muy importante, se hace atol, se hace tamal y es a la vez que se come carne. Toda la comunidad había contribuido con un puerco. Mataron al puerco. Hicieron comida para toda la comunidad. Ya en horas de la noche, siete u ocho de la noche, empezó la música. Siempre, en mi comunidad, se queman también unas bombas hechas de pólvora, que la misma comunidad elabora. Se me había olvidado esa bomba, se hace desde hace mucho tiempo. Es de mortero. Se pone en un mortero y se le quema la mecha. Entonces la bomba se va para arriba y explota con un ruido bastante grande. Cuando empezamos a implementar nuestra autodefensa, también esa bomba nos servía para tirar al ejército en un caso dado. Empezaron a hacer muchas bombas para quemarlas esa noche. Hubo fiesta, hubo baile. Muchos bailaron, ya a medianoche; es una costumbre de parte de la comunidad que en una fiesta bastante sagrada para nosotros, se espere medianoche para celebrar. Medianoche porque es cuando se despide el día anterior, dicen nuestros abuelos, y se empieza el otro día. Entonces significaba mucho para la comunidad celebrar a medianoche y dejarnos a nosotros un espacio de medianoche para poder expresar un poco lo que sentimos o lo que pensamos de la comunidad. Hubo fiesta, comimos hasta medianoche. Como a las once y media nos dejaron espacio para nosotros hablar. Y mi papá habló. Decía que él se sentía muy feliz de salir de la comunidad, de irse a otros lados, ya que en la comunidad eran niños maduros, niños que saben cuidarse por sí solos. Entonces, había necesidad de educar a otros niños, educarlos por otros lados. "Es posible que yo no regrese, así es que se cuidan." Fue una despedida. En eso mi madre también decía: "Yo estoy aquí, pero yo siento que en otros lados me necesitan. Es posible que vayamos a dejar toda la comunidad y que nos vayamos por otros lados." Así cada uno de nosotros nos despedimos de la comunidad. Todo el mundo lloraba y, a veces, se reían porque estaban contentos y no sabían como expresar su alegría. En ese tiempo mi papá estaba muy contento y él decía que la cabeza de un hombre no sólo servía para el sombrero. Como nosotros los indígenas usamos sombreros. No sólo servía para el sombrero, sino que servía para pensar todo lo que la comunidad tenga que hacer, para lograr un cambio y ese cambio permitiría un cambio en la sociedad a todos los niveles. Un cambio en el que nosotros pudiéramos expresar nuestros sentimientos, hacer nuevamente nuestras ceremonias como lo hacíamos, pues en este tiempo no había espacio para hacerlo. Y así habló mucho mi papá y delante de la comunidad se despidió de nosotros, porque a mi papá le tocaba ir a otro lado. Yo, de mi parte, me tocaba ir a otro lado. Y mi madre, a otro lado. Así es que nos íbamos a dispersar todos. Si me agarraban a mí, yo no sabría decir dónde andaban mis padres. Para nosotros era una situación difícil de pensar que el papá y la mamá andaban por un lado, y los hijos por otro lado. Pero era la realidad y era lo que teníamos que aceptar. Entonces mi papá empezó a despedirse y recuerdo que dijo: "Hijos, el padre de ustedes ahora va a ser el pueblo. Es posible que el enemigo nos vaya a quitar la pequeña vida que tenemos, pero tenemos que cuidarla y defenderla hasta lo último. Pero si no hay remedio, confíen y tengan esperanza de que el padre de ustedes es el pueblo, porque el pueblo se dedicará a cuidarlos como yo los cuido." Mi padre decía, muchas veces "no pude dedicarme a ustedes porque tuve que alimentar al INTA, porque el INTA me quitó todas mis fuerzas, porque los terratenientes nos tenían amenazados, entonces no fue mi culpa. Es culpa de ellos. Y con justa razón nosotros tenemos que contarle a nuestro pueblo todo esto para que sea una pequeña contribución". Después mi papá decía a nosotras las mujeres que estábamos todavía solteras, que teníamos la plena libertad de hacer lo que queramos. Que seamos independientes. Pero que nosotras mismas participáramos con todo lo que podamos, sin nadie atrás que nos mande o que nos obligue a hacer cualquier cosa. Decía que él nos dejaba la plena libertad, pero que esa plena libertad le gustaría más que fuera en favor del pueblo, que fuera como una enseñanza al pueblo y que eran sus enseñanzas. Decía: "A mí me matan, pero no podrán acabar con mis hijos. Y si matan a alguno de ustedes, yo tendré que caminar hasta los últimos momentos." Fue muy triste la despedida. Claro, era para iniciar un compromiso, para comprometernos mejor en el trabajo. Se acabó la ceremonia con muchas lágrimas de parte de la comunidad, de los vecinos, los tíos, los primos. Y también había que despedir a muchos de nuestra comunidad... Porque muchos ancianos, muchos señores, también tenían que irse a la montaña, pues no podían vivir en la aldea. Estaban amenazados y también son personas que la aldea considera importantes y que van a contribuir al cambio. Y, aunque no lleguen al triunfo, pero con su ejemplo, muchos llegarán al triunfo. Entonces, había que despedir a mucha gente esa noche. No sólo éramos nosotros. Así fue cuando al siguiente día que mi padre marchó para El Quiché y yo me quedé todavía una semana en casa. Me recuerdo que eran los últimos tiempos en que estuvimos juntos con mis hermanos y ya después de los ocho días, yo partí para otros lugares y ya con una tarea específica del CUC. Me tocaba la organización de gentes. Me tocaba también aprender el castellano, a leer y escribir. Muchas tareas yo me propuse hacer cuando fue la despedida y, de hecho, empecé a echarlas a caminar.

XXI

EL CUC SALE A LA LUZ PÚBLICA. REPRESIÓN EN EL QUICHÉ. EMPIEZA A APRENDER EL CASTELLANO

"Siempre han dicho: pobres los indios que no saben hablar: entonces muchos hablan por ellos; por eso me decidí a aprender el castellano."

Rigoberta Menchú

Cuando el general Kjell entró al poder, empezó a impulsar la reforma agraria. Pero, primer lugar, impulsó su campaña electoral. Ya entonces muchos campesinos de la Costa sur fueron obligados por los terratenientes, a votar por Kjell. Por los caporales. Dijeron que quien no votaba sería despojado de su trabajo. Era igual como hacían antes, sólo que yo no entendía en ese tiempo. Kjell hizo su campaña en los departamentos, en los municipios. Y me recuerdo que en ese tiempo llegó a Uspantán. Estábamos en el pueblo, era un día domingo. Y Kjell hablaba mucho que iba a dar pan, iba a repartir tierra. Es que ellos dicen pan, ni siquiera saben decir tortilla. Muchas veces ni saben qué es lo que come un indio. Nosotros comemos maíz y yerbas del campo. Nuestra alimentación es tortillas. Pero ellos, cuando llegan al campo, nos ofrecen más que la tortilla, porque nos ofrecen pan. Nos iban a dar pan, nos iban a dar salud, nos iban a dar escuelas, carreteras, una serie de cosas que nos mencionaron en ese tiempo. Tierra. Nos decían, la tierra ya es de ustedes. Es decir que a partir de eso íbamos a ser dueños de la tierra. Fue el 74. Así fue como mucha gente tuvo que votar en ese tiempo. Yo todavía no voté porque era menor de edad. Mis papás, mis hermanos, hasta mi mamá tuvo que votar creyendo que era cierto, que era la solución de nuestro problema. Y, después de eso, cuando entró Kjell y empezó a repartir pequeñas parcelas. Lo que pasa es que antes, la pelea estaba entre los finqueros y las comunidades. Fue lo que narré yo en mi historia cuando nos quitaron la tierra. Pero cuando entró Kjell, solucionó la problemática, pues. Nos dividió nuestras tierras en pequeñas parcelas y dijo que éramos dueños de ellas. O sea, ese hombre fue más inteligente que los otros que han salido. Entonces puso parcelas a cada uno de los vecinos. Teníamos parcelas. Nuestras parcelas eran de una manzana. Pronto empezó a sacar dinero por otro lado. Fue cuando impusieron INAFOR, o sea una institución que vigila por los árboles y la madera en Guatemala. Entonces, ¿qué íbamos a hacer nosotros? Me recuerdo que con mi papá pasamos grandes penas. No podíamos talar un árbol porque teníamos nuestra propia parcela y nadie podía salir de su propia parcela. Teníamos que ir al juzgado para solicitar, por medio de un documento a INAFOR, que nos vendieran tantos árboles. Los árboles costaban cinco quetzales. Y nosotros comemos prácticamente de la leña. No tenemos estufas, no tenemos gas, no tenemos nada. Muchos campesinos talaban el árbol, llegaba INAFOR y se iban presos los campesinos porque mataron un árbol. Así fue cuando surgieron las grandes problemáticas en las parcelas, en el altiplano. Pero tenemos que ver que surgieron grandes problemas en las fincas también con la entrada de Kjell al poder. Los campesinos, la mayor parte en el altiplano, más en la región del Quiché, donde nació el CUC, empezaron a unirse y a protestar contra INAFOR y a protestar contra la reforma agraria; ya que eso trataba de dividirnos. Estamos vivos gracias a la comunidad; porque aunque el Gobierno o un extranjero, quien sea, nos ponga monjones para dividirnos, la comunidad sabe que tiene que vivir en comunidad. Entonces lo que hicimos nosotros en la aldea fue apartar una parte para sembrar nuestras pequeñas milpas y apartar una parte para nuestros animales, aunque tuviéramos parcelas divididas por la reforma agraria. Decidimos ponerlas en común, aunque hubieran monjones, como los que nos impusieron. Muchos campesinos empezaron a protestar por eso. Y por las malas condiciones en las fincas. Eran los tiempos en que se trataba salvajemente a los trabajadores. Entonces el pueblo cuando empezó a protestar la reforma agraria, también empezó a tener motivación de protestar, por otras cosas. Eran tan legales. Éramos tan humildes, y la respuesta que nos daban ellos, pues, no era tan humilde. Hicimos documentos, hicimos papeles que firmaba la comunidad para mandar a INAFOR, pidiéndoles, suplicándoles perdón, que nos dejaran cortar nuestros árboles para poder comer. INAFOR decía no. Todos tienen que pagar. La cólera que nos da es que, por ejemplo, en mi aldea, había dos grandes árboles. Cuando nosotros íbamos a INAFOR para pedir el permiso para talar un árbol, casi medio rogado nos daban el permiso y al mismo tiempo teníamos que pagar. Pero cuando venían los grandes comerciantes, serían, no sé, a cortar madera por cantidad, o sea, para vender, para exportar, esos sí que tenían la libertad de cortar unos quinientos, seiscientos árboles. Eso creó en la gente una mayor conciencia. Se hicieron firmas para protestar, mandar a la presidencia de la República para solicitarle que no nos dejara sin leña. Pero no hubo respuesta. Hicimos protestas en contra de las parcelas, queríamos ser dueños de nuestros pequeños cultivos pero no ser divididos. Tampoco hubo respuesta. Así fue cuando los campesinos, bajamos casi la mayor parte, a las costas. La mayor parte de la gente del altiplano tuvo que ir a las costas porque en las costas ganaba un poco de dinero y no tenían que usar leña. No tenían que sembrar. Muchas, muchas gentes bajaron a la finca. Cuando casi toda la gente del altiplano, la mayor parte se fue a la costa, en la costa empezó a haber los desempleos, los despojos de trabajo. Porque muchos de los terratenientes ponían condiciones como les daba la gana. Porque, como había mucha gente que quería trabajo, no era problema para el terrateniente despedir unos doscientos, trescientos campesinos al mismo tiempo. Había otros que hacían el trabajo. Entonces empezó el maltrato a los campesinos con respecto a la comida. Les daban comida cuando querían y cuando no, no daban. Empezaron los maltratos más profundos y más directos en la finca. Así es cómo el CUC empezó ya a surgir como CUC. Organizando a los campesinos en el altiplano y organizando a los campesinos de la costa. Pero no era una organización con nombre y todo, sino que eran grupos de comunidades, comunidades de base y así. Llega el momento en que el CUC pide su integración y hace una solicitud a la presidencia como un sindicato de los campesinos, que defendiera sus derechos. Al CUC no se le aceptó su filiación como una institución que defiende a los campesinos, no se le dio respuesta. Entonces el CUC siguió actuando. Inmediatamente, empezaron a reprimir a sus dirigentes, más que todo en El Quiché. Empezaron a buscar a la gente que organizaba el CUC. Así fue cuando el CUC dijo, bueno, si no nos aceptan como organización, como institución legal, pues ellos mismos nos hacen ilegales. Entonces el CUC empezó a actuar secretamente.

El 78 fue cuando Kjell sale del poder y entra Lucas García. Lucas, lo mismo, pues. Llegó a las aldeas de los municipios y nos ofreció de todo.

Tanto como nos ofreció carretera Kjell, como nos ofreció escuela, maestros, doctores, etc. La gente no le creía nada. Porque no hubo nada. Entonces decíamos, vienen otros mentirosos, que siguen siendo mentirosos. Entonces nadie quería votar. Pero, detrás de eso, había otra amenaza, de decirnos que si no íbamos a votar, la represión caería en las aldeas. La gente obligadamente se fue a votar. Sin embargo, la mayor parte de la gente votó nulo. O sea, en blanco o por nada o por todos. Los votos eran falsos. Así entró Lucas, pero, antes de que Kjell se despidiera del poder, fue cuando masacraron a 106 campesinos de Panzós, una región de Cobán. Fue el 29 de mayo de 1978. Panzós es un pueblo donde descubrieron petróleo en la tierra, entonces empezaron a despojar a los campesinos. Y como los campesinos no sabían dónde irse, bajaron organizadamente con los líderes de su comunidad. Eran indígenas Keckchis y el ejército los masacró como matar a cualquier pájaro. Entre ellos, murieron hombres, mujeres y niños. Se vio correr la sangre en el parque de Panzós. Eso para nosotros fue directamente un atropello. Es como si nos estuvieran asesinando a nosotros mismos, como si estuviéramos nosotros también en torturas cuando mataron a toda esa gente. Salió en la prensa. Pero como no había tanta atención por las masacres sino que se estaban dando atención al gobierno que entraba, se murió todo eso. Nadie se interesó por la muerte de todos esos campesinos. Entonces el CUC dice, no es justo y es cuando se da a conocer su organización como Comité Unidad Campesina, que defiende los derechos de los campesinos. Nuestros objetivos eran exigir un salario justo a los terratenientes. Exigir que nos respeten como comunidades; que nos den los buenos tratos que merecemos como personas y no como cualquier animal; que respeten nuestra religión, nuestras costumbres, nuestra cultura, ya que muchas aldeas del Quiché no podían celebrar sus ceremonias porque eran perseguidos o se les consideraba como subversivos o comunistas. El CUC defiende todo eso. Salió a la luz pública. Al salir a la luz pública va la represión en su contra. Hicimos una gran manifestación dando a conocer el CUC donde iban hombres, mujeres y niños indígenas. Pero también el CUC tiene como convicción que no sólo somos los indígenas los explotados en Guatemala, sino que también los compañeros ladinos pobres. Entonces el CUC defiende a los campesinos; por eso lo integran indígenas y ladinos pobres de Guatemala. Así es cuando empezamos la relación entre ladinos y los indígenas ya más directamente como organización. Sale el CUC y hace sus huelgas, sus manifestaciones, pidiendo un salario justo. Apenas se logró el salario de tres quetzales veinte. Mínimo, pues. Y tres veinte para una familia que tenga que dar de comer a nueve o diez hijos, no es justo. En las fincas, los terratenientes dijeron, está bien. Firmaron el pacto de pagar el salario mínimo de tres veinte. Estaban de acuerdo. Para nosotros era un triunfo de ganar tres veinte de salario. En la práctica, el terrateniente no daba eso. Seguía pagando lo mismo a sus mozos. Un quetzal veinticinco. Lo que hizo el terrateniente fue empezar a exigir más detalles en el trabajo. Aumentó sus medidas en primer lugar, y, al mismo tiempo, cada error que el campesino comete, lo cobra. Ya no podía pasar ni una mosca encima de una hoja, ni caminar encima de la hoja, porque teníamos que pagar la planta. Para los campesinos era duro. Seguíamos exigiendo y no sabíamos cómo actuar. Con los primeros compañeros caídos, fue un golpe grande, pero seguimos trabajando. Fue en el 78, cuando entra Lucas García con tantas ganas de matar y que empieza a reprimir la zona del Quiché como que si fuera un trapo en la mano. Puso bases militares en muchos lugares de las aldeas y empiezan las violaciones, las torturas, los secuestros. Empiezan las masacres. Eso lo sufrieron las aldeas de Chajul, Cotzal, Nebaj. Otra vez la represión encima de ellos. Más que todo a los indígenas. Todos los días aparecían varios cementerios clandestinos, como ellos lo llaman, en diferentes lugares del país. O sea, secuestran a la gente de una población, la torturan y luego aparecen unos treinta cadáveres en un mismo lugar. En un barranco, por ejemplo. De modo que llaman a toda la gente que vayan a buscar su familia allí. Entonces la gente no se anima a ir a ver los cadáveres porque saben que si llegan allí, también serán secuestrados. Entonces se quedaban los cadáveres. Lo que hacían era abrir un hoyo para los cadáveres y los metían ahí todos y era un cementerio clandestino. Así es cómo los campesinos se unieron con los obreros, los sindicatos y fue la huelga de los mineros de Ixtahuacan en el 77. Fue una huelga de obreros. Iban revueltos obreros agrícolas y obreros industriales en la marcha.

La última huelga que hicimos fue grande, grande. Fue la huelga de setenta mil campesinos de la Costa sur. Organizados por el CUC.

En el 79, cuando me integré al CUC, me tocó actuar en muchas regiones y empecé a ser líder de la organización. Bajaba a diferentes lugares y así es como me tocó vivir con diferentes etnias del altiplano. Viajaba por diferentes lugares, dormía en diferentes casas de compañeros. Lo más doloroso para mí era que no nos entendíamos. Ellos no podían hablar el castellano y yo no podía hablar su lengua. Me sentía cobarde ante todo esto, porque yo decía: ¿Cómo es posible? Ésta es una barrera que han alimentado precisamente para que los indígenas no nos uniéramos, para que los indígenas no discutiéramos nuestra problemática. ¡Y, hasta donde ha ganado esa barrera! Sin embargo, yo lo entendía muy bien. Empecé a aprender el mam, empecé a aprender el cakchiquel y el tzutuhil. Tres lenguas que me propuse aprenderlas y además tenía que aprender el castellano. No lo hablaba bien. ¡Ah, me confundía! Tampoco sabía ni leer ni escribir. Entonces, para mí aprender el castellano significaba que tenía que oír y memorizarlo, como cassette. Y, aprender las lenguas igual, pues tampoco podía escribirlas. Entonces me confundí un tiempo, porque aprendiendo a leer y escribir; aprendiendo el español y aprendiendo tres lenguas más —después de mi lengua— era una confusión. Me puse a pensar que era preferible aprender una y después otra. Y ya que el español era una lengua que nos une a todos, porque aprender ventidós lenguas en Guatemala no es posible ni tampoco era el momento de hacerlo. Así era cuando andaba por todos lados. Bajaba a la costa también, pero con una tarea política: a organizar a la gente y al mismo tiempo darme yo misma a entender contando mi pasado, contando lo que causaba mi historia, las causas de todo el dolor que sufríamos. Lo que causaba la pobreza. Cuando uno conoce su trabajo y ya tiene una responsabilidad, trata de hacerlo lo mejor que se puede, porque uno sabe que ha sufrido tantas cosas y que no es posible que el pueblo lo sufra. Conocía todos los contactos y tenía que ir a hacer muchos mandados; trasladar papeles, máquinas, volantes, documentos para enseñarle a la gente. Me recuerdo que los documentos donde yo aprendí parte del castellano y aprendí parte a leer y a escribir, fueron documentos con dibujos, con monitos, con gráficos. O sea, no era letra, porque la letra no tenía mucho significado para mí y no entendía lo que quería decir. Al mismo tiempo tuve oportunidad de estar más cerca de un convento religioso donde las monjas también me enseñaron a leer y a escribir. Me enseñaron a hablar el castellano. Como decía anteriormente, que no todos los sacerdotes son gente que no ve la realidad y el sufrimiento del pueblo. Hay muchos que aman al pueblo y a través de su amor al pueblo aman también a cada uno de nosotros para poder ser como una luz para el pueblo. Entonces, de muchas religiosas guardo muchos recuerdos porque me han ayudado. Me han tomado la mano como una niña, pues, que tenía que aprender muchas cosas. Y yo me sentía muy preocupada de hacer lo posible, de aprender algo. Porque yo digo que mi vida es la que me ha enseñado muchas cosas. Pero también un ser humano está para superar muchas otras. La necesidad me obligaba a aprender el castellano.

XXII

CONTINÚA SU LABOR DE ORGANIZACIÓN EN OTRAS COMUNIDADES. CONTACTO CON LOS LADINOS

"A quienes es debido hemos revelado nuestros secretos. Del arte de la escritura saben los que deben saber y nadie más."
Popol Vuh

En el año 79 seguimos organizando a la gente. Me recuerdo que desde la despedida de la comunidad no sabía nada de mis padres. No sabía dónde se encontraban. Ellos tampoco sabían de mí. Nos dejamos de ver mucho tiempo con ellos. Yo viajaba a las fincas, viajaba por otros lugares pero no podía regresar a mi pueblo porque era perseguida como mis padres. Vivíamos toda una vida de convivencia con otras personas, con compañeros indígenas de las otra etnias, con muchas amigas que conocí en la organización. Era igual que si yo estuviera viviendo con mis hermanos, con mis padres. Recibía el cariño de todos. Asi fue cómo organizamos a todos, a la mayor parte de los trabajadores de la Costa sur, del corte de caña, de café y de algodón. Y, cuando regresaban los compañeros al altiplano, se encargaban de multiplicar su organización para que todos fuéramos organizados. Y como la mayor parte eran indígenas y ladinos pobres, tampoco había necesidad de montar cursos para explicarles su situación ya que vivíamos la misma situación. Fue muy bien el trabajo. Llegó un momento en que no nos alcanzaba el tiempo; teníamos que ir de un lado para otro, transportar documentos, transportar todo. Lo hacíamos por una razón, para que el pueblo no se queme tanto, pues nosotros de hecho, estábamos quemados y el enemigo nos conocía. Me iba de una región a otra y, al mismo tiempo, me tocaba dormir en diferentes casas. Y eso es lo que a mí me hizo pensar tanto, tanto, porque me encontré de nuevo con las barreras idiomáticas. No nos entendíamos y a mí me daba tanta ternura de querer platicar con toda la gente, de tomar como a mi madre a muchas mujeres. Pero no podía hablar con ellas porque no me entendían y tampoco yo las entendía. Entonces yo dije, no es posible seguir así, aquí tenemos que trabajar para que la gente entienda a su gente; para que pueda platicar con su misma gente. Así es cuando yo me dediqué a atender muchas compañeras de cerca, para enseñarles lo poco que yo sé y para que ellas también sean líderes de sus comunidades. Me recuerdo que hablábamos de muchas cosas, de nuestra situación como mujeres, de nuestra situación como jóvenes. Llegamos a una conclusión con las compañeras: que no teníamos niñez ni habíamos tenido juventud porque, de grandes, teníamos tanta responsabilidad para alimentar a tantos hermanos, que era como tener muchos hijos. Había veces que me quedaba en lugares con compañeros indígenas, en sus casitas. Tengo un gran recuerdo de una aldea de Huehuetenango, donde una vez me quedé en la casa de un señor, un compañero. Tenía diez hijos y cometí un error. Fue algo que no tomé en cuenta, pues, pensando en que nosotros habíamos pasado por la misma situación. Fue no llevar algo, una cobija para viajar. Llevaba una sábana nada más para dormir en la noche. Llegué a esa aldea del altiplano, y había un frío, ¡pero qué frío! ¡Un frío tremendo! Entonces yo esperaba que los señores me prestaran quizás una ropa o un trapo para ponerme encima. Llega la noche y cuando vi que los señores ni siquiera tenían ellos con qué dormir, me dio tanta pena. ¿Cómo íbamos a pasar la noche? Pero un frío. A su casita entraban perros por dondequiera, porque estaba abierta toda la casa. Entonces, yo dije, señor, ¿aquí nos vamos a quedar? Yo pensando quizás en buscar hojas del monte para calentarnos. Ya era muy tarde de pensar en todo eso, pero juntaron bastantes hojas los señores... Y en eso todo el mundo se quedó tirado alrededor del fuego; todos estaban durmiendo y yo me decía, dónde me quedo yo, pues. Y me quedé junto a ellos. ¡Que cuando llega la media noche, entra un frío, que casi estábamos congelados! Y los señores lo sintieron y se despertaron y dijeron, mucho frío. Sí, les dije yo, pero ya casi estaba tiesa mi quijada de soportar tanto frío, como nunca había sentido. En mi tierra, aunque vivo en el altiplano, no se compara el frío. Y esos señores se levantaron un rato y se durmieron otra vez. Eso me hizo pensar hasta dónde llega un ser humano a aguantar tantas cosas. Que uno dice muchas veces que no se aguantan y se aguantan muy bien. Los niños estaban muy bien, tranquilos, en el suelo. Y como me querían mucho, me tomaban como una dirigente, me dijeron, aquí hay un petate, para que te sientes encima. Yo, de mi parte, no fui capaz de usar el petate porque me daba vergüenza y, al mismo tiempo, yo pensaba que todos éramos iguales y si yo tenía derecho a usar el petate, ellos también tendrían derecho. Yo le decía al señor que me sentía avergonzada de todo el trato que me daban, mientras que yo también era humilde, vengo del campo, de las mismas condiciones y, si estamos buscando igualdad para todos, desde ahora tenemos que aprender a compartir todo lo que hay. Y, aunque no era tanto compartir el petate con otros niños, no merecía que me dieran el petate. Me hacía reflexionar tanto; decía, en mi casa había un pedazo de petate para cada uno. Quiere decir que yo no he vivido tanto sufrimiento como lo viven otros. Así empecé a descubrir muchas cosas que yo no viví y que muchos lo viven. Y eso me daba tanta rabia y decía tanto rico que desperdicia hasta la cama. No se conforman con tener un colchón, quieren tener dos o tres encima de una cama y aquí ni siquiera un petate hay para reposarnos. Eso me daba mucho que pensar. Y así me pasaba con toda la gente. Me dormía en un lado una noche, dos noches, tres noches, después me iba a otros lados por el trabajo que tenía. Y me sentía contenta.

Algo que quiero contar es que tuve un amigo. Es un hombre que me enseñó el castellano. Era un hombre ladino, maestro, colaborador del CUC. Él me enseñaba el castellano, me ayudaba en muchas cosas. Hacíamos reuniones secretas porque el lugar donde vivía no permitía hacerlo libremente. Entonces, ese compañero me enseñó muchas cosas. Incluso me enseñó a amar tanto y tanto a los ladinos. Y me enseñó a clarificar mis ideas que tenía falsas, de decir que todos los ladinos eran malos. Pero él no me enseñó con ideas, sino que me enseñó desde la práctica, en todo su comportamiento conmigo. Y en ese tiempo, nos íbamos a conversar por las noches. Fue precisamente cuando empezamos a apoyar la lucha de todos los campesinos en general, donde teníamos que hacer acciones coordinadas. Por ejemplo, si se hace una huelga, se hace a nivel general. Si se hace una asamblea, también va la opinión de todas las masas. Me tocaba recoger opiniones de todos los compañeros que yo atendía para mandar a la coordinación regional, de acuerdo a los departamentos donde estaba y después se iba a la coordinación nacional, donde muchos compañeros trataban de discutir todo eso. Entonces, ese ejemplo del compañero ladino, me hizo verdaderamente comprender que el sistema nos ha puesto esa gran barrera entre indios y ladinos y por el mismo sistema, que ha tratado de dividirnos mejor, no hemos comprendido que los ladinos también viven las peores situaciones como nosotros. Así es cuando yo tuve gran sensibilidad a los compañeros ladinos y empezamos a discutir. Como la organización es de indios y ladinos pobres, empezamos a poner en práctica la concepción de nuestra organización. Me recuerdo que había grandes discusiones con los compañeros ladinos. Precisamente cuando empezamos con la crítica y la autocrítica, que yo creo que se practica en todas las luchas revolucionarias para que el cambio sea más profundo. Cuando yo por primera vez señalé un error de un compañero ladino, me sentía la mujer más deshecha, pues; porque nunca en mi vida había criticado a un ladino. Y precisamente porque la humillación la he sentido en carne propia, porque me han tratado siempre de india. "Es que ella es indígena", decían como un insulto, entonces, para mí criticar a un compañero ladino era como poner una máscara y hacer algo descaradamente. Sin embargo, mi crítica era constructiva. Era para corregir al compañero y después aceptar que el mismo compañero me critique a mí. Eran las primeras cosas que me costaba aceptar en la lucha. Yo, como decía, era indigenista, no indígena. Indigenista hasta en la sopa, yo defendía hasta lo último de mis antepasados. Pero, lo entendía en una forma no correcta, porque sólo nos entendemos cuando hablamos unos a otros. Es sólo así como se corrigen todas las cosas. Poco a poco fui descubriendo muchas cosas en que había que tener comprensión con los compañeros ladinos y, al mismo tiempo en que ellos tenían que tener comprensión con nosotros, los indígenas. Porque me he encontrado con muchos compañeros ladinos con quienes vivimos las peores condiciones, pero ellos se sentían ladinos y como eran ladinos, no sentían que la pobreza nos una tanto. Entonces, poco a poco, tanto yo como ellos, fuimos discutiendo muchas cosas importantes: ver que la raíz de nuestra problemática, viene de la tenencia de la tierra. Todas las grandes riquezas de nuestro país están en manos de unos cuantos. Ese señor era un compañero que había optado mucho por los pobres. Aunque tengo que reconocer que era de clase media. Era una persona que tuvo acceso a estudios, que llegó a sacar su profesión y todo eso. Pero tenía claro que tenía que compartir todas sus cosas, incluso sus conocimientos con los pobres. Le gustaba trabajar más a nivel de colaborador. No quería ser miembro del CUC porque él decía, no merezco llamarme campesino porque yo soy un hombre intelectual. Él reconocía la incapacidad que tenía muchas veces de hacer o de conocer tantas cosas que el campesino conoce, o como las que el pobre conoce. Decía, yo no sabría hablar de hambre como un campesino. Me recuerdo que cuando decíamos que la raíz de nuestra problemática venía de la tierra y que éramos explotados, yo sentía como una condición más el ser indígena, porque además de ser explotada, era discriminada. Era una razón más para luchar con tantas ganas. Y me ponía a pensar de toda mi historia de niña, cuando íbamos al mercado y, como no hablábamos el castellano, nos engañaban al comprar nuestras cosas. Habían veces que decían que pagaban, por ejemplo, nuestros frijolitos, nuestra yerba, cuando íbamos al mercado. Y cuando llegábamos a casa hacíamos la cuenta y no estaba cabal el dinero. Me explotaban en ese sentido, pero, al mismo tiempo, me discriminaban porque no sabía nada. Entonces aprendí muchas cosas con los compañeros ladinos. Más que todo la comprensión de nuestra problemática y que a nosotros mismos nos tocaba solucionarla. Habían veces que sí armaba unas grandes discusiones, porque no nos entendíamos los indios y los ladinos. La separación de indios y ladinos es lo que ha contribuido en Guatemala a la situación en que vivimos. Y eso sí que nos ha tocado duro en el corazón. Los ladinos son los mestizos, hijos de españoles y de indígenas, que hablan castellano. Toda esa gente es minoritaria. El porcentaje de indígenas es más grande. Muchos dicen que es el 60 %, otros que es el 80 %. No se sabe cuál es el número por una razón: hay indígenas que ya no usan su traje y han perdido su lengua, entonces ya no se les considera como indígenas. Y hay indígenas de clase media que han dejado sus tradiciones. A esos tampoco se les considera indígenas. Entonces esa minoría de ladinos se considera como la sangre mejor, que tiene más calidad; y a los indígenas se les consideran como a una clase de animales; y allí es en donde se marca la discriminación. Los mestizos tratan de sacarse esa concha de ser hijos de indígenas y de españoles y quieren ser diferentes. Ya no quieren ser mezclados. Ya no dicen una palabra con respecto a la mezcla. Pero entre los ladinos existe también una diferencia: entre los ladinos ricos y los ladinos pobres. Y en los ladinos pobres se marca una nueva distinción, porque en Guatemala se considera que los pobres son gente que no trabajan, que sólo duermen, que no tienen alegría en la vida. Pero entre nosotros los indígenas y los ladinos pobres existe también la gran barrera. Por más que vivan en las peores condiciones se sienten ladinos; y ser ladinos es como una gran cosa; es no ser indígena. Así es cómo han separado la forma de actuar, de pensar. Los ladinos buscan superación, buscan salir de la concha. Porque el ladino, a pesar de ser pobre, de ser explotado como nosotros, trata de tener un alemento más que el indígena. En el mercado, por ejemplo, al ladino no lo van a robar como lo roban al indígena. El ladino puede reclamar o maltratar incluso a una señora elegante, pero el indígena no es capaz de hacer eso. El ladino tiene muchos recursos para hablar; si va con un licenciado, no necesita intermedio. O sea, el ladino tiene pequeños accesos. Así es cómo el mismo ladino pobre empieza a rechazar al indígena. En una camioneta, si entra un ladino es algo normal. Si entra un indígena, todo el mundo tiene asco. Nos consideran sucios, menos que un animal o como un gato cagado. Si un indio se acerca a un ladino, el ladino mejor abandona su lugar por no estar con el indígena. Esa imagen de rechazo nosotros la sentimos. Si uno ve las condiciones de un ladino pobre y las nuestras, no tiene ninguna distinción, son las mismas. Cuando yo era pequeña pensaba mucho en eso: ¿qué será, qué cosa más tiene el ladino que uno no lo tiene? Yo me comparaba: ¿será quc tiene algo diferente, en sus partes, en su cuerpo? Y el sistema trata de alimentar toda esa situación. Separar al indígena del ladino. Las radios, todas las radios hablan en castellano. El indígena no tiene acceso a oír la radio.

Aunque éramos pobres todos, no nos entendíamos. Así fue cómo empecé a ser más sensible a la situación. Yo comprendía que a pesar de mis duras experiencias, a pesar de mi amor hacia todos los compañeros, hacia el pueblo, muchas cosas me costaba aceptar. Y empecé a descubrir ciertas actitudes que yo tenía. Muy radicalizadas. La discriminación me ha hecho aislarme completamente del mundo de los compañeros ladinos. Y había ciertas actitudes en mi mente que yo no expresaba pero que sin embargo tenía una espina en el corazón de muchas veces decir: "Es que son ladinos, no entienden porque son ladinos." Pero a través de las pláticas que hacíamos con los compañeros, nos entendimos. Llegó un momento en que teníamos que cumplir tareas los dos. Un compañero ladino y yo, indígena. Para mí era increíble caminar junto con un ladino. De todo el tiempo que nos han dicho que los indios son apartes. Para mí era un sueño e, incluso, me sentía muy reservada con el compañero. Pero eran los primeros tiempos y poco a poco fuimos platicando para tener más conocimientos. Para hacer el cambio teníamos que unirnos, indios y ladinos. Lo que valoraban más en mí, era mi conocimiento de las trampas. Mi conocimiento de la autodefensa. Mi conocimiento de buscar formas de salidas de emergencia. Tenía que enseñarles a muchos compañeros. Llegó un momento en que a mí, a través de mi integración, de mi participación como mujer, como cristiana, como indígena en la lucha, los compañeros me dieron responsabilidades también de acuerdo a mis capacidades. Entonces, tenía un montonón de responsabilidades en la lucha. Y así era con mi padre. Y él me contaba, en el poco tiempo que nos vimos, su experiencia y decía: "Llegó el momento que yo soy dirigente de un pueblo entero y tengo que atender ladinos e indígenas. Yo no sé leer ni escribir. Tampoco sé exactamente el castellano. Me he sentido un hombre inválido. Pero sin embargo, lo que yo reconozco es mi experiencia y hay que compartirla con todos." Eso me confirmaba cada vez mi claridad; que mi justa razón de lucha era borrar todas esas imágenes que nos han metido, las diferencias culturales, las barreras étnicas. Que los indios todos nos comprendamos lo mismo, aunque tengamos diferentes expresiones de religión o de creencias. Pero la cultura era la misma. Descubrí que los indígenas tenemos algo en común, a pesar de las barreras idiomáticas, las barreras étnicas, las diferencias de trajes. Que nuestra cultura es el maíz.

Y ya fui mujer estudiada, no en el sentido de tener un grado, mucho menos de saber leer tantos libros, pero había leído toda la historia de mi pueblo, toda la historia de mis compañeros indígenas de las diferentes etnias. Estuve cerca de muchas etnias y me enseñaron muchas cosas, incluso que yo había perdido ya.

Ya entra el 79. Nosotros impulsábamos grandes tareas en la Costa sur y en el altiplano, dirigiendo la lucha de los demás. La organización ya no era una semilla pequeña. Ganó el corazón de la mayor parte de los guatemaltecos. Y la mayor parte somos indígenas, campesinos, o son ladinos pobres, campesinos. Andaba en todas partes del altiplano, bajábamos a la costa sur y empezábamos a meternos en el Oriente. Pero en el Oriente hay algo importante. Ya no existen indígenas. Los indígenas han dejado sus trajes, han dejado sus lenguas, ya no hay lenguas. Sólo los más mayores hablan todavía un poco el chorti. A mí me daba mucha rabia que esos compañeros hubieran perdido sus costumbres, su cultura ya que todos eran mozos en las fincas. O eran caporales, oficiales, soldados, o comisionados militares. A mí eso me daba mucho qué pensar, porque ellos no han querido ser eso, sino que los han utilizado de una forma salvaje. Me acordaba de mi padre cuando nos decía: "Hijos, no ambicionen las escuelas porque en las escuelas nos quitan nuestras costumbres." Esa gente del Oriente tenía más acceso a pequeñas escuelas, pero no tienen acceso a profesiones. Algunos tienen dinero pero la mayor parte sólo tienen acceso a segundo, tercero o sexto grado de primaria. Ellos ya tenían un nivel diferente aunque sea en la misma pobreza, tenían otro nivel, pues, nosotros los indígenas ni siquiera conocemos un maestro. Entonces yo decía, gracias a Dios que nuestros padres tampoco aceptaron alguien, una escuela en nuestra comunidad para que borrara lo nuestro. Había veces que tenía oportunidad de oír cómo educaban los maestros, cómo educaban en las comunidades. Decían que la venida de los españoles era una conquista, era una victoria, mientras que la práctica nos enseñaba lo contrario. Decían que los indígenas no sabían pelear. Los indígenas se murieron muchos porque mataban a los caballos y no mataban a la gente, decían ellos. Todo eso a mí me daba cólera, pero yo reservaba mi cólera para la educación de otra gente en otros lugares. Eso me confirmaba que aunque uno sea una persona que sabe leer y escribir, no debe aceptar esas malas educaciones que dan al pueblo y que el pueblo no debe pensar como piensa el poder para no ser como un pueblo que los demás piensen por él.

Nosotros sabemos escoger lo que verdaderamente sirve para nuestro pueblo y eso lo vemos en la práctica. Y eso es lo que ha garantizado que ahora existamos los indígenas porque si no, no existiéramos ya. Todas las armas que ha implantado el régimen, las hemos sabido rechazar. Y esto no digo que lo he hecho sola yo. Esto digo lo hicimos entre todos y todas estas conclusiones ha sacado precisamente mi comunidad y mi comunidad ha sabido enseñarme a mí a respetar todas las cosas que se deben ocultar todavía mientras que nosotros existamos y todas nuestras generaciones lo sabrán ocultar también. Es precisamente a dónde vamos, pues. Cuando empezamos a organizarnos, empezamos a emplear lo que habíamos ocultado. Nuestras trampas. Nadie lo sabía porque lo habíamos ocultado. Nuestras opiniones. Llega un cura a nuestras aldeas, todos los indígenas nos tapamos la boca. Las mujeres nos cubrimos con nuestros rebozos y los hombres, también tratan de agachar la cabeza. Hacer como que si no pensáramos nada. Pero cuando estamos entre nosotros los indígenas, sabemos discutir, sabemos pensar y sabemos opinar. Lo que pasa es, que como no nos han dado el espacio de palabra, no nos han dado el espacio de hablar, de opinar y de tomar en cuenta nuestras opiniones, nosotros tampoco hemos abierto la boca por gusto. Yo creo que en lo que se refiere a esto, hemos sabido escoger lo que nos corresponde y luchar por lo que nos corresponde. Como decía, la vida de un animal para nosotros, significa mucho. La vida de un árbol. Y la vida de cualquier objeto que exista en la naturaleza significa mucho. Y mucho más la vida de ser humano. Por eso cuando se trata de defender nuestra vida, nosotros estamos dispuestos a defenderla aunque tengamos que sacar a luz nuestros secretos.

Así es cómo se considera que los indígenas son tontos. No saben pensar, no saben nada, dicen. Pero, sin embargo, nosotros hemos ocultado nuesta identidad porque hemos sabido resistir, hemos sabido ocultar lo que el régimen ha querido quitarnos. Ya sea por las religiones, ya sea por las reparticiones de tierra, ya sea por las escuelas, ya sea por medio de libros, ya sea por medio de radios, de cosas modernas, nos han querido meter otras cosas y quitar lo nuestro. Pero es en ese sentido, que nosotros hacemos el proceso de las ceremonias por ejemplo. ¿Y, por qué no tomamos la Acción Católica como único confiar en ella y hacer sólo las ceremonias cristianas? No hemos querido hacer eso porque sabemos precisamente que es un arma que trata de quitarnos lo nuestro.

XXIII

TORTURA Y MUERTE DE SU HERMANITO QUEMADO VIVO JUNTO CON OTRAS PERSONAS DELANTE DE LOS MIEMBROS DE LA COMUNIDAD Y DE SUS FAMILIARES

> *"Mi madre decía que una mujer cuando ve que su hijo es torturado, quemado vivo, no es capaz de perdonar a nadie y no es capaz de quitarse ese odio."*
>
> Rigoberta Menchú

> *"...pero en el otro invierno vendrá el desquite, y alimentaban la hoguera con espineros de grandes shutes, porque en el fuego de los guerreros, que es el fuego de la guerra, lloran hasta las espinas."*
>
> M. A. Asturias, "Hombres de Maíz"

Fue en 1979, me recuerdo que cayó mi hermanito, la primera persona torturada en mi familia. Tenía dieciséis años. Cuando hubo la despedida de la familia, todo el mundo se fue por su lado; él se quedó en la comunidad ya que, como decía, era secretario de la comunidad. Era el más pequeño de mis hermanos, pues tengo dos hermanitas más chicas. Una andaba con mi madre y otra se quedó en la comunidad aprendiendo y entrenando la autodefensa. Porque no encontró otra solución, mi madre se había ido a otros lugares. Mis hermanos también porque estaban perseguidos y para no exponer a la comunidad... Es que a nosotros, a mi familia, el Gobierno nos dio la imagen como si fuéramos monstruos, como si fuéramos extranjeros. Pero mi padre era Quiché, no era cubano.

El Gobierno nos acusaba de comunistas y de ser la mala cizaña. Entonces, para no exponer la comunidad, y para arrancar la "mala cizaña", tuvimos que ir a diferentes lugares. Pero mi hermanito se había quedado en la comunidad. El 9 de septiembre de 1979 fue secuestrado mi hermanito. Era un día domingo y había bajado a otra aldea. Mi hermano trabajó en su aldea y también en otras aldeas. Se llamaba Petrocinio Menchú Tum. Mi mamá es Tum. Mi hermano tenía una tarea que cumplir. Le gustaba mucho lo organizativo. Entonces fue a organizar a otros lugares en donde el ejército lo detectó y lo secuestró. Desde el 9 de noviembre, mi madre se preocupó y también nosotros. En ese tiempo, todavía doy gracias que no nos mataron a todos, mi madre todavía acudió a las autoridades. Ella decía, si por mi hijo me matan que me maten. Yo estaba en otra región. Yo me encontraba por Huehuetenango cuando mi hermano cayó. Dicen que el día que cayó, mi madre se encontraba en casa. Mis hermanos estaban cerca también. Entonces mi madre se fue al pueblo a ver dónde estaba su hijo y nadie le dio razón dónde estaba el hijo. Sin embargo el hijo había sido entregado por uno de la comunidad. Como decía anteriormente, donde menos se piensa hay gente que se presta a todas las maniobras. Por la pura necesidad, muchas veces venden a sus propios hermanos. Ese hombre de la comunidad había sido un compañero, una gente que siempre colaboraba y que estaba de acuerdo. Pero, le ofrecieron quince quetzales, o sea quince dólares para que entregara a mi hermano y él lo entregó. El ejército no sabía quién era él. Ese día mi hermano iba con otra muchacha para otra población cuando lo agarraron. Entonces la muchacha y la mamá de la muchacha siguieron los pasos de mi hermano. Desde el primer momento le amarraron las manos atrás, lo empezaron a empujar a puros culatazos. Caía mi hermano, no podía defender la cara. Inmediatamente, lo que primero se empezó a sangrar fue la cara de mi hermanito. Lo llevaron por los montes donde había piedras, troncos de árboles. Caminó como dos kilómetros a puros culatazos, a puros golpes. Entonces amenazaron a la muchacha y a la madre. Ellas exponían la vida por no dejar a mi hermanito y saber dónde lo llevaban. Dice que le dijeron: "¿Quieren que les hagamos lo mismo que a él, quieren que las violemos aquí?", dijo el soldado criminal éste. Y le dijo a la señora que si se quedaban iban a ser torturadas como él porque él era comunista, un subversivo, y los subversivos tenían que morir con los castigos que merecen. Es una historia increíble. Logramos saber cómo se murieron, qué torturas les dieron desde un principio hasta los últimos. Entonces llevaron a mi hermanito, quien soltaba sangre en diferentes partes de su cuerpo. Cuando ellos lo dejaron, ya no se veía como una persona. Toda la cara la tenía desfigurada por los golpes, de las piedras, de los troncos, de los árboles, mi hermano estaba todo deshecho. Su ropa se había roto por todas las caídas. De allí dejaron que las señoras se fueran. Lo dejaron allí. Cuando llegó al campamento, apenas caminaba, ya no podía caminar. Y la cara, ya no veía, en los ojos, habían entrado hasta piedras, en los ojos de mi hermanito. Llegó en campamento lo sometieron a grandes torturas, golpes, para que él dijera dónde estaban los guerrilleros y dónde estaba su familia. Qué era lo que hacía con la Biblia, por qué los curas son guerrilleros. Ellos acusaban inmediatamente la Biblia como un elemento subversivo y acusaban a los curas y a las monjas como guerrilleros. Le preguntaron qué relación tenían los curas con los guerrilleros. Qué relación tenía toda la comunidad con los guerrilleros. Así lo sometieron a grandes torturas. Día y noche le daban grandes, grandes dolores. Le amarraban, le amarraban los testículos, los órganos de mi hermano, atrás con un hilo y le mandaban a correr. Entonces, eso no permitía, no aguantaba mi hermanito los grandes dolores y gritaba, pedía auxilio. Y lo dejan en un pozo, no sé como le llaman, un hoyo donde hay agua, un poco de lodo y allí lo dejaron desnudo durante toda la noche. Mi hermano estuvo con muchos cadáveres ya muertos en el hoyo donde no aguantaba el olor de todos los muertos. Había más gentes allí, torturadas. Allí donde estuvo, él había reconocido muchos catequistas que también habían sido secuestrados en otras aldeas y que estaban en pleno sufrimiento como él estaba. Mi hermano estuvo más de dieciséis días en torturas. Le cortaron las uñas, le cortaron los dedos, le cortaron la piel, quemaron parte de su piel. Muchas heridas, las primeras heridas estaban hinchadas, estaban infectadas. Él seguía viviendo. Le raparon la cabeza, le dejaron puro pellejo y, al mismo tiempo, cortaron el pellejo de la cabeza y lo bajaron por un lado y los dos lados y le cortaron la parte gorda de la cara. Mi hermano llevaba torturas de todas partes en su cuerpo, cuidando muy bien las arterias y las venas para que pudiera aguantar las torturas y no se muriera. Le daban comida para que resistiera y no se muriera de los golpes. Allí había veinte hombres torturados o en plena tortura. Había también una mujer. La habían violado y después de violarla, la habían torturado. Inmediatamente mi madre se comunicó a través de otros medios y yo regresé a casa. Tenía mi hermano tres días de desaparecido cuando yo llegué a casa. Más que todo consolando a mi madre, porque sabíamos que los enemigos eran bastante criminales y no podíamos hacer nada, pues. Si íbamos a reclamar, inmediatamente nos secuestraban. Ella fue los primeros días pero la amenazaron y le dijeron que si llegaba por segunda vez, le tocaba lo que a su hijo le estaba tocando. Y ellos dijeron de una vez a mi madre que su hijo estaba en torturas, así es que no se preocupara.

Cuando oímos, el 23 de septiembre, que los militares sacaron boletines por diferentes aldeas. A mi aldea no llegaron porque sabían que el pueblo estaba preparado y listo para esperarlos en cualquier momento. En otras aldeas, donde también tenemos compañeros, entregaron boletines y propaganda donde anunciaban el castigo para los guerrilleros. Que tenían en su poder tantos guerrilleros y que en tal parte iban a hacer el castigo para los mismos. Entonces, cuando nos llegó la noticia, era como a las once de la mañana, me recuerdo del día 23, y mi madre decía, mi hijo va a estar ahí en los castigos. Iba a ser público, o sea, llamaban a la gente para que fueran a presenciar los castigos. Al mismo tiempo, decía el boletín, que tuvimos oportunidad de tenerlo en la mano, que el que no iba a presenciar, era cómplice de los guerrilleros. O sea, amenazando al pueblo en esa forma. Entonces mi madre decía, vamos, ya que llaman a todos, tenemos que ir, pues. Mi padre también inmediatamente llegó a casa y decía, no es posible perder esta oportunidad, tenemos que ir a ver. Estábamos como locos. Llegaron mis hermanos. Estábamos todos en casa, mis hermanos, mis hermanitas, mi mamá, mi papá, yo. Estábamos preparando nuestro almuerzo para comer al mediodía cuando oímos esa noticia, ya ni siquiera hicimos el almuerzo no nos acordamos de llevar un poco de comida para el camino. Nos fuimos. Teníamos que atravesar una larga montaña para llegar a la otra aldea. Fue en Chajul donde fueron castigados. Entonces dice mi mamá, ¡mañana tenemos que llegar! Sabíamos que quedaba lejos. Nos fuimos, pues, desde las once de la mañana de ese día 23, para Chajul. Logramos atravesar grandes partes de la montaña a pie. Parte de la noche estuvimos caminando, con ocote, en la montaña. Como a las ocho de la mañana estábamos entrando al pueblo de Chajul. Los soldados tenían rodeado el pequeño pueblo. Había unos quinientos soldados. Habían sacado a todas las gentes de sus casas, amenazándolas de que si no iban a presenciar el castigo, les tocarían las mismas torturas o los mismos castigos. A nosotros nos pararon en el camino, pero no sabían que éramos familiares de uno de los torturados. Y decían, ¿a dónde van? Y mi padre dijo, vamos a visitar el santo de Chajul. Es un santo muy visitado por muchos pueblos. El soldado decía, nada de eso, caminen, vayan a tal lugar. Y si llegan, van a ver que no van a salir de esta aldea. Entonces nosotros dijimos, está bueno. Nos pararon como unos veinte soldados en diferentes partes antes de llegar al pueblo. Todos nos amenazaron igual. Estaban esperando a los señores que no encontraron en sus casas cuando catearon las casas, por si iban al trabajo, que obligadamente regresaran al pueblo a ver los castigos. Llegamos allí y había mucha gente desde temprano. Niños, hombres, mujeres, estaban allí. Minutos después, el ejército estaba rodeando a la gente que lo estaba presenciando. Había aparatos, tanquetas, jeeps, había todas las armas. Empezaron a volar por helicóptero encima de la aldea para que no vinieran los guerrilleros. Era su temor. Y abrió el mitin el oficial. Me recuerdo que empezó a decir que iban a llegar un grupo de guerrilleros que estaba en su poder y que le iba a tocar un pequeño castigo. Es un pequeño castigo porque hay castigos más grandes, dice, van a ver el castigo que va a haber. ¡Eso es por ser comunistas! ¡Por ser cubanos, por ser subversivos! Y si ustedes se meten a subversivos, se meten a comunistas, les toca igual que lo que les toca a esos subversivos que van a venir dentro de un rato. Mi madre casi tenía cien por ciento seguro que su hijo iba a llegar allí. Todavía yo dudaba, pues, porque yo sabía que mi hermano no era criminal como para sufrir todos esos castigos. Y, minutos más tarde entraron tres camiones del ejército. Uno iba delante. El del medio era el que llevaba los torturados y el otro atrás. Los cuidaban muy bien, hasta con tanquetas. Entra el camión donde llevaban los torturados. Empezaron a sacar uno por uno. Todos llevaban uniforme del ejército. Pero veíamos las caras monstruosas, irreconocibles. Entonces mi madre se acerca al camión para ver si reconocía a su hijo. Cada uno de los torturados tenía diferentes golpes en la cara. O sea, llevaban diferentes caras cada uno de ellos. Y mi mamá va reconociendo al hermanito, a su hijo, que allí iba entre todos. Los pusieron en fila. Unos, casi, casi estaban medio muertos o casi estaban en agonía y los otros se veía que sí, los sentían muy, muy bien. El caso de mi hermanito, estaba muy torturado y casi no se podía parar. Todos los torturados llevaban en común que no tenían uñas, les habían cortado partes de las plantas de los pies. Iban descalzos. Los obligaron a caminar y los pusieron en fila. Se caían inmediatamente al suelo. Los recogían. Había una tropa de soldados que estaban al tanto de lo que mandaba el oficial. Y sigue su rollo el oficial donde dice que nos teníamos que conformar con nuestras tierras, nos teníamos que conformar con comer nuestros panes con chile, pero que no teníamos que dejarnos llevar por las ideas de los comunistas. Que todo el pueblo tenía acceso a todo, que estaba contento. Casi repitió, si no me equivoco, unas cien veces "comunistas". Empezaba desde la Unión Soviética, de Cuba, de Nicaragua. Y mencionaba que los comunistas, que los mismos de la Unión Soviética habían pasado a Cuba y después a Nicaragua y que ahora estaban en Guatemala. Y que a esos cubanos les tocaba la muerte como la que les tocaba a los torturados. Cada pausa que hacía en su discurso, levantaban a los torturados con culatazos, con sus armas. Nadie podía salir del círculo del mitin. Todo el mundo estaba llorando. Yo, no sé, cada vez que cuento esto, no puedo aguantar las lágrimas porque para mí es una realidad que no puedo olvidar y tampoco para mí es fácil contarlo. Mi madre estaba llorando. Miraba a su hijo. Mi hermanito casi no nos reconoció. O quizá... Mi madre dice que sí, que todavía le dio una sonrisa, pero yo, ya no vi eso, pues. Eran monstruos. Estaban gordos, gordos, gordos todos. Inflados estaban, todos heridos. Y yo vi, que me acerqué más de ellos, la ropa estaba tiesa. Tiesa del agua que le salía de los cuerpos. Como a la mitad del discurso, sería como una hora y media o dos horas ya, el capitán obligó a la tropa a que le quitara la ropa de los torturados para que todo el mundo se diera cuenta del castigo si nos metíamos en comunismos, en terrorismo, nos tocaría ese castigo. Amenazando al pueblo. Y forzosamente querían que se cumpliera lo que ellos decían. No podían quitarle la ropa a los torturados así nada más. Entonces vienen los soldados y cortan con tijeras la ropa desde los pies hasta arriba y quitan la ropa encima de los cuerpos torturados. Todos llevan diferentes torturas. El capitán se concentró en explicar cada una de las torturas. Esto es perforación de agujas, decía. Esto es quemazón con alambres. Así explicaba cada una de las torturas y de los torturados. Había unas tres personas que parecían vejiga. O sea, inflados, pero no tenían ninguna herida encima del cuerpo. Pero estaban inflados, inflados. Y decía él que esto es precisamente de algo que les metemos al cuerpo y duele. Lo que importa es que ellos sepan que esto duele y que el pueblo sepa que no es fácil de tener un cuerpo como el que llevaban. El caso de mi hermanito, estaba cortado en diferentes partes del cuerpo. Estaba rasurado de la cabeza y también cortado de la cabeza. No tenía uñas. No llevaba las plantas de los pies. Los primeros heridos echaban agua de la infección que había tenido el cuerpo. Y el caso de la compañera, la mujer que por cierto yo la reconocí. Era de una aldea cercana a nosotros. Le habían rasurado sus partes. No tenía la punta de uno de sus pechos y el otro lo tenía cortado. Mostraba mordidas de dientes en diferentes partes de su cuerpo. Estaba toda mordida la compañera. No tenía orejas. Todos no llevaban parte de la lengua o tenían partida la lengua en partes. Para mí no era posible concentrarme, de ver que pasaba eso. Uno pensaba que son humanos y que qué dolor habrían sentido esos cuerpos de llegar hasta un punto irreconocible. Todo el pueblo lloraba, hasta los niños. Yo me quedaba viendo a los niños. Lloraban y tenían un miedo. Se colgaban encima de sus mamás. No sabíamos qué hacer. Durante el discurso, cada vez el capitán mencionaba que nuestro Gobierno era democrático y que nos daba de todo. Qué más queríamos. Que los subversivos traían ideas extranjeras, ideas exóticas que nos llevaba a una tortura y señalaba a los cuerpos de los hombres. Y que si nosotros seguíamos las consignas exóticas, nos tocaba la muerte como les toca a ellos. Y que ellos tenían todas las clases de armas que nosotros queramos escoger, para matarnos. El capitán daba un panorama de todo el poder que teníian, la capacidad que tenían. Que nosotros como pueblo no teníamos la capacidad de enfrentar lo que ellos tenían. Era más que todo para cumplir sus objetivos de meter el terror en el pueblo y que nadie hablara. Mi madre lloraba. Casi, casi mi madre exponía la vida de ir a abrazar a ver a su hijo. Mis hermanos, mi papá tuvieron que detenerla para que no expusiera su vida. Mi papá, yo lo veía, increíble, no soltaba una lágrima sino que tenía una cólera. Y esa cólera claro, la teníamos todos. Nosotros más que todo nos pusimos a llorar, como todo el pueblo lloraba. No podíamos creer, yo no creía que así era mi hermanito. Qué culpa tenía él, pues. Era un niño inocente y le pasaba eso. Ya después, el oficial mandó a la tropa llevar a los castigados desnudos, hinchados. Los llevaron arrastrados y no podían caminar ya. Arrastrándoles para acercarlos a un lugar. Los concentraron en un lugar donde todo el mundo tuviera acceso a verlos. Los pusieron en filas. El oficial llamó a los más criminales, los "Kaibiles", que tienen ropa distinta a los demás soldados. Ellos son los más entrenados, los más poderosos. Llaman a los kaibiles y éstos se encargaron de echarles gasolina a cada uno de los torturados. Y decía el capitán, éste no es el último de los castigos, hay más, hay una pena que pasar todavía. Y eso hemos hecho con todos los subversivos que hemos agarrado, pues tienen que morirse a través de puros golpes. Y si eso no les enseña nada, entonces les tocará a ustedes vivir esto. Es que los indios se dejan manejar por los comunistas. Es que los indios, como nadie les ha dicho nada, por eso se van con los comunistas, dijo. Al mismo tiempo quería convencer al pueblo pero lo maltrataba en su discurso. Entonces los pusieron en orden y les echaron gasolina. Y el ejército se encargó de prenderles fuego a cada uno de ellos. Muchos pedían auxilio. Parecían que estaban medio muertos cuando estaban allí colocados, pero cuando empezaron a arder los cuerpos, empezaron a pedir auxilio. Unos gritaron todavía, muchos brincaron pero no les salía la voz. Claro, inmediatamente se les tapó la respiración. Pero, para mí era increíble que el pueblo, allí muchos tenían sus armas, sus machetes, los que iban en camino del trabajo, otros no tenían nada en la mano, pero el pueblo, inmediatamente cuando vio que el ejército prendió fuego, todo el mundo quería pegar, exponer su vida, a pesar de todas las armas... Ante la cobardía, el mismo ejército se dio cuenta que todo el pueblo estaba agresivo. Hasta en los niños se veía una cólera, pero esa cólera no sabían como demostrarla. Entonces, inmediatamente el oficial dio orden a la tropa que se retirara. Todos se retiraron con las armas en la mano y gritando consignas como que si hubiera habido una fiesta. Estaban felices. Echaban grandes carcajadas y decían: ¡Viva la patria! ¡Viva Guatemala! ¡Viva nuestro presidente! ¡Viva el ejército! ¡Viva Lucas! El pueblo levantó sus armas y corrió al ejército. Inmediatamente salieron. Porque lo que se temía allí era una masacre. Llevaban toda clase de armas. Incluso los aviones encima volaban. De todos modos, si hubiera un enfrentamiento con el ejército, el pueblo hubiera sido masacrado. Pero nadie pensaba en la muerte. Yo, en mi caso, no pensaba en la muerte, pensaba en hacer algo, aunque fuera matar a un soldado. Yo quería demostrar mi agresividad en ese tiempo. Muchos del pueblo salieron inmediatamente a buscar agua para apagar el fuego y nadie llegó a tiempo. Muchos tuvieron que ir a acarrear el agua —el agua está en un solo lugar donde todo el mundo va—, pero quedaba muy lejos y nadie pudo hacer nada. Los cadáveres brincaban. Aunque el fuego se apagó, seguían brincando los cuerpos. Para mí era tremendo aceptarlo. Bueno, no era únicamente la vida de mi hermanito. Era la vida de muchos y uno no pensaba que el dolor no era sólo para uno sino para todos los familiares de los otros: ¡Sabrá Dios si se encontraban allí o no! De todos modos eran hermanos indígenas. Y lo que uno pensaba era que a los indígenas ya la desnutrición los mata. Y cuando apenas los padres nos pueden dar un poco de vida y hacernos crecer con tanto sacrificio, nos queman en esta forma. Salvajemente. Yo decía, esto no es posible y allí fue precisamente donde a mí, en lo personal, se me concretiza mi fe de decir, si es pecado matar a un ser humano ¿por qué no es pecado lo que el régimen hace con nosotros?

Todo el mundo se movilizó de modo que en dos horas había cajas para cada uno de los cadáveres. Todo el pueblo se movilizó para buscar una manta para ponerle encima. Me recuerdo que manojos de flores cortaron y los pusieron cerca. El pueblo de Guatemala, la mayor parte es cristiano. De una u otra forma expresan su fe y fueron a buscar al cura y —por supuesto ese cura fue asesinado también—, a pedirle favor, pues, se encontraba lejos de la aldea, que bendijera la manta para ponerla encima de los cadáveres. Cuando se acabó el fuego, cuando nadie sabía qué hacer, a veces daba miedo de ver los torturados quemados y a veces daba un ánimo, valor para seguir adelante. Mi madre casi se moría de tanto dolor. Abrazó a su hijo, platicó todavía con el muerto, torturado. Lo besaba y todo, quemado. Yo le decía a mi mamá: vámonos a casa. No podíamos ver... No podíamos seguir viendo a los muertos. No era tanto la cobardía de no verlos, sino que era una cólera. Era algo que no se podía soportar. Entonces, toda la gente prometió darle sepultura cristiana a todos esos torturados y muertos. Entonces mi mamá decía, no puedo estar aquí. Nos tuvimos que marchar, retirarnos de todo y no seguir viéndolo. Mi padre, mis hermanos, estábamos allí, con tanto dolor. Sólo vimos que el pueblo... tenía flores, tenía todo. El pueblo decidió enterrarlos en el mismo lugar. No los llevaron a la casa. Hubiera sido el velorio en una casa pero el pueblo decía, no se murieron en una casa, entonces merecen que este lugar sea santo para ellos. Los dejamos allí. Y empezó a llover; llovía mucho. Entonces la gente mojada y todo, vigilando los cadáveres. Nadie se retiró del lugar. Todos se quedaron allí. Nosotros nos fuimos a casa. Parecíamos mudos, borrachos; a nadie le salía una palabra de la boca. Llegamos a casa y mi papá dijo: yo regreso al trabajo. Así fue cuando mi papá se puso a hablar con nosotros. Decía, con justa razón, que si muchos eran valientes de dar hasta sus últimos momentos, hasta sus últimas gotas de sangre, "¿por qué nosotros no seríamos valientes de darlas también?" Y mi madre también decía: "No es posible que las otras madres sufran lo que yo he sufrido. No es posible que todo el pueblo vaya a pasar por esto, que le maten a su hijo. Yo también me decido, decía mi mamá, a abandonar todo. Yo me voy. Y así decíamos todos, pues, porque no había otra cosa qué hacer. Aunque, de mi parte, no sabía qué era lo más efectivo: ir a tomar las armas, ir a pelear con tantas ganas, o ir a algún pueblo y seguir levantando la conciencia del pueblo. Mi padre decía: "Yo de viejo seré guerrillero." "Pelearé a mi hijo con las armas." Pero también pensaba que era importante la comunidad, pues tenía experiencia en lo organizativo. Sacamos conclusiones de que lo importante era organizar al pueblo para que el pueblo no tuviera que sufrir lo mismo que nosotros, la película negra que tuvimos con mi hermanito. Al siguiente día mi papá arregló sus cosas y de una vez se despidió de la casa. "Si regreso o no regreso —dijo—, sé que la casa va a quedar. Trataré de ocuparme de todo lo de la comunidad; lo que ha sido siempre mi sueño. Entonces yo me voy." Mi papá se retiró. Mi mamá se quedó en casa y no sabía qué hacer. No soportaba, se acordaba de todo. Lloraba en sus momentos cuando se acordaba. Pero, la mayoría de las veces, no lloraba mi mamá. Trataba de estar contenta. Y decía que era el hijo que le costó mucho hacerlo crecer, porque casi se moría cuando era niño. Ella tuvo que hacer muchas deudas para curarlo. Y después le tocó eso. Y le dolía mucho. Pero había veces que se sentía contenta. Me recuerdo que en ese tiempo, mi madre ya tenía mucha relación con compañeros de la montaña. Y, como quedó ropa de mi hermanito, habían quedado sus pantalones, sus camisas, entonces mi mamá, proporcionó la ropa a uno de los compañeros de la montaña. Le decía que esa ropa era muy justo que fuera para servicio del compañero porque era la ropa de su hijo y que su hijo siempre estuvo en contra de toda la situación que vivimos. Y ya que los compañeros estaban en contra de eso, tenían que darle utilidad a la ropa. Mi mamá estaba a veces loca. Todos los vecinos llegaban a verla. Y mi mamá siempre pensaba: "¿Si yo me pongo a llorar ante los vecinos, qué ejemplo será? No se trata de llorar sino que se trata de pelear", decía. Se hacía una mujer dura. Y a pesar de que todo el tiempo estaba un poco mal, se sentía muy cansada, seguía adelante. Yo me quedé todavía una semana en casa. Ya, después me decidí, y dije: tengo que irme. Así es cuando yo partí ya con más ganas al trabajo. Sabía que mi mamá también tenía que salir de casa. Casi ya no hubo comunicación, ni para dónde nos vamos, ni qué vamos a hacer. A mis hermanos pude despedirlos y tampoco supe qué iban a hacer ellos. Cada quien tomó su decisión por su lado. Y me fui.

XXIV

MARCHA DE LOS CAMPESINOS A LA CAPITAL. OCUPACIÓN DE LA EMBAJADA DE ESPAÑA. MUERTE DE VICENTE MENCHÚ, PADRE DE RIGOBERTA

"Mi padre decía: hay quienes les toca dar sangre y hay a quien le toca dar fuerzas; entonces mientras podamos, demos la fuerza."

Rigoberta Menchú

En el mes de noviembre del mismo 79, de mera casualidad me vi con mi padre. Me había trasladado al Quiché porque iba a haber una reunión. Allí se encontraban gentes de diferentes lugares, que trabajan como dirigentes del comité. Yo fui invitada a esa reunión. Cuando vi a mi padre, estaba feliz. Entonces, ante todos los compañeros decía mi papá: "Esta hija malcriada ha sido siempre una hija buena", y que si un día mi padre caía o lo mataban, pedía que ellos fueran mis padres, los padres de nosotros. Duró mucho la reunión donde ocurrieron muchas cosas en relación al trabajo. Tuvimos oportunidad de platicar con mi papá después de la reunión, durante dos días. Estuvimos hablando de todas las experiencias del trabajo. Estaba contento y decía que a medida que el pueblo pudiera organizarse por sí solo, a medida que hubieran nuevos compañeros que fueran líderes dirigentes de su lucha, él estaba dispuesto a tomar las armas. Porque él decía, yo soy un cristiano y el deber de un cristiano es pelear en contra de todas las injusticias que se cometen con nuestro pueblo y no es posible que nuestro pueblo regale su justa sangre, su limpia sangre por unos cuantos que tienen el poder. Él estaba clarísimo como si fuera un hombre teórico, estudiado y todo. Todos sus conceptos eran claros. Ya después me recomendaba mucho mi papá que siguiéramos trabajando. "Es posible que no nos veamos en mucho tiempo, pero tomen en cuenta que aunque yo esté vivo o no esté vivo, siempre les ayudaré en todo lo que puedo." Después decía que cuidáramos de mi mamá. Que tratáramos de buscarla, y a ver si la encontrábamos para que ella tampoco expusiera tanto su vida, ya que, decía mi papá: "Hay a quienes les toca dar sangre y hay a quienes le toca dar fuerza. Entonces, mientras podamos, demos las fuerzas. Debido a las necesidades que existen, nos tocaba cuidar muy bien a nuestra pequeña vida para que esa pequeña vida sea también una fuerza para nuestro pueblo." Y claramente decía mi papá: "No queremos más muertos, no queremos más mártires, porque mártires sobran en nuestras tierras, sobran en nuestros campos, que han sido masacrados. Entonces, lo que se necesita es guardar todo lo que se pueda nuestra vida y seguir aportando a la lucha..." Y ya nos despedimos con mi papá. Y mi papá me recomendaba mucho que yo estuviera presente el mes de enero; que en enero iba a haber una actividad en la capital pidiéndole al régimen que responda por la situación que vivimos y que esta situación sólo se acabará cuando muchos expongamos nuestra vida. Iba a ser otra manifestación donde íbamos a estar estudiantes, obreros, sindicatos, campesinos, cristianos. Y todos íbamos a protestar contra la represión que había en El Quiché. En El Quiché había muchos soldados que estaban secuestrando. Sólo se conoce la noticia de que hubo diez, quince desaparecidos en tal parte, pero no dicen quién fue. Y así eran las noticias todos los días. Entonces mi papá decía, es importante que tú estés. Allí iba a estar mi papá, mis hemanos, y si era posible, que yo estuviera presente. Yo me quedé convencida que tenía que estar allí. Después llegué a mi zona de trabajo, donde había necesidad de organizar, donde también eran reprimidos. ¿Qué íbamos a hacer? Montamos un curso de autodefensa.

Mi padre mandó a decir la fecha de la manifestación y yo estaba comprometida. Recuerdo al compañero campesino que estaba presente y me dijo: "No, compañera, para mí es importante el curso." "No es posible que tú vayas a la capital." Y yo pensé mucho. Tal vez la única vez que tengo oportunidad de ver a mi papá. Yo amaba mucho a mi papá. Pero la situación no dejaba que yo me fuera. El curso era importante también, para apoyar inmediatamente a los campesinos. Y me quedé en mi actividad.

Fue una marcha a la capital para pedir que el ejército saliera de la zona. Ellos traían también a muchos niños huérfanos como prueba de la represión. Tomaron diferentes emisoras para dar a conocer nuestra situación, al mismo tiempo se pensó la necesidad de que ésta se diera a conocer internacionalmente y sólo se iba a dar a conocer tomando una embajada donde los embajadores fueran portavoces. Porque desgraciadamente la mayor parte éramos muy pobres para pensar en una gira fuera del país. Éramos muy pobres y la organización no tenía la capacidad de combatir al ejército. El pueblo tenía tanta ansiedad de buscar armas para defenderse. Y así fue cuando tomaron la embajada suiza en Guatemala. Otros tomaron emisoras. Los campesinos venían de muchas regiones. De la Costa sur, del Oriente, pero la mayor parte era del Quiché, porque allí estaba concentrada la represión. Casi la mayor parte de los campesinos eran dirigentes de la lucha. El caso de mi padre, el caso de muchos otros compañeros que cayeron allí. Por último se tomó la embajada de España. Antes de que se tomara la embajada de España —fue un milagro—, supe que mi madre estaba dispuesta a ir, que mis hermanos estaban dispuestos a ir también. Pero la organización dijo que no, porque ya se presentía aquel temor de que iba a suceder algo. Todos los compañeros estaban dispuestos a soportar cualquier peligro. Entonces, entraron a la embajada de España. Ni siquiera nos pasaba por la cabeza lo que sucedería después. En primer lugar, porque estaban personalidades importantes. En segundo lugar, porque allí se encontraban también elementos del régimen que cayeron, murieron quemados junto a los campesinos. Por supuesto sabíamos que iba a haber una tensión, pero pensamos que era posible que a todos los que tomaron la embajada, les concedieran una salida del país, como refugiados políticos, para que también pudieran dar a conocer su lucha afuera. El objetivo era precisamente informar al mundo entero de lo que pasaba en Guatemala e informar también la misma gente interna.

Fueron quemados y lo único que se pudo sacar fueron sus cenizas. Ante esa situación, un golpe tremendo. De mi parte no era lamentar la vida de mi padre. Para mí era algo fácil que mi padre muriera porque le tocó una vida tan salvaje y tan criminal como nos ha tocado a todos. Mi padre estaba dispuesto, estaba claro que su vida tenía que darla. Entonces para mí no era tanto dolor de aceptar la muerte de mi padre: era una alegría porque yo sabía que mi padre no tuvo grandes penas, como las que yo me imaginaba que iba a tener si caía vivo en manos del enemigo. Era mi temor. Pero sí me dolía mucho, mucho, la vida de muchos compañeros, buenos compañeros que si siquiera ambicionaban un pedazo de poder. Querían lo suficiente, lo necesario para su pueblo. Eso me hizo confirmar más mi decisión de lucha. Llegaron momentos amargos, que tenía que enfrentar. En primer lugar, cuando cayeron, salió la noticia y dijeron que eran irreconocibles. Yo pensaba que allí estaba mi madre, mis hermanos. Lo que yo no aceptaba era de caer todos juntos. Aunque nos toque dar la sangre, pero que no fuéramos juntos, que fuera individualmente, que quedara aunque fuera uno de nuestra familia. Yo no soportaba eso. No era posible que yo sola me quede. Incluso deseaba morir. Pero son cosas que le vienen a uno como ser humano. Uno lo soporta y lo aguanta todo. Yo estaba loca por ir a la ciudad. Ir siquiera a conocer la tumba de mi padre. Pero ante la situación, había tantas cosas que hacer todavía con el pueblo. Entonces tomé la decisión de no ir. No importa que no conozca la tumba de mi padre. Habrá muchos compañeros que nos toque enterrar, entonces el cariño será para todos y no únicamente para mi padre. No fui a la capital. Se enterraron a los quemados.

Fue algo muy sorprendente para todo el pueblo de Guatemala. Nunca en su historia se desmostró tanta combatividad del pueblo, en todos los niveles. Miles de personas enterraron a todos los compañeros quemados. La gente iba con una protesta y con un odio hacia el régimen. Se veía que, en todos los niveles, o sea, los pobres, la gente de clase media, los profesionales, se exponían en el entierro de los compañeros de la embajada de España. Se tomó la embajada de España. Quizá por las mismas relaciones que existen con España. Fue favorable porque España inmediatamente rompió las relaciones con Guatemala. Aunque, si se piensa, España tiene que ver mucho con nuestra situación. Tiene que ver mucho con el sentido del sufrimiento del mismo pueblo, precisamente del sufrimiento de los indígenas.

Allí las versiones que se sacaron, fue que los campesinos iban armados, que los campesinos ellos mismos se quemaron, etc. La mera verdad ni yo ni los compañeros podríamos decirla, ya que nadie de los que ocuparon la embajada se quedó vivo. Todos, todos se murieron. Tanto los compañeros que coordinaban esa actividad, compañeros que incluso hacían la vigilancia. Después de lo de la embajada fueron ametrallados por otros lados. Los G2 y la policía tomaron la embajada. De hecho había ya periodistas cerca de la embajada por toda la movilización que estaban haciendo los compañeros. Dicen que los policías lanzaron bombas, o no sé qué, en la embajada y que se empezó a quemar. Las únicas señales que se dieron es que los quemados estaban tiesos, tiesos como encolochados. Por los estudios que después hicieron los compañeros y análisis de otras personas que tienen conocimiento en los explosivos o bombas para matar a la gente, quizás utilizaron bombas de fósforo y sólo con el humo que respiraron inmediatamente se pusieron tiesos. Pero es increíble, pues mi papá llevaba las perforaciones de cinco balas en la cabeza y una en el corazón; y estaba muy tieso. Se cree que las mismas granadas que lanzaron en la embajada fueron las que perforaron a los cadáveres. Salieron un sinfín de versiones con respecto a eso. Sin embargo, uno de nuestros compañeros Gregorio Yujá Xona, quedó medio vivo entre todos los cadáveres. A ese compañero se le pudo recoger. Se le llevó a un hospital privado, para que fuera atendido. Era el único que podía decir la verdad. Más tarde fue secuestrado por hombres armados en el hospital, hombres uniformados, que lo sacaron tranquilamente. Al siguiente día apareció frente a la universidad de San Carlos de Guatemala, torturado, con perforaciones de bala, muerto. Entonces, el mismo régimen no permitió que quedara vivo el compañero. No se logra hablar con él porque estaba en la agonía. La mera verdad es que nosotros sabemos que armas de fuego no fueron capaces los campesinos aportar. Quizá llevarían sus armas populares como machetes, piedras. Fue lo único que utilizaron en todos los lugares donde entraron. Y, como dije a un señor que me preguntaba, que quería datos específicos, que yo dijera exactamente la verdad de lo que pasó en la embajada de España: yo no puedo sacar mi versión personal de imaginaciones pues nadie de nuestros compañeros puede decir la verdad. Eso marcó tanto mi vida personal como la vida de muchos compañeros. Pasamos a una etapa nueva de la lucha.

XXV

RIGOBERTA HABLA SOBRE SU PADRE. RECUERDOS DE CUANDO FUERON A TRABAJAR A IXCÁN

"Después de nuestra partida acordaros de nosotros. No nos dejéis en olvido. Evocad nuestros rostros y nuestras palabras. Nuestra imagen será rocío en el corazón de los que quieran evocarla."

Popol Vuh

Mi padre fue elegido de la comunidad y mi madre también. Mi papá decía, esto no lo hacemos para que los vecinos digan qué buenos son, sino que lo hacemos por nuestros antepasados. Entonces, cada cosa mal que hacíamos y que los vecinos podían verlo como un mal ejemplo, mi padre inmediatamente nos corregía. Pero no insultándonos, sino que él consideraba que eso era lo que nos enseña el tiempo en el que vivimos. Él le echa la culpa al tiempo que estamos viviendo pero, al mismo tiempo, ese tiempo que estamos viviendo, nosotros lo tenemos que vencer con la presencia real de nuestros antepasados. Entonces, nos pone una serie de ejemplos de nuestros abuelitos. "Que tus abuelitos hacían esto. Que tus abuelitos hablaban de esto." Por ejemplo, cuando mi papá era perseguido y que muchas veces tenía que salir de ahí, la responsabilidad llegó a mi hermano. Entonces, mi hermano mayor no habla de él mismo sino que dice "esto es lo que hacía mi papá". Y saben toda la película de nuestros abuelitos. Mi papá decía: "Hay muchos secretos que no hay que contar. Tenemos que guardar nuestros secretos." Él decía que ni un rico, ni un terrateniente, ni un cura, ni una religiosa, pueden conocer nuestros secretos. Si nosotros no guardamos los secretos de los antepasados, decía, somos responsables de matarlos a ellos. Y eso es algo que nos ha amarrado un poco porque cada cosa que hacíamos la hacíamos pensando en los demás; si les cae bien o si les cae mal y más por la función que tenía mi papá, pues, que todo el mundo lo quería y lo consideraban como un hombre muy importante. Entonces, nosotros los hijos, teníamos que seguir también su ejemplo y como tenemos abuelito; mi abuelo está vivo todavía, yo creo, ya cumplió los ciento dieciséis años, es el papá de mi mamá. Entonces, ese abuelo contaba muchas partes de su vida donde decía que antes él vivió todavía la esclavitud. Era el mayor de la familia, de todos sus hermanos y en ese tiempo, el mayor de la familia, obligadamente tenía que ser un esclavo de los blancos. Cualquier hora que llegaba el terrateniente a buscarlo, tenía que irse forzosamente, porque era un esclavo para ellos, pues. Entonces, mi abuelito le tocó esto porque es el mayor de la familia. Él contaba muchas partes de su vida. Y era como una educación para nosotros. Mi papá nos decía: "Hijos, en cuanto puedan y cuando tengan tiempo, platiquen con su abuelito que sabe lo que decían nuestros antepasados." Para nosotros era como una charla política cada vez que hablábamos con mi abuelo, donde nos contaba parte de su vida y parte de la vida de sus abuelitos; parte de la vida de los demás que vivieron antes que él. Él nos daba explicación de por qué no vive tanto la gente ahora como vivían nuestros antepasados. Él dice que durante su niñez vio a gentes con ciento diecisiete, cienco quince años que estaban vivos. Mujeres con ciento diez años. Él decía, ustedes hijos, ustedes no son los culpables, los culpables son los aparatos modernos que vinieron a nuestra tierra. Y claro, hay que pensar que mi abuelo nunca tuvo escuela ni colegio. Decía, es que ahora ustedes comen cosas químicas y eso no les permite la larga vida que tienen que tener. Ustedes no tienen la culpa, pero así es. Y mi abuelo maltrataba mucho a los españoles. La raíz de nuestra situación eran los españoles. Empezaron a acarrear un montonón de cosas de nuestras tierras, empezaron a robar. Y después decía, los mejores hijos de nuestros antepasados fueron los que fueron violados. Incluso las reinas que eran elegidas por nuestra comunidad eran violadas. Y por eso salieron los ladinos. Los caxlanos. O sea, de dos sangres, indígena y español. Caxlan quiere decir un poco mezclado.

Los caxlanos son unos ladrones, decía mi abuelo. No le hagan caso a los caxlanos. Ustedes guarden todo lo de nuestros antepasados. Nos daba constantemente una charla de su vida, de él mismo. Entonces, eso ayudaba mucho a que nosotros todavía conservemos nuestras cosas; la mayor parte del pueblo conserva muchas cosas. Pero muchas las ha perdido también. Ya no se hacen exactamente. Nosotros tenemos unos secretos y mi mamá tenía muchos secretillos que nos enseñaba, cositas pequeñas. Por ejemplo, cuando hay un montón de perros que ladran o muerden a la persona. A mi mamá nunca la ha mordido un perro porque ella tiene un secretillo para calmar a los perros. Y eso es parte, creo, de la naturaleza, porque tiene efecto. Mi padre era un hombre muy sencillo, igual que mi mamá. Mi mamá era de cara redonda. Un poco me parezco a mi madre. Mi papá era muy paciente, no era enojado. Tenía una actitud muy buena. Todas las veces que nos corregía, hablaba con nosotros. Desgraciadamente, nosotros no teníamos un padre muy cerca, ya que muchas veces estaba en la finca o en la capital, trabajando papeles o trabajando centavos para nosotros. Muchas veces lo veíamos cada mes, o cada dos meses, cada tres meses en casa, donde nos juntábamos todos e inmediamente nos separábamos. Fueron pocas las veces que estuvimos junto a él. Pero, por más corto el tiempo que estuvo con nosotros, con su enseñanza, todos aprendimos muchas cosas de él. También la comunidad. Yo me siento orgullosa de mi padre. A pesar de que era un hombre, de que fue huérfano y no tuvo un papá que le enseñó ni le educó, ni mucho menos una madre y que otras gentes trataron de enseñarle malas cosas, odio y rechazo; sin embargo, él solo hizo su vida y fue un hombre muy completo en lo humano diría yo. Hubo grandes penas que pasar y hubo grandes problemas que le tocó solucionar, pero él nunca perdió la tranquilidad de hacerlo. Y eso es lo importante para mí. Yo, muchas veces, no puedo hacer cosas aunque sé que son muy importantes las cosas, pero él lo hacía todo con toda la serenidad que necesitaba el trabajo. Porque, si fuera un hombre nervioso, no habría podido hacer nada con todo lo que le pasó en la vida.

Yo, no tuve toda la oportunidad, pero tuve más que mis hermanos, de estar cerca de mi papá, pues, desde pequeña, empecé a viajar con él a la capital. Había veces que yo dejaba el trabajo en la finca por acompañar a mi papá a la capital o a otros lugares. Entonces, él platicaba conmigo, me explicaba las cosas. Cuando no teníamos qué comer o que yo tenía que aguantar hambre con él, me explicaba el porqué. Era cuando todavía yo no ganaba. Entonces, mi papá me decía que para ganar un centavo, algo que nosotros conocíamos muy bien, que teníamos que hacer un poquito de sacrificio para poder lograrlo. Ya cuando fui grandecita, mi papá lamentaba mucho que yo fuera una alumna o una mujer que aprendiera muchas cosas. Él siempre decía, desgraciadamente, si te pongo en una escuela, te van a desclasar, te van a ladinizar y eso no quiero para ti y por esta razón no te pongo. Quizás hubiera tenido mi papá la oportunidad de darme una escuela a los catorce años, a los quince años. Pero no podía, porque sabía las consecuencias y las ideas que me iban a meter en la escuela. Y me recuerdo una vez que fuimos a trabajar en una zona más al norte del Quiché, en el Ixcán. Es la zona que le dicen la Zona Reina. Es muy conocida en Guatemala. Es una gran montaña, grande, grande. No llega camión ni camionetas, no llegan bicicletas ni nada. Se tiene que caminar por grandes montañas para llegar a esa zona. Nosotros fuimos allí porque se nos acabó el maíz. Se decía en ese tiempo que había trabajo en la Zona Reina porque había un cura que hacía muchos años estaba metido en la montaña y que ese cura trataba de ayudar a la gente con un poco de dinero para que ellos mismos pudieran cultivar sus pequeñas parcelas. Que de allí se podían sacar muchas frutas; que allí se daba casi la mayor parte de las frutas, el maíz, las verduras, el fríjol, todo lo que la gente quisiera sembrar. Es una zona caliente. Entonces, se nos acabó el maíz y mi papá dijo, allá vamos a trabajar y tal vez nos sale mejor que bajar a la finca. Si a cambio de nuestro trabajo nos dieran maíz. Nos fuimos con todas las cosas que teníamos que llevar para la semana o para el mes que íbamos a estar allá. Llevamos tamalitos ya hechos para evitar dedicar tiempo a la comida. Y así nos fuimos con tantas cargas de la casa. Fuimos mis hermanos mayores, yo y mi papá. Llegamos a la Zona Reina en tres días. Y allí fue donde yo descubrí que había muchos seres humanos indígenas como yo, que no tenían ni siquiera el acceso de ver más gente. Gentes aisladas en la montaña que no conocen a otras gentes del mundo. Cuando entró la primera noche, estábamos en un pueblo que no sé como se llama en español, pero nosotros le decíamos Amai. La gente se escondía y no nos dejaban entrar en sus casas. Teníamos sed y queríamos descansar un rato. La gente no nos recibía. Nos quedamos en el patio de una casa abandonada, por allí, y al siguiente día seguimos caminando. Llegamos al segundo pueblo que existía. Mi papá tenía un amigo que después fue un elemento del Gobierno. Él le pidió posada y nos quedamos allí. Después seguimos caminando. Durante el camino mi papá nos explicaba las maravillas que existían en nuestra tierra, precisamente acordándose de nuestros antepasados. Todo el contacto que tiene un campesino con la naturaleza. Conservábamos y oíamos el silencio de la montaña. Es un silencio agradable. Y, en ese silencio, cantaban pájaros, cantaban animales. Era muy linda la zona. El tercer día de camino fue cuando llegamos a la aldea. En esa aldea era una maravilla, porque todas las gentes tenían plátanos en sus casas. Toda la gente tenía muchos productos, bananos, plátanos, yuca, maíz, fríjol, ayote, chilacayote, todas las cosas que se dan allí. Había muchísimo, sobraba. Pero lo que pasaba era que tres días de camino en la montaña y otro día de mi aldea al pueblo, prácticamente cuatro días, volvían difícil sacar los productos. No eran capaces de sacarlo todo cargándolo, porque ni caballos entraban en sus zonas. Había caballos pero eran de los terratenientes, que vivían ya cerca. Aún no eran dueños de toda esa zona.

Entonces, la gente nos recibía y todos tenían miedo... Han tenido duras experiencias con gentes que se aprovechan de toda esa riqueza que ellos tienen. La gente decía, no tenemos hambre, pero tampoco tenemos otras cosas, la ropa la compramos cada tres o cuatro años. La mayor parte de los niños estaban desnudos, hinchados. Casi no comían el maíz porque lo llevaban con el señor que vivía cerca. Era un terrateniente, pero todavía no era dueño de las tierras que nosotros conocimos. A él le vendían el maíz para que les dieran un poco de dinero. Allí sí había una farmacia. Había una cantina. Era prácticamente lo único que había. O sea, lo que ganaban inmediatamente lo gastaban. La gente comía todos los días bananos cocidos o metidos al fuego. Tortilla casi no comían, porque no había una plaza donde comprar la cal. Hasta la cal costaba carísima allí. Había pequeños comerciantes que apenas llevaban jabón. Ni siquiera sal tenía esa gente abandonada en la selva. Vivimos allí un mes. Fue el mejor tiempo. Todos los días trabajábamos. Había ríos lindos, lindos porque los ríos eran cristales, las piedras que estaban abajo de los ríos. Eran medias blancas o grises, lo que hacía que el color del río era gris o blanquito. Era lo que me gustaba más estando allí. Pero había muchas culebras. El pueblo, constantemente era picado por culebras. Las culebras a mediodía se ponían a asarse al sol. Hacía un calor tremendo. Entonces mi papá decía, tenemos que saber la hora aquí porque si no, nos van a comer los animales. Tenemos que saber cuándo las culebras están en camino, porque también las culebras salen al sol y después entran en el río cuando están calientes. Entonces podrían provocar alguna sarna, alguna enfermedad que las culebras tienen. Pero nos gustaba sacar los pescaditos del agua, de los ríos grandes que pasaban. Pasaban cuatro ríos. Cuatro Chorros, les dicen la gente de allí. Son cuatro ríos que se juntan y después forman uno solo grande. El ruido que hace es como si uno estuviera cerca de un avión cuando se levanta.

Estuvimos trabajando un mes por lo escaso de la comida. Tuvimos que alimentarnos con plátanos, con bananos, con camotes, con yucas, pues no había maíz para que la gente comiera y, al mismo tiempo, no había cal para que la gente pudiera comer. ¿Qué hacen las frutas? Todos los niños tenían lombrices, animales en el estómago. Todos los niños estaban con el estómago bien gordo. Y yo le decía a mi papá, estos niños están bien gordos. Yo también tenía experiencia de lombrices, yo tuve lombrices en la finca. Y mi papá decía, porque comen sólo plátanos. Esos niños no van a vivir, esos niños se van a morir. Después regresamos. Así fue cuando vimos la calidad que tenía el maíz, la calidad que tenía la cal. Por eso son tan sagrados como decían nuestros antepasados. Verdaderamente sin maíz, sin cal, el hombre no tiene fuerza. Y, quizás, es lo que ha hecho que muchos de los indígenas estemos vivos únicamente comiendo maíz y el maíz llevaba cal adentro. Cuando regresábamos —habíamos caminado dos días— mi papá se desmayó en el camino. Claro, era por todas las debilidades que tenía. En ese tiempo yo tenía trece años. Cargaba cincuenta libras de maíz. Mis papás cargaban cien libras; mi papá y mis hermanos. Con mecapal, que nosotros decimos en Guatemala. Con lazo y todo veníamos cargando el maíz y mi papá que se desmaya. No sabíamos qué hacer con él. Estábamos en plena montaña. Yo tenía un horror, un miedo. Era el primer miedo que yo tenía en la vida. Yo había tenido miedo cuando me perdí en la montaña; miedo si venían los leones a comerme o cualquier animal. Pero no era tanto el miedo que tenía porque yo decía, si vienen, les voy a hablar y me van a entender. Pero en ese tiempo quizás era porque estaba más grande. Era un miedo que no sabría como expresar. Yo sólo decía, ¡Dios mío, pero somos muy pocos en la montaña! Estaban mis dos hermanos mayores y mi papá; y mi papá estaba desmayado. Luego pudimos levantarlo. Tuvimos que repartir toda la carga de él entre los tres y dejar un poquito para mi papá porque no podíamos aguantar todo. Era la primera vez que yo sentí que mi padre me hacía falta si se moría. Pero mi papá decía: "No tengan miedo porque esto es la vida y si no hubiera este dolor, quizá la vida sería diferente, quizá la vida uno no la sintiera como una vida. Pero ésta es la vida tenemos que sufrir y al mismo tiempo tenemos que gozar." Mi padre a mis hermanos también los quería, pero por mí, sentía el mismo cariño que yo le tenía, le quería mucho y cualquier cosa, si me dolía el estómago, me iba con mi papá en lugar de irme con mi mamá. Platicaba todo conmigo. Por ejemplo, cuando íbamos a trabajar, armaba conmigo una plática como si estuviera platicando con un vecino. Me tenía mucha confianza y me esplicaba un montonón de cosas. Yo atrás de mi papá. Y lo que me gustaba es que mi papá nunca se quedaba descansando. A veces llegaba a casa y había que componer un poco los árboles que estaban cerca de la casa para que las gallinas se durmieran en la noche. Entonces mi papá se subía encima de los árboles y me decía: "Si te quieres venir conmigo", y yo le daba la mano para que me subiera encima de los árboles. Y cada vez que mi papá abría brecha para entrar en la montaña, yo iba atrás de mi papá viendo como lo hacía. Así, cualquier cosa, yo me iba con él. Y más que todo lo acompañaba en el trabajo, porque mi hermana mayor fue una mujer que trabajó mucho en el campo y trabajó en las fincas también como yo, pero, cuando ya fue un poco grande le tocó cuidar la casita en el altiplano. Nosotros íbamos al trabajo y ella se quedaba. Entonces, mi trabajo casi era igual que el trabajo de mi papá, y yo tenía mucho cariño al trabajo que hacíamos. Mi papá siempre me sacaba de muchos clavos y por eso me hizo tanta falta cuando mi papá se murió, a pesar de que hacía mucho tiempo que no nos veíamos. En muchas cosas yo estaba siempre pendiente de él. Él me sacaba de las dudas. Cualquier cosa le preguntaba y me explicaba exactamente mi duda. Al mismo tiempo me defendía mucho. Tanto de mis hermanos como de mi mamá. De cualquier cosa. Ahora, si la justicia caía sobre mí, si eran mis errores, pues también me echaba la mano. Pero, en todas las cosas me defendía. Lo que pasó es que yo fui muy tímida de niña. Era muy humillada. Muchas veces ni me quejaba cuando mis hermanos me pegaban. Y así, cuando crecí, me sentía insegura de hacer muchas cosas, dudaba de muchas cosas. Mi papá trataba de sacarme de todo eso y siempre respondía por mí. Muchas cosas que a mí me costaban, mi papá me explicaba y me decía: "Cuesta aprender, pero se hacen y se aprenden." Cuando él se reunía con la gente, me elegía a mí, en primer lugar, para que dejara de guardar mis opiniones. No me gustaba meterme cuando todos los demás opinaban. Entonces, mi papá me enseñaba a hablar: tienes que hablar aquí, me decía.

Casi no me peleé con ningún muchacho de mi aldea, porque tengo un poco la misma actitud que tienen los hombres, de meterse en diferentes cosas, y me meto igual como se meten mis hermanos. Por ejemplo, la oscuridad, mi hermana mayor tiene un horror a la oscuridad. Había veces que nos mandaban a trabajar en la noche, a las tres de la mañana, a otra aldea y teníamos que pasar por una montaña con un poquito de ocote. Mi hermana sentía que le salían los leones por dondequiera, y yo no tenía miedo. Si sentía que había algo, me paraba y si no había nada, seguía caminando.

XXVI

SECUESTRO Y MUERTE DE LA MADRE DE RIGOBERTA MENCHÚ. REMEMORANDO A SU MADRE

"El tiempo que estamos viviendo lo tenemos que vencer con la presencia de nuestros antepasados."

Rigoberta Menchú

"Querían incendiar mis tierras, acabar con mis jóvenes y lactantes, y raptar a las vírgenes. El Señor Todopoderoso los rechazó por mano de una mujer."

La Biblia, Judit

Así fue cómo mi madre regresó al pueblo, y a escondidas va a comprar cosas para la comunidad cuando la secuestran el 19 de abril del 80.

Sabía que mi madre, cuando mataron a mi padre, estaba en camino para regresar a mi aldea. Yo tenía tanta pena de ella, porque me decía que tenía mucho que hacer si se quedaba en otras etnias, en otros lugares, en la organización de las personas. Si mi madre regresó al altiplano fue precisamente porque de mi aldea cayeron más de ocho compañeros vecinos en la embajada de España. Esos ocho compañeros eran los mejores de nuestra aldea, eran compañeros muy activos. Entonces mi madre decía, yo regreso a mi tierra porque mi comunidad me necesita en estos momentos. Y ella regresó. Los curas, las monjas, que se encontraban en ese tiempo en mi pueblo, le ofrecieron ayuda para que ella pudiera salir fuera del país pero mi madre nunca soñó con ser refugiada. Ella decía: "No es posible, mi pueblo me necesita y aquí tengo que estar." Regresó a la casa, y es cierto, pues, que la comunidad casi se estaba muriendo de hambre, ya que no podía bajar a un pueblo ni a un lugar y nadie se atrevía exponer su vida sólo por ir a comprar algo para comer.

A veces oía que mi madre andaba por otros departamentos porque de casualidad unas personas me contaban sobre la señora que tenía tal experiencia y todo eso. Entonces yo decía, es mi madre. Que bueno que no está en el altiplano. Pero para mí eran grandes las tensiones, porque no sabía dónde andaba y qué le podía pasar. Uno está claro, y tiene la convicción, de que si en un momento dado los padres perdían la vida, la pierden con toda claridad. Y tenía la esperanza de verlos todavía. Si un día nos pudiéramos juntar todos. Mi mamá decía que con su vida, con su testimonio vivo, trataba de decirles a las mujeres que tenían que participar como mujeres para que cuando llegara la represión y cuando nos tocara sufrir, no sólo sufran los hombres. Las mujeres también tenían que participar como mujeres y las palabras de mi madre decían que una evolución, un cambio, sin la participación de las mujeres no sería un cambio y no habría victoria. Ella estaba clara como si fuera una mujer de tantas teorías y con tanta práctica. Mi mamá casi no habló el castellano, pero hablaba dos lenguas, el quiché y un poco el keckchi. Mi mamá utilizaba todo ese valor y ese conocimiento que tenía y se fue a organizar. Ay, pero me dolía mucho cuando oía decir que mi madre andaba por Sololá y después oía de otras gentes que andaba por Chimaltenango o que andaba por El Quiché. Así mi mamá empezó a recorrer muchos departamentos, organizando. Y, precisamente, iba directo a las mujeres y decía que una mujer cuando ve que su hijo es torturado, su hijo es quemado, no era capaz de perdonar a nadie y que no era capaz de quitarse ese odio, ese rencor; yo no soy capaz de perdonar a mis enemigos. Llevaba un gran mensaje y tuvo mucho pegue en muchos lugares. Mi mamá fue muy respetada por mucha gente. Incluso llegó hasta los pobladores. Mi mamá era muy activa. Trabajaba lo mismo y platicaba con la gente. O sea, no había necesidad de reuniones para llegar a hablar con mi mamá, sino que llegaba a las casas, platicaba y trabajaba torteando y dando su experiencia. Era así su trabajo. Contaba su experiencia y ayudaba a la gente en el trabajo. Recuerdo, cuando desapareció mi hermanito, todos los de la comunidad se unieron, se juntaron e hicieron una protesta después de que mi madre fue a reclamar a la policía, al ejército y que no le dieron ninguna respuesta. Entonces, todos, todos fueron. Por primera vez la comunidad actuaba junta: la mayor parte eran mujeres. Sabíamos que si bajaban los hombres, eran secuestrados y torturados.

Entonces mi madre decía que era preferible hacer una manifestación de mujeres y niños, a ver si eran tan descarados los enemigos, el ejército; si eran tan cobardes, de masacrar a las mujeres y a los niños. Pero también son capaces. O sea, ellas vinieron con toda la claridad de que iba a haber una masacre en el pueblo. Llegaron al pueblo, tomaron la municipalidad del pueblo y allí apresaron al alcalde. Si él hacía la justicia, lo respetaban, pero si él se comía la justicia, también él sería ajusticiado. Era la primera vez que las mujeres actuaban así. Y todas las personas estaban admiradas. En primer lugar venían de lejos, de nuestro pueblo. En segundo lugar, venían con sus hijos para protestar contra las autoridades por el secuestro y enseñarles el repudio. Días después fue cuando se tomó el Congreso de la República. Allí iban mi mamá, mi papá, los campesinos. Era el Día Nacional de Guatemala. Todos los diputados estaban reunidos. Y con la ayuda de los sindicatos de Guatemala, con la ayuda del CUC se unieron otros indígenas del Quiché a los de Uspantán en la marcha que tomó el Congreso. Cuando se dieron cuenta los diputados ya no pudieron sacarnos. Teníamos la ayuda de los sindicatos y de otros campesinos y de los estudiantes también. Entonces, ¿qué iban a hacer? ¿Iban a masacrar? Fue el primer peligro que se corrió. Fue algo muy chistoso. Cuando entraron al Congreso, inmediatamente levantaron las armas los soldados. Y el que iba encabezando la manifestación era uno de mis hermanos. Cuando mi hermano mayor empieza a hablar, levantan el fusil y le apuntan. Entonces viene mi hermanita con su flor blanca. Y eso significa mucho para nosotros. Como decía anteriormente, sólo cortamos una flor cuando hay una gran necesidad o cuando hay algo importante. Entonces, todos los manifestantes levantan los mismos manojos de flores, significando, que pedían el respeto hacia la vida y al mismo tiempo una solución al problema. Mi hermanita pasó delante del fusil y se puso enfrente con su flor entonces ya no se atrevieron a ametrallar a mi hermano. Ocupamos el Congreso para reclamar a mi hermano que fue secuestrado, a los cientos de catequistas que fueron secuestrados en diferentes aldeas del pueblo y reclamar también que saliera el ejército de las comunidades. Que el ejército no nos siga masacrando y violando a las mujeres. Era la protesta pidiéndole al presidente que cese la represión y eso lo hacíamos pacíficamente. Y nada. Inmediatamente la respuesta fue la quema de mi hermano. Masacraron aún a otras aldeas, como siempre. Entonces, ante eso, nosotros teníamos que actuar en una forma muy rápida.

Lo que nos dijeron es que el Congreso no era la casa de los indios y que tampoco los indios tenían derecho de entrar en el Congreso. Que era una casa respetable, porque era la casa de las personalidades del Gobierno. Pero los campesinos dijeron, aquí estamos y aquí nos matan... O sea, se fueron a exponer su vida. Si allí había una masacre, ellos sabían que esa masacre no iba a ser de balde, sino que iba a ser una protesta ante la situación. Ya después de eso nos seguimos organizando constantemente, con tanta alegría, por una causa justa y una motivación que había sido de algo y de algo real.

Fue secuestrada mi madre y desde los primeros días de su secuestro fue violada por los altos jefes militares del pueblo. Y quiero anticipar que todos los pasos de las violaciones y las torturas que le dieron a mi madre los tengo en mis manos. No quisiera aclarar muchas cosas porque implica la vida de compañeros que aún trabajan muy bien en su trabajo. Mi madre fue violada por sus secuestradores. Después, la bajaron al campamento, un campamento que se llamaba Chajup que quiere decir abajo del barranco. Allí tenían muchos hoyos donde castigaban a los secuestrados y donde también fue torturado mi hermanito. La bajaron al mismo lugar. Al llegar al campamento fue violada por los altos jefes militares que mandaban la tropa. Después, mi madre estuvo en grandes torturas. Desde el primer día la empezaron a rasurar, a ponerle uniforme y después le decían, si eres un guerrillero, por qué no nos combates aquí. Y mi madre no decía nada. Pedían a mi madre, a través de golpes, decir dónde estábamos nosotros. Y si daba una declaración, la dejaban libre. Pero mi madre sabía muy bien que lo hacían para torturar a sus demás hijos y que no la dejarían libre. Mi madre no dio ninguna declaración. Se hizo la disimulada en todas las cosas. Ella hacía como si no sabía nada. Ella defendió hasta lo último a cada uno de sus hijos. Y, al tercer día que estaba en torturas le habían cortado las orejas. Le cortaban todo su cuerpo parte por parte. Empezaron con pequeñas torturas, con pequeños golpes para llegar hasta los más grandes golpes. Las primeras torturas que recibió estaban infectadas. Desgraciadamente, le tocaron todos los dolores que a su hijo le tocaron también. La torturaban constantemente. No le dieron de comer por muchos días. Mi madre, de los dolores, con las torturas que tenía en su cuerpo, toda desfigurada, sin comer, empezó a perder el conocimiento, empezó a estar en agonía. La dejaron mucho tiempo y estaba en agonía. Después el oficial mandó a traer la tropa médica que tienen allí en el ejército y le metieron inyecciones, y bastante suero para que mi madre reviviera. Que mi madre resurgiera nuevamente. Le daban medicinas; la atendieron muy bien, buscaron un lugar donde estuviera bien. Y cuando mi madre estaba un poco bien, pues, claro, pedía comida. Le daban comida. Después de eso la empezaron a violar nuevamente. Mi madre fue desfigurada por los mismos militares. Aguantó mucho, no se moría. Cuando mi madre empezó a estar nuevamente en agonía, nos mandan a llamarnos; por todos los medios nos buscaban. Llevaron la ropa de mi madre a la municipalidad del pueblo de Uspantán. La pusieron en exhibición de modo que nosotros comprobáramos que mi madre estaba en sus manos. Mandamos a ciertas personas a investigar qué pasaba con ella, y lo que decían eran que nos presentáramos; mi madre tenía vida. Que mi madre estaba en sus manos y que la estaban torturando. Necesitaba ver uno de sus hijos. Así, constantemente. Habíamos perdido a mi hermanito pequeño, pero de mi hermanita yo no sabía si había caído con mi madre o andaba en otras casas. Nadie sabía. Para mí era doloroso aceptar que una madre estaba en torturas y que no sabía nada de los demás de mi familia. Nadie de nosotros se presentó. Mucho menos mis hermanos. Pude tener contacto con uno de mis hermanos y él me dijo que no había que exponer la vida. De todos modos iban a matar a mi madre como también nos iban a matar a nosotros. Esos dolores los teníamos que guardar nosotros como un testimonio de ellos y que ellos nunca se expusieron cuando también les pasaron los grandes sufrimientos. Así fue cómo tuvimos que aceptar que mi madre de todos modos se tenía que morir.

Como vieron que nadie de los hijos bajó a recoger la ropa de mi madre, los militares la llevaron a un lugar cerca del pueblo donde había muchos montes. Mi esperanza era que mi madre muriera junto con toda la naturaleza que ella tanto adoraba. La llevaron debajo de un árbol y la dejaron allí viva, casi en agonía. No dejaban que mi madre se diera vuelta y como toda su cara estaba desfigurada, estaba cortada, estaba infectada, casi no podía hacer ningún movimiento por sí sola. La dejaron allí más de cuatro o cinco días en agonía; donde tenía que soportar el sol, tenía que soportar la lluvia y la noche. De modo que mi madre tenía ya gusanos, pues en el monte, hay una mosca que se para encima de cualquier herida e inmediatamente, si no se cuida el herido, en dos días ya hay gusanos por donde ha pasado el animal. Y como todas las heridas de mi madre estaban abiertas, entonces tenía gusanos y estaba viva todavía. Después, en plena agonía, se murió mi madre. Cuando se murió mi madre, los militares todavía se pararon encima de ella, se orinaron en la boca de mi madre cuando ya estaba muerta. Después dejaron allí tropa permanente para cuidar su cadáver y para que nadie recogiera parte del cuerpo, ni siquiera sus restos. Allí estaban los soldados cerca del cadáver y sentían el olor cuando mi madre empezó a tener bastante olor. Estaban allí cerca, comían cerca de mi madre y, con el perdón de los animales, yo creo que ni los animales actúan así como actúan esos salvajes del ejército. Después mi madre fue comida por animales, por perros, por zopilotes que abundaban mucho en esa región, y otros animales que contribuyeron. Durante cuatro meses, hasta que vieron que no había ninguna parte de los restos de mi madre, ni sus huesos, abandonaron el lugar. Claro, para nosotros, cuando supimos que mi madre estaba en plena agonía, era muy doloroso, pero después, cuando ya estaba muerta, no estábamos contentos, porque ningún ser humano se pondría contento al ver todo esto. Sin embargo, estábamos satisfechos porque sabíamos que el cuerpo de mi madre ya no tenía que sufrir más, porque ya pasó por todas las penas y era lo único que nos quedaba desear que la mataran rápidamente, que ya no estuviera viva.

XXVII

SOBRE LA MUERTE

> *"A poco empezaron a descender por la ladera del Poniente. Entonces una nube como de lluvia lo ocultó."*
>
> Popol Vuh

El fenómeno de la muerte entre nosotros los indígenas, es algo a lo que uno se va preparando. Es algo que no viene como algo desconocido, sino que es como un entrenamiento. Por ejemplo, la caja del muerto se construye mucho antes, para que la persona que va a morir, el viejo, conozca su caja. Y, en el momento en que va a morir, en que siente que va a morir, llama a la persona que más quiere, a la persona de la cual está más cerca, que puede ser una hija o una nieta en el caso de una abuela; o un hijo o un nieto en el caso del abuelo o cualquier persona que esté muy próxima, para hacerle las últimas recomendaciones y transmitirle, a la vez, el secreto de sus antepasados y también trasmitirle su propia experiencia, sus reflexiones. Los secretos, las recomendaciones de cómo hay que comportarse en la vida, ante la comunidad indígena, ante el ladino. O sea, cosas que se vienen repitiendo desde hace generaciones para conservar la cultura indígena. La persona que recibe las recomendaciones guarda el secreto y las va transmitiendo, antes de morirse, de generación en generación. Después reúne a la familia y también a la familia le habla, le repite las recomendaciones, les repite lo que vivió. No es como los secretos, que se los dice a una sola persona; las recomendaciones se las dice a todo el mundo y muere tranquilo. Muere con la sensación de haber cumplido con su deber, con su vida, con lo que tenía que hacer.

La ceremonia de la muerte se hace en la casa del muerto. Viene todo, todo el pueblo a velar al muerto, a visitar a la familia y la comunidad se encarga de todos los gastos. O sea, que la familia no tiene que hacer ningún gasto. Se vela al muerto, se prepara comida para la gente que está presente.

Una cosa muy importante es el trago, la bebida. Es una ocasión en que también se come mejor. Se puede comer carne y otras cosas. Además se hace una especie de ceremonia. Se ponen candelas en los cuatro puntos cardinales. Un poco repitiendo la ceremonia que se hace con el maíz, con la siembra del maíz. Se cortan flores, y es una de las pocas veces que se hace eso. Para el muerto sí se cortan flores y se ponen alrededor de su caja. Después se habla del muerto. Todo el mundo cuenta algo sobre el muerto. La familia habla y si no tiene familia, habla el elegido del pueblo, que es como su familia. Se habla de él, se cuenta lo que hizo en su vida. Y no solamente se hace el elogio, sino también la crítica. Durante toda la noche se habla del muerto, de lo que hizo en la vida. Rememorando a la persona.

No se deja al muerto mucho tiempo en casa, no se vela mucho, sino que se le entierra antes de que pasen las veinticuatro horas. Tiene que quedarse lo menos posible. Una noche para que se pueda hacer la ceremonia, pero después se le entierra. Es muy importante eso de las sepulturas. Un detalle es que cuando se le entierra, se ponen en su caja todos los objetos que más quería en la vida. Los objetos no van a servir a los herederos, sino que se quedan con él. Por ejemplo, su machete, el machete que lo acompañó durante su vida. Se entierran todas las cosas que le gustaban; su taza para beber, sus utensilios de la vida cotidiana que lo acompañaron en vida. Y su ropa, cuando murió, se deja en un lugar y ya no se usa más, a menos que pueda servir a un amigo muy querido, a una persona que quería mucho. En la agonía, todo el mundo está al acecho de lo que va a decir y recomendar. Se cuenta que en el momento en que está agonizando, hace un recuento de la vida y pasa en su mente por todos los lugares donde ha vivido. O sea, si ha vivido en una finca, pasa otra vez, su espíritu, su mente.

El hecho de matar a una persona. La muerte vivida por los demás, —sea la muerte por accidente o de otros modos—, es una cosa que sufrimos mucho, porque es una cosa que se sufre en carne propia. Por ejemplo, la forma como murió mi hermanito, matado. Ni siquiera nos gusta matar a un animal. Porque no nos gusta matar. No hay violencia en la comunidad indígena. Por ejemplo, la muerte de un niño. Si un niño murió de malnutrición, no es culpa del padre sino por culpa de las condiciones del ladino, es un atropello debido al sistema. Sobre todo antes, todo era culpa del ladino. Ahora hemos reflexionado. Muchas cosas que repetían los abuelos es que, ahora nos quieren acabar con las medicinas, con todas las cosas. Que ahora nos quieren hacer vivir de otra forma a la que queremos vivir. Matar es para nosotros algo monstruoso. De allí la indignación que sentimos por todo lo de la represión. Más aún, la entrega a la lucha es una reacción de cara a eso, a todo ese sufrimiento que sentimos.

Nosotros hemos depositado nuestra confianza en los compañeros de la montaña. Ellos vieron nuestra situación y viven un poco lo que nosotros vivimos. Se plegaron a las mismas condiciones que nosotros. Uno ama sólo aquella persona que come lo que nosotros comemos. Una vez que el indígena abre su corazón a ellos tendrá a todos los suyos en la montaña. No nos hemos sentido engañados como por ejemplo, como nos sentimos con el ejército, que viene a llevarse a los hijos de los indígenas. Eso significa que rompen su cultura, todo su pasado. Lo sentimos como un atropello cuando se vienen a agarrar a los hombres, a los muchachos, porque sabemos que los vamos a volver a ver pero ya no serán los mismos. En el caso del soldado hay algo mucho más grave, no sólo es el hecho de que pueda perder su cultura, sino que también el soldado indígena puede llegar a matar a los otros.

Cuando los indígenas deciden ir a la montaña saben que puede suceder cualquier cosa. Se pueden morir en el combate, en cualquier momento. Como esos ritos no se pueden hacer en la montaña alrededor de la muerte porque es un poco difícil por las condiciones, hacen en el pueblo una ceremonia, la ceremonia de las recomendaciones. La misma ceremonia que hace el muerto antes de morir, con su familia, lo hace el indígena antes de ir a la montaña en el caso de que sucediera algo, sirve para pasar sus secretos, antes de irse a la guerrilla. Una noche se reúnen. Por ejemplo, una familia que se va al día siguiente, se reúne y hace la ceremonia, las recomendaciones. Después se va. Es para cumplir en caso de que algo suceda.

XXVIII

SOBRE LAS FIESTAS

> *"Lo que a nosotros los indígenas nos duele más es que nuestro traje lo ven bonito pero la persona que lo lleva es como si fuera nada."*
>
> Rigoberta Menchú

Ahora, con respecto a las fiestas en los pueblos, éstas son más que todo una mezcla; la mera fiesta que celebraban nuestros antepasados quizá ya no existe. Y como suplente de esas fiestas, ahora se celebran, los días de algún santo, los días de algún personaje. Muchas veces en las escuelas se celebra el día de Tecún Umán. O sea, Tecún Umán es el héroe quiché que se dice que peleó contra los españoles y luego lo mataron. Entonces en las escuelas hacen una fiesta cada año. Recuerdan el día de Tecún Umán como héroe nacional de los quichés. Pero nosotros eso no lo celebramos porque, en primer lugar, dicen los papás, que ese héroe no está muerto. Entonces nosotros no celebramos esa fiesta. La celebran los ladinos en las escuelas. Pero para nosotros es como un rechazo decir que fue un héroe, que peleó y murió, pues, lo narran en pasado. Se celebra su aniversario como algo que representó la lucha en aquellos tiempos. Pero para nosotros existe la lucha todavía y más que todo existe el sufrimiento. No queremos que se diga que eso ya pasó sino que existe hoy día, entonces, nuestros papás, no dejan que eso se celebre, porque no sabemos la realidad, aunque los ladinos la cuenten como verdadera historia. Se dice que Tecún Umán quiere decir el abuelo de todos. El man quiere decir algo así como papá o como abuelo, algo respetable. Él era precisamente el líder de todos los indígenas, como su rey, por ejemplo, o como su presidente. Entonces, cuando entraron los españoles, hubo grandes batallas y murieron muchos reyes como él, entonces él era el último que cayó en la batalla contra los españoles. Pero nuestra posición con Tecún Umán es diferente de la que narran los ladinos. El día de la fiesta de la Independencia de Guatemala, tampoco lo celebramos, porque precisamente, para nosotros eso no es una fiesta. Nosotros lo consideramos como una fiesta de los ladinos, pues, la independencia, como le llaman, para nosotros no significa nada, significa más dolor, significa que tenemos que hacer grandes esfuerzos para no perder nuestra cultura. Eso para nosotros no tiene ninguna significación. Sólo se celebra en las escuelas y los que tienen acceso a la escuela es más que todo, la gente que tiene dinero. La mayor parte de los indígenas no tienen acceso a las escuelas, a los colegios. Se celebra más que todo entre la gente burguesa, la gente clase media y ya para abajo no hay nada de eso. Cuando entran maestros en las aldeas, empiezan a meter la idea del capitalismo y de superarse. Entonces tratan de meternos esas ideas. Me recuerdo, que en mi aldea, estuvieron dos profesores algún tiempo y empezaron a enseñar al pueblo. Pero los mismos niños informaban a sus padres todo lo que les enseñaban en la escuela. Entonces los padres dijeron: "No aquí no queremos que nuestros hijos sean ladinizados" y, entonces, hicieron correr a los maestros. Porque precisamente lo que el maestro pidió era celebrar el 15 de septiembre. Tenían que ponerse el uniforme de la escuela. Tenían que comprar zapatos. Lo que nunca se compra para un niño. Entonces exigen que se pongan uniforme, que se tengan que disfrazar, que dejen sus vestidos, sus trajes, que se tengan que poner una tela de un solo color todos. Entonces los padres no quisieron que ladinizaran a sus hijos y corrieron al maestro. Para el indígena es preferible no tener estudio que ladinizarse.

Como decía, las fiestas del pueblo se hacen siempre por un santo o por una imagen. Eso comenzó más que todo cuando empezó a funcionar la Acción Católica y al mismo tiempo a meterse la Biblia como un instrumento que narra de los antepasados. Entonces el pueblo se identificó mucho con la Biblia; se identificó mucho con la religión católica. Así es cómo hoy día existe en nuestros pueblos la fiesta de patrones o patronales, algún santo, alguna imagen, porque llegó un momento en que el pueblo se adaptó a todo esto y lo tomó como suyo. Todas estas fiestas, el indígena las toma como un descanso al trabajo. Pero un descanso que, al mismo tiempo, lo daña porque precisamente en vez de descansar dos o tres días, tiene que quedarse en el pueblo todo el día de las fiestas. Sólo en caso de enfermedad o de estar muy ocupado o que no tenga nada que comer no va a la fiesta. Se usa la marimba como música. Días o años anteriores, me recuerdo había marimbas, pero marimbas sin muchos instrumentos y las tocan la misma gente del pueblo y salen bailes donde el indígena representa como un rechazo hacia los españoles; el "Baile de la Conquista", que nosotros llamamos. Los indígenas se ponen unas máscaras blancas o rojas representando a los españoles. Entonces los españoles llevan caballos y los indígenas lidian un poco con las armas populares, machetes, piedras y así hay una batalla. Y lo hacen como baile. Lo llamamos el "Baile de la Conquista". Todo me gustaba. El Baile de la Conquista me gusta mucho mucho porque da una significación precisa de lo que piensan los indígenas sobre la conquista. Hay otros bailes, el baile del Toro, baile del Venado, que también se hace en el pueblo. Y bailan más que todo gentes mayores de más de treinta y cinco años. Y señores que bailan disfrazados que se hacen una cara como toro o venado.

San Miguel Uspantán se llama mi pueblo. A Miguel Uspantán se le celebra dos veces al año. Una fiesta dedicada al pueblo, el día de San Miguel, y como la gente tiene mucho cariño a la Virgen, entonces la fiesta de la Virgen es dedicada también al mismo tiempo a San Miguel de Uspantán. Empieza la fiesta desde el cinco o seis de mayo y no se acaba sino hasta el 9 de mayo. Todos esos días va a estar la gente en pie. Bajan al pueblo hasta las gentes de las aldeas más lejanas y es como un encuentro entre todas las diferentes comunidades que viven fuera del pueblo. Bajan, venden todas sus cositas. Por ejemplo, si hay un animal que hay que vender, se vende en la fiesta porque llegan también muchos comerciantes. Hay también loterías y ahí se pierde todo. Hay comerciantes grandes, también hay misas, hay primeras comuniones. También hay cantinas. Al salir de la misa, van a la cantina. Las mujeres toman también. Es algo increíble en estos pueblos porque no sólo el hombre se quiere desahogar y olvidar un rato los problemas sino que también la mujer. Es el hecho de que muchas veces la madre no ha tenido ni un respiro, entonces en las fiestas, aprovechan para descansar un rato y, como decía, eso yo lo he analizado como un descanso para el pueblo.

Mi madre también tomaba. Ahora, mi padre tenía un carácter que cuando tomaba, cuando ya no podía más consentía y se iba a la cama o se dormía. A veces se iban juntos a tomar o a veces mi madre aparecía borracha y mi padre no. Para nuestro pueblo no es raro ver a una mujer tomando. De hecho, muchas mujeres toman. Y peor en las fiestas. Todas las mujeres toman. Ha habido casos en que las mujeres se duermen encima de sus hijos y es un escándalo eso. Todos, todos, todos se embolan.

Después de la fiesta no queda ni un centavo. Los ladinos también están ahí. Como no todos los ladinos tienen la capacidad de vivir bien, entonces muchos ladinos pobres andan también metidos entre toda la borrachería. Pero hay muchos ladinos que aprovechan ese tiempo para vender, ponen sus comercios y ganan dinero. Para ellos cada fiesta es para hacer dinero.

Me recuerdo la vez que hice mi primera comunión. Mis padres me habían comprado un pedacito de corte y una blusita y un delantalcito chiquito. Tuvieron también que comprarme flores y candelas y todo lo que necesitaba. Entonces ya antes de la fiesta tuvieron que hacer deudas. Mi padre estaba contento porque yo estaba viva; porque ya es un milagro cuando un niño llega a tener cinco años. Se piensa que ya va a poder sobrevivir. Entonces de la alegría quizá, mi padre fue a tomar y gastó su dinero. Eso hizo que tuvimos que bajar mucho tiempo en la finca, porque después de la fiesta teníamos que pagar todas las deudas. Y me recuerdo que fue muy poco lo que yo vi o sentí en esa fiesta porque casi estuvimos sólo caminando, o estando en la posada de ahí. No sentí el gusto. Una vez al año hay también una feria y ahí es cuando se elige a la reina del pueblo. Tiene que haber una reina indígena y una ladina. Están designados los días para la representación de la reina indígena y después viene la representación de la reina de los ladinos. No sabría decir cómo nació esta forma de representación. Una indígena, quizá la más humilde, la más reservada la eligen como reina de todos los indígenas del pueblo. Se hace casi en la mayor parte de los pueblos de Guatemala. Se hace en pueblos pequeñitos. Pero lo que habría que ver es de quién es la iniciativa. Eso es lo más increíble para mí porque antes hablaban de la reina indígena pero yo no conocía nada de eso porque yo vivía en la montaña y durante toda mi niñez nunca bajé al pueblo a las fiestas. Hablaba la gente de esto pero yo no sabía. Fue en el 77 cuando yo tuve la oportunidad de estar en el pueblo y se eligió una reina. Vi que muchos ladinos votaron por la reina indígena. Había como tres candidatas de las señoritas indígenas. Recuerdo que tenían un amigo que era ladino y fue a depositar mucho dinero para que ganara la que él prefería. Era una competencia, porque se pagan los votos. Es una recolecta que se hace al mismo tiempo para comprar las cosas de la reina. La municipalidad, o sea, las autoridades del pueblo también dan una cantidad de dinero para que la reina se presente en público y todo eso. Es algo folklore que me imagino que se ha impuesto después. Eso no viene desde hace tiempo. A la que le compran más votos queda de reina. Los votos los venden grupos de gentes que están interesadas por cada una de las muchachas. Las candidatas, las eligen más bien los jóvenes del pueblo o las personas que están más cerca o metidas en una junta o coordinación que sale del mismo pueblo o a través de la municipalidad, o sea, las autoridades del pueblo. Es decir, no es el pueblo en general, no es el pueblo indígena. Y como la mayor parte de los ladinos se han concentrado en los pueblos de Guatemala, entonces la mayor parte de los indígenas se van fuera del pueblo y los ladinos se quedan viviendo en el pueblo. Así ha pasado en mi pueblo Uspantán. Muy pocos indígenas viven en el mismo pueblo.

Vi que empezaron a votar y que después ganó tal fulana y todo el mundo se fue a felicitarla. Pero son unos grupos reducidos. Yo pregunté a otro amigo que era indígena y me dijo que la alcaldía era la que movía todos esos actos y la que pagaba y financiaba la reina indígena. Entonces eso es algo que me dio tanta lástima, porque en primer lugar, escogen a la señorita más linda de la comunidad o del pueblo, y al mismo tiempo, es como un negocio que hacen con la indígena. Y las reinas cuando ya son elegidas, salen en el día de la fiesta en carros y carrozas. Siempre el día anterior 5 o 4 de mayo, sale la reina indígena y el día 8 sacan a la reina ladina. O primero sacan a la reina ladina y después a la reina indígena. No salen juntas. Entonces, a mí me da mucho que pensar esto. Después arman un gran folklore y se van el mes de agosto que es el mes de la feria de Cobán con todas las reinas indígenas que vienen de diferentes partes. Esa fiesta es armada por cada presidente que está en el poder. Entonces, invitan a grandes gentes, por ejemplo, senadores, personalidades de otros países, embajadores. Y participan en la fiesta presidencial. Entonces, la reina que fue escogida en el pueblo, forzosamente tiene que estar allí, es obligatorio, por la ley, tiene que estar. Van todas las reinas con sus trajes de las diferentes regiones. Llegan a Cobán por sus medios. En Cobán estará el general presidente, estarán también todos los diputados principales, las personalidades invitadas y una serie de turistas; lo que siempre ha habido en las comunidades, en los lugares turísticos de Guatemala. Y entonces tomarán todas las fotos que quieran. Y para el indígena, tomarle una foto en la calle, es abusarse de su dignidad, abusarse de él. Les toman las fotos y les hacen actuar como hacen las artistas de los ricos. Porque en Guatemala, entre los pobres, no hay artistas. Entonces, los ponen a los indígenas que den vueltas, que den cariños, que den saludos para que todo el público los presencie, más que todo por el traje. Así van pasando, hacen una serie de presentaciones. Me recuerdo que meses antes que llegue la fiesta, habrá una atención para todas las reinas, para que se les enseñe su forma de presentarse, porque se considera que el indígena no sabe. Entonces se le enseña y ya va preparada a la feria de

Cobán. Me contaba una amiga que fue reina, que le enseñaron muy bien cómo se tenía que presentar. La compañera no sabía hablar mucho el castellano. Entonces, tuvo que aprender el rollo que iba a decir; un saludo para el presidente, un saludo para los principales, saludos para los militares. Tenía que aprender forzosamente lo que tenía que decir. Después que aprendió todos los movimientos que tenía que hacer, la llevaron en una pensión, ni siquiera al hotel donde estaban los invitados. Después de la fiesta les dijeron: ya cumplieron con su papel, se van pues. Entonces ellas exigieron que les dieran un lugar en donde quedarse. Por fin, les dieron un poco para que fueran a una pensión, en las pensiones de Guatemala entra cualquier gente. Entran borrachos. Entonces las compañeras tuvieron que estar en una pensión después de la presentación. Y eso es lo que a nosotros los indígenas nos duele más. Quiere decir, que el traje sí lo ven bonito porque hace entrar dinero, pero la persona que lo lleva es algo como si fuera nada. Después sacan grandes impuestos por la gente que entró en la feria. Sacan mucho dinero con la presentación de la reina. Toda la gente tiene que pagar para entrar allí. Sólo pueden entrar gentes con dinero.

XXIX

ENSEÑANZAS RECIBIDAS DE LA MADRE. DIFERENCIAS ENTRE LA MUJER INDÍGENA Y LA MUJER LADINA. EL MAÍZ Y LA MUJER

"Mi madre me decía: yo no te obligo a dejar de ser mujer, pero tu participación en la lucha debe ser igual a la de tus hermanos."

Rigoberta Menchú

La indígena no es coqueta. No tiene tiempo, por ejemplo, de hacerse un peinado, de arreglarse el pelo y todo eso. Pero el ladino sí. Aunque no tenga con qué comer prefiere ponerse ganchitos en la cabeza, y tener cintura y forzosamente a usar zapatillas. Muchas cosas nos diferencian. Me recuerdo que mi mamá me decía: "Hija, tú no necesitas pintarte porque si te pintas, sería abusar de las maravillas que Dios nos ha dejado. Tú no aprendas eso." Pero llegó un momento en que empecé a separarme de mi mamá y eso a ella le preocupaba mucho. No es que no la quisiera a mi madre, pero tenía un grado más de cariño a mi padre. Sería por todo su trabajo, por las amenazas contra él. Nunca pensé que a mi madre le tocara una muerte más dura que la de mi padre. Siempre pensaba que a mi padre le tocaría más duro que a mi madre. Pero cuando yo tenía diez años, estaba más cerca de mi madre, a esa edad ella me hablaba de las cosas de la vida. Me enseñaba hablándome de las experiencias de su abuela, me contaba cuando su abuela estaba embarazada. No me transmitía sus propias experiencias. No porque ella no las tuviera sino porque ella se sentía mejor enseñándolas a través de las experiencias de otro.

Bueno, mi madre me decía que una mujer indígena sólo es respetada cuando lleva su mudada o su traje completo. Porque un rebozo que le falte a uno, ya la comunidad empieza a no respetar a esa mujer y la mujer necesita un gran respeto. "Nunca hija dejes de llevar el delantal", decía mi madre. Precisamente así se marca la etapa de entrada en la juventud; después de los diez años. Entonces los papás le compran a la hija todo lo que necesita. Dos delantales, dos cortes, dos perrajes. De modo que cuando se lava uno, hay otro para llevar. Cuando uno va a hacer un mandado, tiene que llevar todo su traje completo. No cortarse el pelo, decía mi mamá. "Cuando te cortas el pelo, ya se fijan en ti y dicen, esa mujer está rompiendo muchas cosas y ya no te respeta la gente como te tiene que respetar." Mi mamá regañaba mucho cuando uno salía corriendo sin delantal. "Te arreglas como vas a estar siempre. No tienes que cambiarte de forma de arreglarte o de vestirte porque tú eres igual y no vas a cambiar de hoy en adelante." Me explicaba además lo que era el maíz para nosotros. La talla del maíz. Me decía que una mujer embarazada no debía llevar la talla del maíz en el delantal, porque esa talla es la que da vida al maíz. Es la matriz del maíz que alimenta. Pero tampoco es comparable con el niño. El niño va a comer maíz cuando sea grande. El niño merece tanto respeto como la talla del maíz. Entonces, no se pueden comparar los dos. No se deben mezclar. Ésa era la significación que daba mi madre. Es que el delantal también se considera algo importante que la mujer siempre usa en el mercado, en la calle, en todo su trabajo. Entonces, es algo sagrado para la mujer y siempre tiene que estar con él. Ya después mi mamá me explicaba muchos detalles. Por ejemplo, los pájaros, las medicinas. Esta yerba nunca se te ocurra de comer o tomarla como medicina. Explicaba entonces por qué no se debe tomar la yerba. Una mujer embarazada no puede tomar cualquier clase de medicinas, tampoco cualquier jugo de árbol... Ya después me explicaba que yo tenía que tener mis reglas. Yo le hacía muchas preguntas en voz alta, mientras cortábamos yerbas, abajo en las montañas, pero, como decía, ella más bien platicaba sobre mis abuelos, no sobre ella. Pero yo cuando tenía dolor de estómago, no lo decía a mi mamá, más bien buscaba a mi papá, por la confianza misma que le tenía a mi padre. Y había detalles que hubiera podido preguntar a mi madre pero preguntaba a mi papá. Entonces mi mamá decía que a ella se le abandonó un poco cuando era niña.

No hubo atención para ella y ella sola tuvo que aprender todo. Ella decía: "Yo cuando tuve mis reglas ni siquiera sabía lo que era." Mi mamá era muy enojada. Cualquier oficio nos lo enseñaba muy bien pero, si no lo hacíamos bien, mi mamá nos castigaba. Decía, si no se les corrige ahora, después, quién les va a enseñar. Eso es para ustedes no es para mí. Me recuerdo que yo empecé a tortear como a los tres años. Dice mi mamá que a los tres años yo podía hacer muchas cosas. Podía lavar el nixtamal. Ella me enseñaba cómo se lavaba y cómo se hacía. Ya más grande mi mamá me explicaba que no podía pasar por encima de ciertas cosas. Por ejemplo un plato o un vaso. No pasar encima del maíz ya que el maíz es la comida de todos. Así, detalles que uno tiene que aprender.

Me recuerdo también cuando íbamos a sembrar al campo. Mi mamá siempre me explicaba los días fértiles para sembrar. Mi madre siempre tuvo sueños con la naturaleza. Yo me imagino que eran más imaginaciones de ella. Pero cuando uno tiene la creencia, muchas veces sucede como uno cree. Eso he comprobado muchas veces con las medicinas. Yo digo, ésta sí me va a curar. Y, lógicamente me cura aunque la medicina no sea la que hizo el efecto. Yo creo que así era mi madre. Ella decía que cuando era chiquita iba encima de los troncos y encima de los árboles y pastoreaba y todo. Ella platicaba mucho con los animales. Por ejemplo, cuando le pegaba a algún animal, después le decía yo te pegué por esto, no te enojes. Y así lo encariña otra vez. Entonces contaba que cuando estaba chiquita, había recogido un puerquito en la montaña y sabía ella que el puerquito no era de nadie porque no había vecinos; éramos las únicas familias que vivían en ese lugar. Había familias lejos, lejos a kilómeros del lugar en donde estábamos. Ella recogió al puerquito, lo llevó a la casa y, como mi abuelo es un hombre muy sincero, es capaz de pegar a cualquier hijo de él si robaba aunque sea una cosa pequeña, o una fruta. Para los indígenas está prohibido robar en una casa de los vecinos. Nadie puede abusar del trabajo de los vecinos. Entonces mi mamá llevó el puerquito pero no sabía cómo explicarle a mi abuelo porque era capaz de sacarla de la casa con su puerquito. Entonces, ella lo escondió en el temascal y allí dejó al puerquito. Mi abuelo tenía dos vacas y las vacas daban leche y hacían queso y el queso se iba al mercado o lo vendían a los ricos. Entonces mi mamá sacaba parte de la leche y le daba al puerquito para que creciera sin que mi abuelo viera. Pero a los quince días —es increíble porque tenía vida el puerquito—, estaba grande y cada vez era un poco más grande a pesar de que no tenía mamá. Entonces mi abuelo se dio cuenta que mi mamá tenía un puerquito. Y casi la mata a mi mamá y le dijo: "Vaya a dejar el puerquito. Yo no quiero en mi casa puercos robados." Hubo un pleito y todo pero después dejaron que el puerquito creciera aunque mi abuelo le decía a mi mamá que tenía que buscarle por su cuenta de comer al puerco. Y así mi mamá se sacrificaba. Llega un momento en que el puerco ya era grande, tendría sus cinco o seis meses y mi mamá se desesperaba y platicaba con el puerco. Le decía: "Mi papá no te quiere pero yo sí te quiero." Luego en una noche entran los coyotes y se llevan al puerco. Eran tres o cuatro coyotes. Entonces el puerco empezó a gritar y mi mamá salió corriendo. Mi madre decidida, entró en los montes, corriendo a alcanzar el puerco, cuando entraron más en la montaña, mi madre sintió un aire. Entonces mi mamá se dijo: "Ah, de plano que este puerco es del mundo, no es mío." Entonces mi mamá dejó el animal y regresó, pero todo el tiempo soñaba con su puerquito. Lo veía cuando los coyotes lo tenían en la boca y le llevaban. En ese tiempo mi mamá decía que ella iba a aprender con un chimán, como llamamos nosotros allá a un señor que adivina las cosas de los indígenas. Es como un médico para el indígena, o como un sacerdote. Entonces mi mamá decía, yo voy a ser chimán y yo me voy con un señor de éstos. Y se fue mi mamá y aprendió muchas cosas de las imaginaciones del chimán que tienen mucha relación con los animales, con las yerbas, con el agua, con el sol. Mi mamá aprendió mucho, pero quizá no era su tarea, pero sí le ayudó mucho para aprender a concentrarse y en muchas otras cosas. Mi mamá amaba mucho la naturaleza. El cielo de Guatemala por lo general es siempre azul, entonces, cuando empieza a tener nubes en las orillas de las montañas, quiere decir que va a llover. Mi madre sabía distinguir cuáles son los días que llovía, cómo era la lluvia que iba a caer, si iba a ser fuerte o menos. Mi madre, cuando empezaba a pasar una fila de nubes, que iban hacia una dirección mi madre decía: "Apurémonos hijos porque ya va a llover." Y es cierto que llovía como si hubiera sido por sus mismos cálculos. Ella gozó mucho a pesar de la vida muy triste que teníamos y a pesar de que sufría mucho cuando nos veía enfermos. Me recuerdo que había veces que yo no podía caminar porque se me rajaban las plantas de los pies. Cuando llovía, el mismo lodo me las rajaba y se podría entre los dedos. Una de las cosas que me recuerdo que mi madre conocía muchas medicinas naturales del campo y que ella, cualquier enfermedad que teníamos, buscaba hojas de plantas y nos curaba inmediatamente. Cosas así como particularidades de mi mamá, era que le gustaba regalar cositas. Cualquier gente que llegaba a casa, aunque no hubiera lo suficiente o bastante, nos decía que a cualquier persona que se reciba en una casa, siempre se le tiene que regalar algo, aunque sea un poquito de pinol y si es pues tiempo de comida, aunque sea una tortilla con sal o con lo que sea, pués. "Siempre hay que saber regalar", decía mi mamá. Porque la persona que sabe regalar, así también recibirá en un momento dado. Cuando esté en una situación difícil, no le tocará enfrentar todas las penas sola sino que recibirá siempre ayuda, aunque no sea de la misma persona a quien uno regala, pero que así siempre habrá gente que lo va a estimar a uno. Siempre nos obligaba también a tener un poco de agua caliente en el fuego. Cualquier gente que pasaba por la casa, aunque fuera un poquito de atol podía hacerse. Nos enseñaba también a cuidar, a conservar todas las cosas de casa. Por ejemplo las ollas. Ella tenía muchas ollas de barro desde hacía mucho tiempo, que no se habían quebrado o no se habían arruinado porque ella sabía muy bien conservar sus cositas. Entonces nos decía que con la pobreza, no se puede comprar cosas a cada rato, tampoco se debe sólo exigir al marido sino que uno mismo tiene que poner de su parte para tener sus pequeñas cosas. Y nos ponía ejemplos de gente que ella había visto o que ella misma había ayudado a que se superen; es el caso de muchas mujeres que no saben estimar una olla y que cuando ya no la tienen forzosamente tienen que comprar otra. Así era ella en todas las cosas. Y otra de las cosas, que nos enseñaba, también de nuestras costumbres, es que no hay que revolver la ropa de la mujer con la ropa del hombre. Nos decía de poner la ropa de mis hermanos por un lado, cuando se lava. Primero se lava la ropa de los hombres, decía ella y lo último la de nosotras. En nuestra cultura muchas veces se estima al hombre como algo distinto —bueno, también la mujer se estima—, pero si nosotras hacemos las cosas, tenemos que hacerlas bien, en primer lugar, para los hombres. En segundo lugar porque es un estímulo especial que tenían también nuestros antepasados hacia el hombre. De no revolver sus cosas porque era el orden que creo que tenían. Eso decía mi mamá; que no había que revolver la ropa del hombre con la de la mujer, al lavarla. Decía mi mamá que la mujeres tenemos otras cosas como por ejemplo, nuestra regla, que el hombre no tiene. Entonces, toda la ropa de nosotras es aparte. Y así está en todas las cosas; que no se revuelvan. Más que todo en la ropa. Ya en las cosas de trastes y todo lo de la casa, no hay para cada uno. Y hay algo, que yo veía hacer a mi madre también. Muchas veces, mi papá venía del trabajo cansado, y mi mamá prefería darle a mi papá la mayor parte de la comida y ella se quedaba con poco. Y yo siempre le preguntaba a mi mamá, ¿por qué, pues, mi papá tenía que comer mucho? Mi mamá decía que mi papá constantemente gastaba grandes esfuerzos en el trabajo y que si no lo cuidábamos, mi papá se podía enfermar y se podía poner débil. Era el estímulo que le daba a mi papá, por eso le daba la comida. Así era en todas las cosas, pero una de las cosas importantes decía mi mamá es que depende de la mujer si el dinero se gasta menos. Porque en el campo, las cosas que se compran para la semana, o los gastos de la casa, dependen de la mujer como se las maneja. La mujer es la que guarda el dinero. Si le toca a la mujer ir al mercado, compra pero si no, tiene que indicarle al hombre lo que hace falta en la casa, para que él lo compre. Mi mamá, casi no iba al mercado. Iba mi papá y hacía todas las compras que mi mamá le pedía aunque fuera una olla, una escoba, la que comprara mi papá. Otra de las cosas es que como mi mamá fue partera por mucho tiempo, ella conocía la mayor parte de las plantas medicinales, cualquier remedio para la gente, ya sea adulta o niños, entonces, había veces que tres, cuatro de la mañana, la llamaban para ir a ver un enfermo. Ella casi no estaba en la casa. Por eso, nos tenía que dar muchas recomendaciones y desde pequeños nos enseñó como se debe cuidar la casa, como se deben cuidar todas las cosas para que no se arruinen. Era muy feliz con mi madre porque tengo una hermana que copió exactamente a mi mamá. Ella aprendió todos, todos los detalles de mi mamá y así actuaba mi hermana en casa. Ella está casada y no sé dónde estará ahorita.

Mi mamá no tenía necesidad que nos indicara la comida porque nosotros, por nuestra iniciativa teníamos que buscar qué comer. Y para no comer sólo una clase de yerbas, porque uno se aburre, entonces había que buscar nuevas cositas para comer. Y más cuando es tiempo de tapizca y sólo una de nosotras se queda en casa porque todos se van a tapizcar. Entonces, la que se queda en casa, se encarga de buscar de comer para el mediodía. A mi mamá le gustaba estar siempre haciendo algo. Ella sabía hacer petates, sabía hacer tejidos y trenzas para hacer sombreros, sabía también hacer ollas de barro, comales; todo eso lo sabía hacer mi mamá. En cualquier momento, por ejemplo un día domingo, que ella no iba a lavar porque nosotras éramos las que íbamos cuando ya éramos grandes, mi mamá se ponía a hacer cosas para la casa. Por ejemplo le daba tiempo de hacer su comal o dos, u ollas de barro. O lo que la gente le encargara. En los últimos tiempos tenía una vaca que la amaba mucho, mucho. Cuando nosotros crecimos, cuando ya estaban mis cuñadas, mi hermana, no había tanta necesidad que mi mamá estuviera también haciendo todos los oficios de la casa. Entonces ella se levantaba e inmediatamente salía a ver los animales, a dejarlos en sus lugares donde iban a estar todo el día. Y ya cuando salían los mozos al trabajo, ella también salía a trabajar en el campo. La gente la estimaba mucho porque era la señora que andaba en todas partes, aunque a veces nosotros no queríamos que mi madre siguiera caminando porque nos hacía falta en casa. Había veces en que ella dos, tres días, no llegaba porque tenía que cuidar a sus enfermos. Y nosotros, más que todos mis hermanos, se enojaban. Querían que mi madre estuviera en casa. Ya después fue cuando ella empezó a salir a otras aldeas y fue cuando ella empezó a trabajar ya como una mujer organizada. Salía a ver a los enfermos, pero al mismo tiempo, trabajaba en la organización. Organizaba a las mujeres. Y había una cosa que decía mi mamá con respecto al machismo. Hay que tener en cuenta que mi madre no sabía leer ni escribir ni tampoco sabía de teorías. Lo que decía ella es que ni el hombre es culpable ni la mujer es culpable del machismo, sino que el machismo es parte de toda la sociedad. Pero que para combatir el machismo, no había que atacar al hombre ni tampoco había que atacar a la mujer. Porque mi madre decía, o es el hombre el que es machista o es la mujer la machista, decía mi mamá. Porque muchas veces se cae en dos extremos donde la mujer dice, soy libre, y se radicaliza en ese sentido. Entonces, en lugar de solucionar la problemática, es engrandecerla más. Y decía mi mamá: "Nosotras las mujeres tenemos un papel muy importante que jugar ante esa situación debido a que nosotras sabemos expresar mejor el cariño." Y ponía el ejemplo de mi papá que cuando eran jóvenes, mi papá siempre le gustaba que le sirvieran. Y al mismo tiempo, era muy celoso. Pero mi mamá contaba que entraron en pláticas porque tenían que aprender a hacer vida de adultos. Cuando ella se casó, les costó entender que tenían que hacer una nueva vida que la vida de matrimonio no era la misma de antes. Bueno, yo, no puedo justificar porque soy una mujer soltera, pero decía mi mamá que, en la pareja, siempre van a existir problemas. Quiéralo o no por más alto que sea el matrimonio, van a existir problemas. Pero, sin embargo, a los dos les toca resolver esos problemas. Y para resolverlos tienen que hacer una vida propia de ellos dos; una vida de adultos. Quizás a eso se refería mi mamá. Cuando hablaba del problema de los celos que tenía mi papá. Entonces, sólo cuando ellos empezaron a platicar, es cuando se comprendan los dos, que se soluciona el problema. Porque por más que la mujer esté consciente o el hombre esté consciente, si no se platica no se entienden y ella decía: "Es que nadie, ni otras mujeres, te van a solucionar la problemática si no entras tú misma a pensar cómo lo vas a hacer." También en el caso de los hombres. Y, otro de los ejemplos que ponía mi mamá es que, cuando mi papá estaba furioso, mi mamá nunca le contestaba. Pero en momentos en que ya estaban los dos bien, ya en sus cinco sentidos, era cuando platicaban. Así es cómo empiezan a salir los defectos que tienen ambos. Así fue como ellos lograron hacer una buena familia. Claro, había problemas y había veces que se regañaban, pero no implicaba que existiera un matrimonio mal, sino que se entendían y se comprendían. Y era más por eso que mi madre tenía toda la libertad de hacer su trabajo y que salía. Porque nosotros los indígenas, muchas veces cuesta, que la mujer pueda salir sola... De hecho, como decía, desde niñas tenemos que andar con nuestra mamá o con uno de nuestros hermanitos. Y así sigue la historia. La mujer casada no tiene toda la libertad de salir, de ir sola o visitar a los vecinos. Quizá por los celos del marido, como lo que siempre nosotros tomamos en cuenta, es la vida en comunidad, para que no sea mal vista por la sociedad. Es la imagen que tenemos que dar hacia todos. Así es como surge esa forma de vivir, muchas veces pendientes de los otros. Pero mi mamá tenía la plena libertad de salir porque era la señora que estaba ante la comunidad. Se había logrado una vida bastante en común en mi comunidad; a veces las señoras se iban al mercado, bajaban juntas al pueblo, hacían sus compras. Y me recuerdo que cada vez que bajábamos al pueblo, venía una tropa de señoras, de mujeres de la comunidad porque nosotros entre los vecinos teníamos bastante diálogo. También había veces que bajaban hombres, mujeres y niños junto el camino. No nos separábamos haciendo las compras y regresábamos.

También mi mamá tenía mucha paciencia, con sus hijos, con sus nueras. Había muchos problemas porque nosotros crecimos en una casa muy numerosa. Estaban mis abuelitos, estaban todos los hijos, y la primera cuñada, tenía ya tres niños y vivía todavía con nosotros. Eso también hacía que el trabajo fuera bastante: cuidar la casita, ocuparse de la comida y de los trastos. Entonces, la mayoría de nosotros íbamos al trabajo. Mi cuñada se quedaba en la casa, y a veces se iba con nosotros a trabajar. Pero era lindo cuando todo el mundo salía a trabajar. Más gozábamos cuando cortábamos fríjol y recogíamos la cosecha, la tapizca. Antes que la tapizca muchas veces se recoge el fríjol otras veces después. Teníamos bastante diálogo con mis hermanos, mis hermanas. Y llega el momento en que se casan los otros y mi mamá tenía que enfrentar grandes problemas porque, en primer lugar, las esposas de sus hijos, no estaban acostumbradas al trabajo como nosotros lo hacemos. Y, al mismo tiempo, no querían vivir aparte, porque son gentes que también vienen de grandes familias y la mujer se sentiría mal estando en una casa sólo con su marido. Entonces se quedaron en casa con nosotros y es una obligación, en cada comunidad, que la mujer viva con los papás del muchacho. Y empezamos a tener problemas porque mi hermana era muy enojada y no le gustaba que las cosas se dejaran a medias sino que le gustaba que las cosas se completaran y se sacaran rápido. Mi hermana prácticamente no descansaba. Siempre estaba en trabajos, en movilización y a mis cuñadas, claro, les era difícil adaptarse al trabajo. Se vio la gran necesidad de sacar a mis cuñadas aparte porque no había forma que pudieran vivir en nuestra casa. Así, mi mamá enfrentaba grandes problemas porque tenía que compartir su cariño con todos sus hijos y también con sus nueras. Y nosotros estábamos muy resentidos. Había un poco de celos de parte de nosotros cuando mi mamá se iba con los otros hermanos, cuando ya tuvieron sus casas, pues mi mamá todavía los atendía como si fueran niños. Empezaron los celos entre nosotros y regañábamos a mi mamá cuando llegaba a la casa. Nosotros nos peleamos con mis hermanos, por las cuñadas. Pero mi mamá compartía con todos y decía que si amaba a uno, tenía que amarlos a todos. O a todos nos tenía que rechazar. Mi madre no sabía expresar su conocimiento sobre política pero tenía una gran politización a través de su trabajo y pensaba que nosotros teníamos que aprender a ser mujeres, pero mujeres útiles a la comunidad. Por eso, desde muy chiquitas, teníamos que andar con ella, como para aprender el modelo de mi madre o copiar de ella todos los detalles que nos enseñaba sobre política. Ella fue la que primero se decidió a la lucha; antes que yo, porque yo prácticamente no sabía nada, ni sabía lo que quería decir nada. Mi madre era una mujer que ya tenía visión política y que ya estaba trabajando en organizaciones cuando yo todavía no sabía nada. Ella no perteneció a una organización específica. Recibía información del CUC pero también cuando conoció a compañeros de la montaña, a los guerrilleros, los quería como a sus hijos. Ella los conoció primero, en otros lugares, porque mi madre siempre viajaba, viendo enfermos y mucha gente la llamaba para que atendiera a mujeres embarazadas, por otros lugares. Así fue como ella los conoció. Cuando tenía la oportunidad de trabajar con el CUC, se iba como CUC pero no tuvo una organización específica. Ella decía que lo que importaba era hacer algo por el pueblo. Decía que sería triste morir sin hacer nada, sin tener una realidad en la mano. Cuando me veía a mí, antes de que yo todavía tuviera un trabajo específico como CUC —porque antes yo era sólo colaboradora, lo que me pedían lo hacía, pero no como una mujer organizada—, entonces mi mamá decía: "Hija, hay que organizarse. No es que sea una exigencia porque yo soy tu madre, sino que es una obligación tuya de poner el práctica lo que tú sabes." "Ya se acabaron los momentos de paternalismo, de que, pobre hija, no sabe nada." Mi madre no hizo distinción entre la lucha del hombre y la lucha de la mujer. Ella decía: "No te obligo a que dejes de sentirte mujer, pero tu participación tiene que ser igual que la de tus hermanos. Pero tampoco debes sumarte como un número más. Quiere decir que tienes que hacer grandes tareas, analizar tu situación como mujer y exigir tu parte. Sólo cuando un niño exige su comida es cuando se le atiende; pero un niño que no llora, no se le da nada de comer." Así es cómo yo sentí que tenía que participar más concretamente.

También mi mamá era muy valiente. Los domingos salía a las tres de la mañana para el pueblo, con su caballo, que era su única compañía. Pero como decía, mi madre era valiente pero, sin embargo, yo aprendí más de mi papá. Y eso lo lamento, porque mi madre conocía muchas cosas que yo no conozco. Por ejemplo, con respecto a medicinas, a como pensaba ella de la naturaleza. Claro, conozco, pero a nivel general, no profundamente.

Ahora, mi mamá tenía una concepción de la mujer, como la de las mujeres de nuestros antepasados, que eran mujeres muy rígidas, que tienen que aprender todo su oficio de mujer para poder vivir y enfrentar muchas cosas. Y tenía razón, porque podíamos ver una diferencia. Mi papá era muy tierno y me defendía mucho, pero quien enfrentaba los grandes problemas a nivel familiar era mi madre. Era capaz de ver a su hijo hasta en agonía y hacer todo lo posible por salvarlo. Pero, por ejemplo, cuando mi papá veía a mi hermanito, quien de por sí enfermaba muchas veces, que estaba casi en agonía, mi papá se escapaba. Para él era mejor emborracharse y olvidarse de todo. Mientras que mi mamá no se daba el lujo de emborracharse cuando tenía que hacer todo lo posible por sacar a mi hermanito del peligro de la muerte. Había muchas cosas valiosas en mi padre, que las sabía enfrentar, pero había muchas cosas también que no sabía enfrentar. Y mi madre, ella sabía enfrentar muchas cosas, pero había también otras que no tenía la capacidad de hacerlas. Entonces, yo los amo por igual y los quiero, pero puedo decir que crecí más al lado de mi papá. A pesar de que mi madre fue la maestra de mucha gente, yo no aprendí de ella tanto como debí aprender.

XXX

SOBRE LA MUJER. RIGOBERTA RENUNCIA AL MATRIMONIO Y A LA MATERNIDAD

"Hemos ocultado nuestra identidad porque hemos sabido resistir."

Rigoberta Menchú

Todavía no he tocado el tema, quizá sea un tema muy largo, el de la mujer en Guatemala. Habría también que hacer clasificaciones. La mujer obrera, la mujer campesina, la mujer ladina pobre y la mujer burguesa. La mujer de clase media. Pero hay algo importante en las mujeres de Guatemala, sobre todo la mujer indígena, hay algo importante que es su relación con la tierra; entre la tierra y la madre. La tierra alimenta y la mujer da vida. Ante esa situación, la mujer misma tiene que conservarlo como un secreto de ella, un respeto hacia la tierra. Es como una relación de esposo y mujer, la relación entre mamá y tierra. Hay un diálogo constante entre la tierra y la mujer. Ese sentimiento tiene que nacer en la mujer por las responsabilidades que ella tiene, que son ajenas al hombre. Así es cómo he podido analizar las tareas específicas que tengo en la organización. Me doy cuenta que muchos compañeros son revolucionarios, son buenos compañeros, pero nunca dejan de sentir aquella cosa que, cuando una mujer es responsable de ellos, piensan que lo que ellos opinan es mejor. Y claro, no hay que desestimar toda esa riqueza que tienen los compañeros, pero tampoco hay que dejar que ellos hagan lo que quieran. Yo tengo una responsabilidad y soy su responsable y me tienen que aceptar tal como soy. Entonces, me encontré con grandes problemas en ese sentido, cuando muchas veces tuve que darles tareas a esos compañeros. A veces me daba pena asumir mi papel. Pero yo concientemente pensaba que era mi aporte y que me tenían que respetar. Pero me costaba decirles: "Compañero, éstas son tus tareas, compañero, éstos son tus defectos; ¿cómo vamos a hacer para solucionarlos?" No se trata de dominar al hombre, tampoco de ser triunfalista, pero es una cuestión de principio; yo tengo que participar como cualquier compañero. Eso me costaba mucho y, como decía, me he encontrado con compañeros revolucionarios, compañeros que tienen muchas ideas para hacer la revolución, pero les cuesta un poco aceptar la participación de la mujer, tanto en cosas superficiales como en cosas profundas. Me ha tocado también ponerles castigos a muchos compañeros que tratan de privar a sus compañeras de que participen en la lucha, o en cualquier tarea. Aunque a veces están dispuestos a que ellas participen pero con ciertos límites. Entonces dicen, ¡ah, no! ¡allí sí que ella no! Entonces con esos compañeros hemos entrado en pláticas para resolver esa problemática.

Claro, mi madre no tenía tantos conceptos, tantas teorías para la cuestión de la mujer. Pero conocía cosas prácticas. Aprendí mucho de mi mamá pero también aprendí mucho con otras personas. Precisamente tuve oportunidad de hablar con otras mujeres que no son del país. Platicamos de la organización de las mujeres y llegábamos a una conclusión, que muchas mujeres se encargan de la problemática de otros, pero sin embargo la propia, la dejan de lado. Eso es algo que duele y que nos demuestra un ejemplo de que nosotras mismas tenemos que solucionar la problemática y no pedir que alguien la venga a solucionar porque eso es mentira. Nadie nos la va a solucionar y estábamos viendo precisamente con compañeras indígenas, que tienen también una claridad política, y una participación a nivel de dirigencia en la organización. Estamos viendo, el cambio, la revolución, la toma del poder. Pero eso no es el cambio profundo de una sociedad. Y llegamos a una conclusión entre todas las compañeras —porque hace tiempo, pensábamos crear una organización para mujeres—, de que era algo paternalista decir: "Aquí está la organización para la mujer", mientras que en la práctica, las mujeres también trabajan y son explotadas. Las mujeres también cortan café, algodón, luego, muchas compañeras están con las armas en la mano, muchas mujeres ancianas que también están luchando día y noche, entonces no es posible decir que ahora empezamos una organización para que las mujeres se levanten o para que trabajen o que estudien la problemática de las mujeres. Claro, esto no es un concepto para siempre. Eso es la coyuntura que ahora se nos presenta. Quizá más adelante, de acuerdo con las necesidades, habrá una organización para las mujeres de Guatemala. Por lo pronto las mujeres pensamos que es alimentar el machismo cuando se hace una organización sólo para las mujeres, pues implicaría separar el trabajo de las mujeres del trabajo del hombre. Y hemos encontrado que cuando discutimos la problemática de la mujer, hay necesidad de que el hombre esté presente para que también contribuya, opine cómo se va a hacer con esa problemática. Que aprendan también. Porque si no aprenden, no avanzan. La lucha nos ha enseñado que muchos compañeros están claros, pero si el compañero no sigue los pasos de la compañera, no llegará a tener una claridad como la que tiene ella; entonces, se queda atrás. De qué nos sirve educar a la mujer si el hombre no está presente, y no contribuye en el aprendizaje y no aprende también. Crear una organización para mujeres es darle un arma más al sistema que nos está oprimiendo. Eso no queremos. Tenemos que participar por igual. Si a un compañero se le hace una pregunta con respecto al machismo, debería ser capaz de dar todo un panorama sobre la mujer y también la mujer sobre el hombre, porque los dos han estado analizándolo juntos. Es mi caso, que no soy casada, pero he participado en grandes pláticas en donde se ha discutido la problemática de la mujer y del hombre en un mismo círculo. Entonces consideramos que así es como debemos caminar bien. Claro, no podemos decir que sólo con eso borraremos el machismo, porque sería una mentira. En todos los países, revolucionarios, en los países socialistas, en los que sea, siempre existe el machismo y es una enfermedad común de todo el mundo. Es parte de la sociedad; entonces, parte se podrá mejorar, parte borrar. Quizá todo no se va a poder solucionar totalmente. Y hay también otra cosa que estamos descubriendo en Guatemala con respecto a lo intelectual y a la gente analfabeta. Hemos visto que todos no tenemos las capacidades que tiene una persona intelectual. Quizás un intelectual es más ágil, quizá sabe sacar síntesis muy pequeñas pero, sin embargo, muchas veces, los otros también tenemos la misma capacidad para muchas cosas. Hace un tiempo, todo el mundo consideraba que un dirigente tenía que ser una persona que debía saber leer, escribir y elaborar documentos. Llegó un momento en que caían en el error nuestros dirigentes, y decían: "Es que yo soy un dirigente, es que mi tarea es ser la dirigencia y ustedes luchen." Entonces hay ciertos cambios que se deben dar en todo proceso, y esto no es raro. Creo que en todos los procesos se ha pasado por eso, que llega un oportunista, siente que es prestigiado y abusa de la confianza de los demás. Y llega un momento en que muchos de nuestros dirigentes venían de la capital y llegaban a vernos en una finca y decían: "Es que ustedes los campesinos son tontos, no leen, no estudian." Entonces los campesinos les dijeron: "Te puedes ir con tus libros a la mierda. Entonces, hemos encontrado que la revolución no se hace con libros, se hace con lucha." Así es cómo nosotros, con justa razón, tuvimos que proponernos aprender muchas cosas, porque se debe pensar que tenemos todo ya en las manos. Hay que hacer grandes sacrificios. Y así es cómo, nosotros los campesinos, aprendimos a ser capaces de dirigir nuestras luchas. Y eso se debe a nuestra concepción. Claro, para dirigir se necesita una persona que conozca la práctica. No es que se opine mejor cuando se ha sufrido más hambre. Pero tenemos verdadera conciencia, sólo cuando hemos vivido verdaderamente las cosas. Puedo decir que en mi organización la mayor parte de los dirigentes son indígenas, también hay participación de compañeros ladinos, y mujeres también participan en la dirigencia. Tenemos que borrar las barreras que existen. De etnias, de indios y ladinos, de lenguas, de mujer y hombre, de intelectual y no intelectual. Podría decir que la misma situación hace que las mujeres no se casen esperando algo alegre, una familia bonita, una alegría, o algo diferente de su situación, sino que esperan algo terrible. Porque, aunque el matrimonio para nosotras, es al mismo tiempo que es una alegría —pues el concepto de nuestros antepasados es no acabar con nuestra raza—, para seguir con nuestras tradiciones y nuestras costumbres como lo han hecho ellos. Pero al mismo tiempo, es algo muy doloroso pensar que cuando uno se casa tendrá toda la responsabilidad de cuidar a sus hijos, no sólo de cuidar sino de preocuparse y salir adelante y que los hijos vivan. Porque es una casualidad que una familia en Guatemala no tenga muertes de niños pequeños. Entonces, en mi caso, yo he analizado con otros compañeros mi posición con respecto a no casarme. Comprendí que no era una locura lo que yo sentía, tampoco era mi locura personal, sino que es toda una situación que hace que las mujeres piensen mucho antes de casarse; porque, ¿quién se ocupará de los hijos? ¿quién los alimentará? Y como decía, estamos acostumbrados a vivir en comunidad, vivir entre un grupo de hermanos hasta de diez, once. Pero también llega el momento en que hay ejemplos de mujeres que se quedan solas, porque todos sus hermanos se casan y se van. Entonces, hay situaciones en que la mujer forzosamente tiene que casarse porque piensa en lo duro que viene después si se queda sola. Saber que uno tiene que multiplicar la semilla de nuestros antepasados, y al mismo tiempo yo, rechazaba el matrimonio, ésa era mi locura. Yo pensaba que era sólo mía, pero cuando platicaba con otras mujeres, ellas también veían igual la situación de casarse. Es algo como terrible, esperar una vida tan dura, con tantas responsabilidades para que los hijos crezcan. En Guatemala no se piensa en otra situación, al casarse o comprometerse para un casamiento, inmediatamente se piensa en los muchos hijos que uno va a tener. Yo tuve muchos enamorados y, precisamente, por ese temor, no me lancé al matrimonio. Porque llegó un momento en que yo ya estaba clara —precisamente cuando ya empecé mi vida de revolucionaria—. Estaba clara que yo estaba luchando por un pueblo y estaba luchando por los muchos niños que no tienen qué comer, pero, al mismo tiempo, pensaba que sería triste un revolucionario que no dejara una semilla. Porque la semilla que quedará será la que va a aprovechar después el producto de ese trabajo. Pero al mismo tiempo, pensaba en los riesgos de tener un hijo y para mí es más fácil caer en cualquier lugar, en cualquier momento, sin dejar ninguna persona sufriendo. Sería triste para mí —aunque el pueblo se encargue de mi hijo, de mis semillas—, porque nunca se consigue la ternura de una madre en otra persona, por más que la persona se encargue y se interese por la criatura. Estaba muy confundida con esa situación porque veía a muchos compañeros que estaban tan decididos y decían que ellos llegarían al triunfo. Pero, al mismo tiempo, yo sabía que en un momento dado dan su vida y ya no existen. Todo eso me daba horror y me daba mucho que pensar. En una época tuve un novio y yo no sabía pues, porque en nuestra concepción de nuestros antepasados, no sólo se busca la alegría para uno mismo, sino que también se busca la alegría para la familia. Pero, al mismo tiempo, estaba muy confundida. La sociedad y un montontón de cosas que no me dejaban libre. Siempre tenía el corazón preocupado. Llega el momento en que mueren mis padres. Allí es cuando yo sentí lo que una hija siente por un padre o por una madre. Cuando cae. Y precisamente en la forma que cayeron ellos. Ahí es cuando yo me decido, y no puedo decir tampoco que sea una decisión final porque yo soy abierta ante la vida. Pero, sin embargo, mi concepción es que sobrará mucho tiempo después del triunfo porque en estos momentos no me sentiría feliz de buscar un compañero y entregarme a él, mientras que muchos del pueblo no tratan de buscar su alegría personal, sino que no tienen ni un momento de reposo. Esto me da mucho que pensar. Y, como decía, yo soy humana y soy una mujer y no puedo decir que yo rechazo al matrimonio, pero mi tarea principal, pienso que es primero mi pueblo y después mi alegría personal. Podría decir que muchos compañeros se han entregado en la lucha, sin límite, sin buscar su alegría personal. Porque he conocido muchos amigos en la lucha que me respetan tal como soy, como soy mujer. Y compañeros que tienen ratos amargos, tienen penas, tienen preocupaciones y, sin embargo, están en la lucha y siguen adelante. Y podría decir que quizá renuncio a eso por mi dura experiencia que tengo, de haber visto muchos amigos caídos en la lucha. Eso a mí me da no sólo miedo sino pánico porque yo, una mujer viuda no quisiera ser, y una madre torturada, no quisiera ser tampoco. Muchas cosas me limitan. No es tan sólo el no querer tener un hijo, sino que muchos detalles me han hecho reflexionar para renunciar a todo esto. Puedo decir que los compañeros hombres también sufren porque muchos compañeros tuvieron que regalar a sus hijos para poder seguir en la lucha o se han separado de la compañera en otra región. No es porque no quieran el matrimonio, sino porque sienten que ésa es la exigencia para luchar por el pueblo. Mi conclusión es que, mientras no existan problemas, no hay que buscarse más porque ya tenemos suficientes con los problemas que hay que solucionar. Pero tenemos compañeras que son casadas y que aportan igual que yo. Compañeras que tienen cinco o seis hijos y que son admirables en la lucha. Es un cierto trauma que yo tengo y que tengo miedo a todo esto. Y más cuando pienso, que si tengo un compañero, quizá lo voy a querer mucho y no quiero que sólo sea por una semana o dos porque después ya no existe. Mientras que no tenga problemas no los busco. Pero, como digo, estoy abierta a la vida. No quiere decir que rechazo todo porque yo sé que todo llega a su tiempo y cuando se hace con calma es cuando las cosas marchan bien. Como decía, yo tenía un novio y llega un momento en que ese novio ambicionaba muchas cosas en la vida, quería tener una casa buena para sus hijos y vivir tranquilo. Eso era todo lo contrario de mis ideas. Nos conocíamos de niños pero desgraciadamente él abandonó el pueblo, tuvo que irse a la ciudad, se hizo obrero y después era ya más o menos un compañero que tenía una capacidad de trabajo y que pensaba diferente que yo y que mi pueblo. Entonces, cuando empecé con mi convicción revolucionaria, tuve que definir dos cosas: la lucha o el novio. Hacía grandes conclusiones porque yo quería al compañero y yo veía los sacrificios de él por mí. Era un noviazgo ya más abierto que el que hacen mis gentes a través de mi cultura. Entonces, llegó un momento en que yo estaba entre dos cosas, o él o optar por la lucha de mi pueblo. Y llegué a eso, pues, que tuve que dejar al novio con dolor, y sentimientos, pero yo decía que tenía mucho que hacer por mi pueblo y no necesitaba una casa bonita mientras que mi pueblo vivía en condiciones de horror como en las que yo nací y crecí. Así es cuando yo me separé por un lado y él por otro. Yo, claro, le decía que no merecía estar con él porque él tenía otras ideas y que nunca en la vida nos íbamos a comprender ya que él ambicionaba otras cosas y que yo seguiría en otras. Así es cuando yo seguí la lucha y estoy sola. Y, como decía, llegará un momento en que las condiciones sean diferentes. Cuando todos seamos, quizá no felices estando en una buena casa pero por lo menos no veamos más a nuestras tierras llenas con sangre y el sudor.

XXXI

HUELGA DE CAMPESINOS TRABAJADORES AGRÍCOLAS. 1.º DE MAYO EN LA CAPITAL. SOBRE LA IGLESIA

> *"Este dios verdadero que viene del cielo sólo de pecado hablará, sólo de pecado será su enseñanza."*
>
> Chilam Balam

Después de la toma de la embajada fue cuando empezamos a unirnos con todos los sectores de los dirigentes que cayeron allí. Y empezamos a platicar. Yo participo por el CUC como una dirigente. Aunque ya teníamos una estrecha relación con los demás sectores, no había una organización que nos aglutinara a todos. Guardamos grandes silencios con los compañeros, lo que nos hizo al mismo tiempo confirmarnos como organización. Nuestro compromiso nos hizo ver que teníamos que buscar nuevas formas de lucha. Así fue cómo, en febrero de 1980, se hizo la última huelga de los campesinos en Guatemala. Los campesinos de corte de caña y corte de algodón realizaron la huelga de 80.000 trabajadores en la Costa sur del país y en la Boca Costa y en la mera costa, donde hay algodón y caña. Los trabajadores pararon el trabajo. Empezamos con ocho mil campesinos. Luego, poco a poco, fue aumentándose el número. Llegó un momento en que logramos paralizar el trabajo entre setenta mil y ochenta mil campesinos por quince días. En esa huelga se utilizaron, precisamente, las armas populares que habíamos aprendido en cada uno de nuestros diferentes sectores, en nuestras diferentes etnias en el altiplano, en nuestras diferentes comunidades. Emplearon muchas formas de lucha. El caso del corte de caña, los propietarios pusieron una máquina tan moderna que pela la caña, que recoge la caña, pero los trabajadores continúan cortando la caña. Se ha descubierto que no recoge solo una tonelada, sino que carga más. Entonces roba a los trabajadores porque se les paga sólo una tonelada. Ante esa situación los compañeros se encargaron de sabotear esas máquinas, de quemar esas máquinas para que el campesino sea pagado por su trabajo. Así fue cómo la gente campesina se lanzó también a una actitud más violenta en contra del ejército. Inmediatamente nos rodearon tropas por tierra y por aire. Sin embargo, no pudieron hacer nada porque el número de campesinos era demasiado como para que hubiera una masacre. Nosotros decidimos que nadie de nuestros compañeros fuera asesinado en ese lugar y que teníamos la obligación de vigilar por la vida de todos y ayudarnos mutuamente. En muchos de los lugares del altiplano, cuando el ejército empezó a movilizarse ante la huelga, mucha gente se lanzó a hacer barricadas en diferentes carreteras que bajan a la costa. Para no permitir, en primer lugar, el paso del ejército. En segundo lugar, los campesinos de la costa estábamos armando grandes barricadas para que tuviéramos trincheras cuando el ejército llegara. Se luchó a puros machetes, piedras, palos; concentrados en un solo lugar. Así fue cómo se logró la paralización de la economía. Por quince días estuvimos en huelga. Pero para un terrateniente, quince días, con setenta mil u ochenta mil campesinos en huelga, era bastante duro. Era un golpe bastante grande. En la huelga, muchos compañeros fueron baleados. Pero cuando balearon a los primeros compañeros, la gente se lanzó más. La gente más se acercaba y corría al ejército. La huelga fue decretada en febrero del 80. Yo trabajaba con el CUC y seguía como jornalera en las fincas. No era únicamente dirigente. Hemos comprendido que el papel de un dirigente es más que todo coordinar, ya que la lucha la impulsan nuestros mismos compañeros. Nuestros mismos compañeros son capaces de dirigir su lucha. Más que todo mi trabajo era formar nuevos compañeros, que puedan asumir las tareas que yo hago o que cualquier compañero dirigente hace. Prácticamente los compañeros tienen que aprender el castellano como yo lo aprendí, tienen que aprender a leer y escribir como yo aprendí y tienen que tener toda la responsabilidad que yo tengo para el trabajo. Y así es que constantemente nos cambiamos de tarea, de trabajo. Por esta razón. Hemos tenido la experiencia en Guatemala, que siempre nos han dicho, pobres los indios, no pueden hablar. Entonces, muchos dicen, yo hablo por ellos. Eso nos duele mucho. Es parte de la discriminación. Y hemos entendido que cada uno es responsable de la lucha, que no necesitamos de un dirigente que sólo elabora papel, sino que necesitamos de un dirigente que también esté en el peligro, que también corra los mismos riesgos que todo el pueblo. Cuando hay muchos compañeros que tienen las mismas capacidades, todos ellos tienen que tener la oportunidad de ser dirigentes de su lucha. Hicimos la huelga para pedir un salario mínimo de cinco quetzales y no logramos los cinco quetzales sino que logramos el tres veinte. El terrateniente se comprometió de darnos tres veinte como salario mínimo pero no cumplió en muchas cosas. Aumentaron los pesos por un lado, y por el otro, robaron en otras formas. Antes de la huelga ganábamos setenta y cinco centavos al día y uno trabajaba muy bien. Había casos en que pagaban cincuenta o cuarenta cinco centavos de quetzal. Nosotros pedimos cinco quetzales. Claro, era un gran golpe para el terrateniente porque dar un salto de setenta y cinco centavos a cinco quetzales es bastante. Se empezó a actuar nuevamente cuando los terratenientes firmaron el pacto para darnos los tres veinte. Era un salario justo. Al mismo tiempo pedíamos buen trato a los trabajadores. O sea, que no nos den tortillas tiesas, fríjoles descompuestos, sino que nos den la comida que merecemos como personas, como humanos. Al principio de la huelga yo andaba por la costa pero después me fui al altiplano a organizar a la gente para que manifestara la solidaridad con la huelga de la costa. O sea, en ese tiempo, en el altiplano, hicimos pintas, pusimos mantas en repudio a los terratenientes. En diferentes ciudades, en diferentes pueblos. Al mismo tiempo repartimos volantes llamando a la gente a que se integrara a su organización, el CUC. Fue cuando al régimen le preocupó más la situación, pues, pensaban que sólo eran unos cuantos los que exponíamos la vida y no nos tomaban tanto como algo que tiene peso. Claro, los ochenta mil campesinos, no todos eran organizados. Muchos eran espontáneos que vieron que los demás estaban en huelga y se metieron también a la huelga y reclamaron también sus derechos. Esto sirvió a la conciencia de muchos que no la tenían. Era un éxito para los campesinos. Después de la huelga había mucho, mucho, que hacer, porque en todas partes exigían organización los compañeros campesinos. Necesitaban organización porque empezó la represión, ya no sólo en El Quiché, sino que también empezaron a sufrir compañeros de Chimaltenango, de Sololá, de Huehuetenango y así, de los lugares indígenas más combativos. Los lugares más poblados por los indígenas. Así fue cuando yo me recuerdo que trabajábamos con el compañero Romeo y otros compañeros que ahora ya no existen, que han sido torturados por el régimen. Vino la gran represión sobre las aldeas. Lo que el ejército hizo fue poner las tanquetas en los parques o en los lugares de los pueblitos. Allí lanzaban toda clase de balas encima de las casas. Era para que toda la gente se metieran en sus casas. Luego, venía el bombardeo encima. Lo que querían era exterminar de una vez la población. No dejarla que salga. En los grandes bombardeos que hicieron, a mi madre le tocó atender muchos heridos, que no tenían un dedo, que no tenían ojos. Ella decía: "Qué pobre esa gente". Y los niños llora que llora. No podían hacer nada porque la cosecha estaba casi para tapizcar y le prendieron fuego a todo, para que todo se quemara. Los niños que no tenían padres tuvieron que refugiarse en la montaña. La gente buscaba a sus hijos y no los encontraba. Estaban concentrados en un solo lugar. Prácticamente llevaban una vida como guerrilleros. La participación de los curas allí fue muy favorable porque estaban levantando el ánimo del pueblo. Cuando el ejército lanzaba como un tipo de granada que quema, napalm, muchas que no explotaban, los niños que se encontraban en el lugar, las recogían y se las llevaban. En el cuartel de Chimaltenango pusieron alrededor del cuartel a toda la gente que habían secuestrado; las mujeres, los niños, los hombres, porque si la guerrilla atacaba el cuartel tenía que matar a los secuestrados. Todo eso fue muy doloroso para la población. En muchas aldeas el ejército no entró. Se quedó retirado y tuvo que caminar a través de la montaña porque tenían temor que la guerrilla los pudiera atacar. Por eso prefieren bombardear.

Hubo un cateo en la región de oriente y se llevaron a muchos muchachos que no pertenecen a ninguna organización por lo duro que es el trabajo en esa región. Por lo concentrado que es la represión y con ellos empezaron a crear las milicias en los pueblos de Chimaltenango. Obligadamente los muchachos tienen que aprender a matar. Muchos de ellos escapan porque no quieren estar allí.

Es una situación difícil. Hay grandes carreteras por donde pasa el ejército y sus camiones. Mucha gente vive en el campamento después de los bombardeos. Pero el pueblo ahora cuenta con las cuatro organizaciones armadas político-militares. El EGP, que es el Ejército Guerrillero de los Pobres, la Organización del Pueblo en Armas (ORPA), las Fuerzas Armadas Rebeldes (FAR), y el PGT, Partido Guatemalteco del Trabajo, núcleo de dirección nacional. Cuando lo de la embajada de España, había ya de hecho un acercamiento entre las organizaciones populares y los estudiantes. Pero cuando se tomó la embajada fue la primera actividad que hicieron juntos. Con la caída en la embajada de los compañeros estudiantes, campesinos y obreros, comprobamos que había una alianza. Entonces se empezó a ver cómo enfrentar la política del régimen. La represión se había extendido a todo el Altiplano y a la costa. Había tocado a sectores que no había tocado inicialmente. Así es cómo se llega a la conclusión que hay que formar un frente y lo llamamos Frente Popular 31 de Enero, en honor a nuestros compañeros caídos ese día en la embajada de España. Lo integran las organizaciones populares: Comité de Unidad Campesina, Núcleos de Obreros Revolucionarios, Coordinadora de Pobladores, Cristianos Revolucionarios "Vicente Menchú", Frente Estudiantil Revolucionario Robín García de Secundaria, y el Frente Estudiantil Revolucionario Robín García, Universidad. Robín García era un compañero estudiante que se preocupó mucho por la seguridad de los otros. Era un dirigente estudiantil y lo mataron después de haberlo secuestrado y torturado. Entonces los estudiantes lo consideran como un héroe. Así fue cuando al año se proclama el Frente Popular 31 de Enero para enfrentar la represión política. Apareció haciendo varias actividades en el país y con la consigna "La camarilla fuera del poder". Por medio del CUC, abarca a casi todos los campesinos. La coordinadora de pobladores abarca la población marginal que vive en las afueras de las ciudades. Cuando uno sale de la ciudad, Guatemala se encuentra con una situación muy trágica. La gente vive en casas de cartón. Ni siquiera son casas.

Por su parte, los estudiantes actúan en su medio. Y los obreros son los que no están en un sindicato afiliado públicamente porque eso implicaría su muerte. Pero trabajan a nivel individual. La concepción de nosotros es poner en práctica la iniciativa de las masas con sus armas populares. Que sepan fabricar un cocktail molotov para poder enfrentar al ejército. Que sepan implementar sus conocimientos. Lo que más usamos en Guatemala son las bombas de propaganda. Realizamos barricadas y muchas acciones para el 1°. de Mayo. Buscamos crearle al Gobierno un desgaste económico, un desgaste político y un desgaste militar. El desgaste económico consiste en que los obreros trabajen como siempre, pero descomponen sus máquinas, o rompen una pieza, cosas así pequeñas que desgastan al régimen. Es una lucha reivindicativa, pero es también un desgaste económico para el terrateniente. Cualquier cosa se puede boicotear, se destruye un cafetal, un algodonal. Depende de la actitud del terrateniente. Eso lo tenemos que hacer porque no está permitido hacer huelgas para expresar nuestro repudio a los terratenientes. El desgaste militar se da en nuestras acciones. Tratamos de dispersar las fuerzas del ejército. No sólo tenían que atacar a las organizaciones político-militares, sino que también tenían que dispersarse para atacarnos a nosotros. También el 1°. de Mayo de ese año fue algo muy importante. Fue la acción más fuerte que hicimos en Guatemala. El 1°. de Mayo es también el día de los trabajadores en Guatemala. Hace algún tiempo hacíamos huelgas, manifestaciones ese día. Todos los campesinos recorríamos desde el interior hasta la capital, a pie. En 1980 la represión mostró la capacidad del régimen para matarnos. Así mató a compañeros trabajadores, obreros y campesinos. La manifestación se hizo en la ciudad capital y hubo grandes tiroteos contra la gente. Incluso después de la manifestación hubo secuestros. Por eso es que 1º. de Mayo de 1981 se celebró combativamente con nuestras acciones. Tanto en la ciudad como en el interior, actuamos campesinos, obreros, cristianos. Se avisó con una semana de anticipación a la policía, a las autoridades, al ejército que se iba a hacer la celebración del 1º. de Mayo y ellos dijeron que iban a estar en alerta, que iban a controlar. Y así fue cómo el 28 de abril nos lanzamos ya a actividades en la ciudad capital y también parte del interior. Se hicieron una serie de barricadas; se pusieron una serie de bombas de propaganda, se hicieron mítines relámpago. Eso porque cada actividad tenemos que sacarla en un minuto, dos minutos, porque sino implicaría una masacre para el pueblo. Así fue cómo organizadamente a la misma hora se abrieron las barricadas, se pusieron las bombas de propaganda, y se hizo el mitin. En mi caso, yo participé en la Av. Bolívar de la ciudad capital. Es una calle muy importante que atraviesa parte del centro y que recoge muchas calles dispersas de la ciudad. Como se hicieron también barricadas en diferentes calles de la ciudad, me recuerdo que cada uno de los participantes teníamos un papel que cumplir en la acción. Y la misma gente decía: "¡Apúrense!, ¡apúrense!" De tanta ansiedad, y angustia de que llegara el enemigo. Muchos compañeros pusieron bombas explicando porqué se hacía esa actividad, mientras otros compas repartían volantes, o se encargaban de llamar al enemigo; a la policía, al ejército. Es nuestra concepción de desgaste. Sabemos que no nos van a encontrar cuando ellos lleguen. Nosotros terminamos la barricada, llamamos y cuando ellos llegan ya no estamos. El 1º. de Mayo había llegado. El gobierno y los dueños de fábrica tuvieron que dar ese día de descanso a los trabajadores. El dos de mayo empezamos a actuar nuevamente. Hicimos llamadas telefónicas en cada una de las fábricas, diciendo que se encontraban bombas de alta explosión y que serían los responsables de la vida de tantas personas. Eso hizo que sacaran a todos los trabajadores y los dejaran ir. Muchos de los trabajadores descansaron una semana, ya que todos los días amenazábamos. Así es cómo logramos el descanso de todos los trabajadores. Pero sobre todo logramos que el Gobierno reconozca nuestra capacidad que es la del mismo pueblo que poco a poco va haciendo mejor las cosas. Un compañero puso una caja con antenas que tenía la misma forma de una bomba de alto explosivo. La había puesto cerca de un edificio, en donde la gente podía verla. Entonces, la policía llegó escandalosamente. Llamaron al ejército. Hasta con tanques estaba el ejército. Llamaron gente experta en explosivos que empieza a desequiparla con delicadeza, con todas las pinzas especiales que tienen. Cuando descubrieron que no tenía nada, estaban furiosos. Los soldados comenzaron a disparar al aire. Estaban furiosos. Logramos hacer todo lo que queríamos hacer ese 1°. de Mayo. El FP 31 de Enero ha seguido haciendo ese tipo de acciones en las fechas conmemorativas. O, por ejemplo, cuando los ex-jefes somocistas que estaban en territorio hondureño atacaron Nicaragua, hicimos un repudio quemando una oficina de una línea aérea de Honduras. Lo importante es que hemos utilizado todos los recursos.

La mujer tiene un papel increíble en la lucha revolucionaria. Quizá después del triunfo tendremos tiempo de narrar, de explicar nuestra historia en la lucha. Increíble. Las madres con sus hijos, que a ratos participan en una barricada o ponen una bomba de propaganda, o transportan documentos. La mujer ha tenido una gran historia. Sea una mujer obrera, o una mujer campesina o una profesora, tiene duras experiencias. La misma situación nos ha llevado a hacer todas esas cosas. Y no lo hacemos porque ambicionamos un poder, sino para que quede algo para los seres humanos. Y eso da valor para que uno esté en pie de lucha. A pesar del peligro...

El régimen tiene tantas, tantos orejas en diferentes lugares. Bien sea en un autobús, en un restaurant, en un mercado, en cualquier esquina, tiene en todas partes. Tienen gentes que andan en carros blindados presentables, como también gente pobre que anda vendiendo escobas en las casas. Pero a pesar de todo, ese control no ha hecho posible detener la voluntad del pueblo. A partir de los sucesos de la Embajada de España los cristianos revolucionarios decidieron formar una organización y ponerle el nombre de mi padre: se llama Cristianos Revolucionarios —Vicente Menchú—. Los cristianos toman el nombre de mi padre como un héroe nacional de los cristianos, que a pesar de sus duras experiencias, nunca perdió la fe. Nunca confundió lo que es el cielo y lo que es la tierra. Optó por luchar con un pueblo, un pueblo que necesita desde su fe denunciar todos los secretos de los riesgos y de la explotación. Luchó en contra de eso como cristiano. Esto debido a la diferencia de iglesias que existe en Guatemala. Existe la Iglesia pobre que está en pie de lucha. Así es como hemos optado por la violencia justa. En El Quiché muchos curas abandoraron la Iglesia. Ellos vieron que no era comunismo lo que había, sino una justa lucha del pueblo. El pueblo cristiano había visto la necesidad de una organización. No es solamente para tener una organización y ser representados en la lucha, sino que es más bien la imagen de todos los cristianos que se encuentran hoy día en la montaña, motivados por la fe cristiana. La jerarquía cristiana no tiene el espacio para meterse en la lucha del pueblo. Eso significa que desaparecerá de Guatemala. Muchos no entienden la situación a pesar de las masacres. No quieren entender la situación. Dicen que debemos perdonar, pero no ven que el régimen no nos pide perdón por matar a nuestros hermanos. Prácticamente la Iglesia se ha dividido en dos; la de los ricos, en la que muchos curas ni quieren tener problemas, y la Iglesia pobre que se une a nosotros.

La Iglesia ha hablado siempre de amor y de libertad y no hay libertad en Guatemala. Para nosotros al menos. Tampoco vamos a esperar hasta que veamos el reino de Dios en el cielo. Ante esto, puedo decir que la mayor parte de los obispos están conservando la Iglesia como un privilegio. Pero hay otros que se han dado cuenta que su deber no es defender un edificio, una estructura; han comprendido que su compromiso es con su mismo pueblo, los han perseguido y los han obligado a abandonar la Iglesia. La jerarquía eclesiástica no ha definido una actitud clara. Desde hace cinco o seis años andan con guardaespaldas. Eso nos da mucho que pensar sobre la actitud de esos señores. Cuando se inicia la campaña electoral en el 81 el señor Arzobispo Casariegos ordenó que se bendiga la campaña electoral. El cardenal y sus sacerdotes meten la mano ahí. Para poner en claro la posición de todos los curas, el Gobierno decidió en julio del 81, llamarlos a través de telegramas con sus nombres completos y sus direcciones a una reunión con los diputados, con el régimen, en la ciudad capital. No les quedó más, tuvieron que asistir, curas y monjas. Así fue cómo el asesino Lucas les pidió que hicieran una campaña de alfabetización. A los curas como a las monjas, antes de entrar al congreso les pidieron sus nombres y sus direcciones exactas y les tomaron fotografías. Muchos curas prefirieron no hablar por temer de ser víctimas. Las que fueron más combativas fueron las monjas que dijeron que no habían esperado esa reunión para alfabetizar porque de hecho hacía tiempo que lo estaban haciendo y que ellas no tenían nada que ver con el Gobierno. Después de eso muchos curas tuvieron que irse a la clandestinidad. Como no respondieron al pedido del régimen, empezaron a atacarlos por medio de la radio, de la TV. Se decía que iba a hacer un control más estricto con respecto a la religión en Guatemala. Anunciaron que iban a hacer cateos en las iglesias, en los conventos. Así comenzaron a registrar las casas de las monjas consecuentes con el pueblo. Llegó un momento en que secuestraron al jesuita Luis Pellecer. Lo hicieron hablar después de torturarlo mucho. Pero eso sucedió porque la Iglesia no respondió como debía por la muerte de cientos de catequistas, de 12 sacerdotes. Hay el caso de un monseñor que entregó a un grupo de 40 campesinos de la finca San Antonio que vinieron a refugiarse en su iglesia y después entregó a su propia sobrina, porque la madre de la niña era dirigente sindical y había hecho campaña para que aparecieran los 40 campesinos que el monseñor entregó. La niña de 16 años fue violada por muchos del G-2. Como la madre era dirigente sindical hubo bastante presión y la niña pudo ser salvada. Pero la niña perdió el conocimiento. No podía hablar; no podía mover parte de su cuerpo de todas las violaciones que sufrió. Le dieron tres horas para que se fuera del país. Ahora está fuera del país, pero todavía no habla, no se mueve.

XXXII

PERSEGUIDA POR EL EJÉRCITO. CLANDESTINA EN LA CAPITAL EN UN CONVENTO DE MONJAS

"Mi opción por la lucha no tiene límites ni espacio: sólo nosotros que llevamos nuestra causa en el corazón estamos dispuestos a correr todos los riesgos."

Rigoberta Menchú

Ya después de todo eso, yo estaba perseguida y no podía hacer nada. No podía vivir en casa de un compañero, porque significaba que quemaba a la familia. El ejército me buscaba por diferentes lugares y también buscaba a todos mis hermanos. Estuve un tiempo en casa de unas personas que me prestaron todo el cariño, me dieron el apoyo moral que necesitaba en ese tiempo. Todos esos recuerdos me hacen daño de recordarlos porque fueron tiempos muy amargos. Sin embargo, me veía como una mujer grande, como una mujer fuerte, que podía enfrentar esa situación. Yo misma decía: "Rigoberta, tú tienes que madurarte más." Claro era un dolor mi caso, pero yo pensaba en los muchos casos, en los muchos niños que no podían decir o no podrían después contar su historia como yo. Pasaba por alto muchas cosas pero, al mismo tiempo, tenía que enfrentarlas como una persona, como una mujer que tiene conciencia. Yo me decía, no soy la única huérfana que existe en Guatemala, hay muchos y no es mi dolor, es el dolor de todo el pueblo. Y si es dolor de todo el pueblo, lo tenemos que soportar todos los huérfanos que nos hemos quedado. Ya después tuve oportunidad de estar con una de mis hermanitas y mi hermanita me decía que ella era más fuerte que yo, que enfrentaba mejor la situación, porque llegaba un momento en que yo perdía hasta incluso la esperanza. Yo le decía: "¿Cómo es posible que mis padres no existan, que ni siquiera fueron asesinos, ni siquiera supieron robar una cosa del vecino y que después les tocara eso?"

Eso me llevaba a una vida difícil en que muchas veces no podía creerlo y no podía soportarlo. Incluso yo deseaba vicios. Yo decía, si fuera una mujer viciosa quizá me quedaría tirada en la calle con los vicios para no pensar y soportar todo eso. Fue muy lindo mi encuentro con mi hermanita. Mi hermanita tenía doce años. Ella me dijo: "Lo sucedido es señal de triunfo, eso es una más de nuestras razones de luchar. Tenemos que actuar como mujeres revolucionarias. Un revolucionario no nace a causa de algo bueno", decía mi hermanita. "Nace a causa de algo malo, de algo doloroso. Esto es una de nuestras razones. Tenemos que luchar sin límites, sin medir lo que nos toca sufrir o lo que nos toca vivir. Sin pensar que nos tocan cosas monstruosas en la vida", decía. Y, cabalmente, me hacía confirmar y me hacía ver mi cobardía como mujer de no aceptar muchas veces todo eso. Entonces, fue muy alimentadora para mí.

Como no podía vivir en una sola casa, tenía que cambiarme de lugar constantemente. Así fue cuando caí enferma en casa de unas personas. Estuve en cama quince días y me recuerdo que fue el tiempo en que se me estalló la úlcera, después de la muerte de mi madre. Estaba muy mal. Después de eso, ya quería salir un poco y yo decía no. Soñé a mi madre y mi padre me decía, no estoy de acuerdo contigo, hija, con lo que estás haciendo. Tú eres una mujer. ¡Basta! Las palabras de mi padre fueron como una medicina que me curó de todo. Así se me levantó el ánimo y salí fuera de la casa donde estaba. Me fui a un pueblito y cabal que me detecta el ejército. Estaba en un pueblito de Huehuetenango. En la calle. Lo que pasó es que yo estaba aburrida ya. Estaba enferma de estar escondida en una casa y llega un momento en que uno ya no quiere, pues. Salí y saliendo de la calle venía un jeep del ejército. Casi me pasó llevando y sus ocupantes me dijeron mi nombre completo. Eso para mí significaba mucho. Significaba mi secuestro o significaba mi muerte. Yo no sabía cómo actuar. En ese momento, me recuerdo la sensación que tenía, que yo no quería morir. Quería hacer muchas cosas todavía. Que no era el tiempo en que yo me iba a morir. Y regresó de nuevo el ejército. Me dijeron que querían hablar conmigo. Pasaron nuevamente. No había casi nada de gente en la calle. ¡No sabía qué hacer! Yo iba con otra persona. Quisimos meternos en una tienda, pero era inútil porque allí nos iban a matar. Entonces tuvimos que correr mucho, mucho, a una iglesia del pueblito donde estábamos. Logramos meternos en la iglesia. Pero el ejército vio donde entramos. Estaban como locos buscándonos.Entraron en la iglesia. Meterme en el cuarto del cura era inútil, porque de todos modos me sacaban. Entonces yo me dije, aquí está pues, mi contribución con la lucha. Aunque me daba tanta pena de morir, porque pensaba que mi participación era bastante valiosa todavía y había muchas cosas que hacer. Me recuerdo que tenía el pelo largo, largo, y lo llevaba recogido. Me solté el pelo e inmediatamente le eché un peinazo. Mi pelo me cubrió la espalda y me quedé hincada. Había dos personas en la iglesia y nada más. La compañera se fue a hincar al lado de una persona y yo me quedé al lado de la otra. Allí, esperando el momento en que me agarraran. Pasaron por la iglesia, no nos vieron. Estaban como locos. La iglesia se comunicaba con el mercado y pensaron que nosotros logramos pasar por la iglesia hasta el mercado. No nos reconocieron. Estuvimos allí más de hora y media. De modo que ellos buscaron en el mercado. Salieron afuera del pueblo a rodearlo inmediatamente. Nosotros pudimos escaparnos por otros medios.

No tenía miedo porque no pensaba. Uno cuando corre un peligro donde sabe que a uno le queda un minuto de vida nada más, no se acuerda de lo que hizo ayer. Tampoco se acuerda de lo que va a hacer mañana. Me recuerdo que mi cabeza estaba limpia, limpia. Lo único que tenía en la cabeza era que no quería morir, que todavía quería vivir más. Así fue cómo me hizo enseñarme verdaderamente mi cobardía, que muchas veces había deseado la muerte. Para mí era preferible no existir, por todo lo que había pasado. Eso me confirmó una vez más mi participación y yo decía, sí, es posible dar la vida, pero no en estas condiciones. Que pueda yo dar mi vida, pero que sea en una tarea. Claro, en una tarea específica y no como ahorita. Claro, estaba equivocada en ese tiempo, porque claramente yo estaba sufriendo mi contribución a la lucha del mismo pueblo. Sufriendo lo mismo que sufren todos.

Pudimos salir del pueblo. Me recuerdo que tuvimos que caminar mucho para ir lejos del pueblo. En ningún lugar podía estar. Ni en la casa de un campesino ni en la casa de algunas monjas consecuentes. Los compañeros no sabían qué hacer conmigo y no sabían dónde esconderme. Lo que pasaba era que mucha gente me conoce. Hay mucha gente que me conoce simplemente porque yo era trabajadora en las fincas. Muchos jóvenes que eran trabajadores y que después fueron agarrados para el servicio militar. Entonces, inmediatamente, en diferentes lugares, me conocen. Era la situación que enfrentaba. Los compañeros me tuvieron que llevar a la capital de Guatemala. Llegando a la ciudad, ¿qué iba a hacer? ¿Dónde iba a dar? No había una organización como la que hay ahorita, que cualquier compañero se le puede esconder por todos los medios. En ese tiempo todavía no había esa capacidad. Entonces, tuve que entrar en una casa de religiosas, como sirvienta, disimuladamente. Con todos los horrores que llevaba adentro, para mí era desahogar un poco, platicar con todos los compañeros o con gentes que lo entienden a uno. Gentes que respondan a todo eso. Fui a la casa de las monjas y ahí no podía hablar con nadie, porque nadie sabía mi situación. Inmediatamente lo que me hicieron esas personas fue que me pusieron a lavar una cantidad de ropa, donde más me agudizaba la problemática que tenía. Porque lavando ropa me concentraba en todo el panorama pasado. No había con quien contar, no había con quien desahogar. Y si les contaba, no me entenderían. Pero me quedé allí, porque no había otra solución. Estuve allí como quince días. Las monjas empezaron a sospechar de mí, a pesar de que yo no contaba nada. Guardaba en mi corazón todas mis penas, todos mis dolores y no decía nada. Y las monjas, pues, ellas todas eran sagradas, no permitían que un humilde trabajador se acercara a ellas, sino que tenían una comunidad, una casa donde comer bien. Tenían dormitorios específicos para ellas. Hasta su ropa se tenía que lavar con tanta delicadeza porque eran monjas. Entonces para mí era insoportable, un sufrimiento más. Yo me decía: "Qué desgracia estar en estas condiciones, ni siquiera sufriendo por algo, sino que sufría por defender sólo mi vida. Me quedé con ellas. Ninguna de las monjas platicaba conmigo. Así las monjas me pasaban por alto, pero me ponían grandes tareas. Aparte de lavar ropa, me ponían a limpiar la casa y a hacer otras cosas extras, además de mi trabajo. Sinceramente, yo había perdido muchas energías con todas las penas que había tenido. Al mismo tiempo estuve en cama, muchos días no comí y tenía úlcera, se me amontonó todo. Tenía todo encima. Llegó un momento en que empecé a ser amiga de las sirvientas de esas monjas. Por lo menos que hubiera gente que me escuchara, por supuesto no contaba mi situación, ni contaba mi problemática, sino la contaba de otra forma. Contaba mi experiencia en la finca. Eso me desahogaba para no acumular todas las cosas. Me recuerdo que me levantaba muy temprano, a las cinco de la mañana me estaba bañando para empezar a trabajar. Me llamaban a la una y media, dos de la tarde, a comer y a comer todas las sobras que quedaban en los platos. Para mí era una situación dura y difícil. Y al mismo tiempo, obligadamente, tenía que callar la boca. Existía un grupo de alumnas en esa casa y me prohibieron hablar con las alumnas, porque no sé si sospechaban las monjas de mí. Había un muchacho que llegaba constantemente a la casa. A ese muchacho le apartaban pastel. Era el único hombre que podía entrar a la comunidad, al comedor de las monjas. Era el hombre más amado de las monjas. Entonces yo pensé que era un seminarista o un sacerdote. Pero por su hablado era un poco diferente. Se conocía que no era guatemalteco. Entonces yo me decía, ¿con quién estoy, pues? ¿Y qué estoy haciendo aquí? ¿Quién sería ese hombre? Y todas las mañanas, cuando llegaba el muchacho, y le decían que su café, que sus trastes y que su pastel. Su comida, que sí está caliente y todo eso. Entonces yo me atreví a preguntarle a la muchacha, la cocinera, quién era ese muchacho. Entonces me dijo, no te puedo decir porque las monjas me regañan si se dan cuenta. Entonces allí yo empecé a sospechar, pues. Había que ver quién era, pues. Inmediatamente pensé que tenía que conocer a las gentes donde estaba por todo el riesgo, todo el peligro que yo llevaba. Entonces ya me conquisté a la muchacha y le pregunté, ¿quién es? Y me dijo, es nicaragüense. Ese muchacho viene de Nicaragua y no tiene papá y es pobre, pues. Eso es lo que dice ella. Entonces yo empecé a sospechar muchas cosas. Yo me dije, voy a preguntar, aunque sea indiscreta. Empecé a acercarme a una de las monjas, preguntándole, y, bueno, ¿quién es este muchacho? La monja que me empezó a tomar confianza, me dijo que era un muchacho que trabajaba con Somoza y que era pobre, que no tenía quien velara por él y que ellas estaban haciendo la caridad de sostenerlo y todo. Aunque ganaba con el Gobierno, pero pobre, pues. Y aunque el Gobierno quería darle una casa, pero pobre él si se iba a ir a vivir solo. No sería posible. Entonces por eso lo tenían en casa. Con esto me bastó para pensar quién era. Después averigüé muy bien que ese muchacho trabajaba en la Judicial. En la policía secreta de Guatemala, que es lo más criminal; que secuestra y tortura. Y yo estaba viviendo con un enemigo. Yo ya no quería vivir una noche más, ya no quería estar más tiempo en aquel lugar, porque sabía que me iban a descubrir. Pero ya el hecho de que empiecen a tener sospechas de mí, me digan que no puedo hablar con las alumnas, era señal de que estaban pensando algo. Yo tenía grandes penas, preocupaciones. Por las noches no me dormía pensando en lo que iba a hacer. Claro, otras personas estaban trabajando para que yo pudiera salir del país o para que pudiera estar en otro lado. Mucha gente me quería mucho. Pero faltaba mucho todavía. Llegaba la persona y yo le decía, no quiero estar un momento más aquí. Y pensaban que yo estaba desesperada. Entonces mi corazón guardaba todo esto porque también me daba pena de que toda esa gente, por no hacer bien las cosas, quizá caía en otro error. Y si me encontraban, me iban a matar.

XXXIII

EL EXILIO

> *"Nosotros somos los vengadores de la muerte. Nuestra estirpe no se extinguirá mientras haya luz en el lucero de la mañana."*
>
> Popol Vuh

Así es cuando llega el momento en que yo salí de allí, feliz, pero, al mismo tiempo, me pasaba algo que nunca soñé. Me sacaron los compañeros por avión hacia México. Me sentía la mujer más destrozada, más deshecha porque, yo nunca imaginé que me tocara que un día tenía que abandonar mi patria por culpa de todos esos criminales. Pero también tenía la esperanza de regresar muy pronto. Regresar a seguir trabajando porque yo no quería suspender ni un solo momento mi trabajo porque yo sé que sólo puedo levantar la bandera de mis padres si también me entrego a la misma lucha que ellos no acabaron, que ellos dejaron a medias.

Estuve en diferentes lugares de México y allí sí que no sabía qué hacer. Nosotros los pobres nunca soñamos un viaje al extranjero, nunca soñamos con un paseo siquiera. Porque eso no lo tenemos. Entonces salí, conocí otros lugares, otras personas. Estuve con muchas personas que sí me quieren mucho y he recibido de ellos el mismo cariño que de mis seres queridos. Me recuerdo que me pedían testimonios sobre la situación en Guatemala y en ese tiempo yo estaba bastante herida. Me invitaron a participar a una conferencia de muchos religiosos de América Latina, de América Central y Europeos, donde me pedían una explicación sobre la vida de la mujer y yo con justa razón y con tanto gusto, hablé de mi madre en esa reunión. Tenía que soportar muchas veces el gran dolor que yo sentía al hablar de ella; pero lo hacía con tanto cariño, pensando que no era mi madre la única mujer que ha sufrido, sino que hay muchas madres que son valientes como ella. Luego me avisaron que iba a tener visitantes y que iba a estar junto con compañeros que iban a salir de Guatemala. Yo estaba feliz. No importaba quiénes fueran los compañeros y las compañeras, porque yo tenía un gran amor hacia todo el pueblo y los siento igual que mis hermanos, cualquiera de ellos que sea. Poco tiempo después me dieron la sorpresa de mis hermanitas y que así es cómo yo me sentí feliz. Y no importando, pues, que nosotros, no sólo yo, sino que todos mis hermanos, no conocimos la tumba de mi hermanito, de mis hermanitos muertos en la finca. No conocimos la tumba de mi hermanito torturado, ni de mi madre, ni de mi padre. Mis hermanos, a partir de la muerte de mis padres, no sé nada de ellos, tengo grandes esperanzas que estén vivos. Es que cuando nos separamos, mi hermanita pequeña andaba con mi madre, era como una colaboradora. La otra se había ido a la montaña, con los compañeros guerrilleros. Pero salieron las dos fuera del país simplemente porque mi hermanita, la que estaba en la montaña, pensó que tenía que ayudar a la otra, acompañarla, para que ella no hiciera cualquier cosa fuera de lo normal. Mi hermana optó por las armas. Ocho años tenía mi hermanita cuando se fue de guerrillera. Ella pensaba como una mujer adulta, ella se sentía mujer, especialmente para defender a su pueblo. Así es cómo mi hermanita se fue a la montaña. Quizá porque ella había conocido primero a los guerrilleros que yo, porque yo empecé a salir de la comunidad e ir a otras comunidades, empecé a alejarme de la montaña, empecé a subir a otros pueblos más poblados donde ya no hay montañas como las maravillas que nosotros tenemos en casa. No era tanto que los guerrilleros venían a la aldea, sino que mi hermana bajaba a la finca de los Brol, al corte de café y llegó un momento en que la mayor parte de los mozos de los Brol eran guerrilleros, a causa de la situación. Y mi hermana tuvo contacto con la guerrilla. Y mi hermana sabía guardar todos los secretos. Nunca contaba a mis padres que ella tenía contacto directo porque pensaba inmediatamente que podía causar la muerte de mis padres y arriesgaba todo. Pensaba en la vida de sus padres y pensaba también en la vida de ella, entonces ella guardaba todo eso secreto. Cuando nosotros supimos que mi hermana desapareció, inmediatamente se investigó y se buscó y mucha gente decía, ah, es que ella tenía relación con la guerrilla, entonces de plano que se fue a la montaña. No estábamos seguros y nosotros habíamos pensado que quizás ella se perdió, que la habían secuestrado o lo que sea. Porque las amenazas que recibíamos era que si no caía mi padre, caía uno de nosotros. Lo supe en el setenta y nueve, cuando una vez mi hermana bajó de la montaña y nos encontramos. Me dijo: "Estoy contenta y no tengan pena, aunque yo tenga que sufrir hambre, dolor, caminatas largas en la montaña, lo estoy haciendo con tanto amor, y lo estoy haciendo por ustedes." Fue en una celebración de misa en una población donde a ella le dieron permiso a escuchar la misa, a hacer su comunión y todo eso. Entonces, bajó a la población y de mera casualidad que estábamos en misa.

En México me encontré con unas personas que nos habían ayudado desde Europa; antes, cuando estaban mis padres. Nos encontraron las mismas personas. Nos ofrecieron ayuda para que nosotros viniéramos a vivir en Europa. Ellos decían que no era posible que un ser humano pudiera aguantar tanto. Y los señores de buen corazón, nos decían que, vámonos allá. Allá les vamos a dar una casa, les vamos a dar todo lo que quieran. Incluso habrá oportunidad para que tus hermanitas estudien. Yo no podía decidir por mis hermanitas, ya que consideraba que eran mujeres capaces de opinar y de pensar por su vida solas. Entonces, hablaron con mis hermanitas e inmediatamente ellas rechazaron la proposición que nos hacían. Que si querían ayudarnos, que nos mandaran la ayuda, pero no para nosotros, para todos los huérfanos que se han quedado. Entonces los señores no entendían por qué a pesar de todo lo que nos ha pasado, queremos vivir todavía en Guatemala. A pesar de todos los riesgos que tenemos. Claro, no lo entendían porque sólo nosotros que llevábamos nuestra causa en el corazón estamos dispuestos a correr todos los riesgos. Después que le pasó un poco la rabia al ejército de buscarnos como locos, regresamos a Guatemala con la ayuda de otros compañeros. Regresamos a Guatemala y así fue cómo mis hermanitas optaron cada una por una organización. Mi hermanita, la última, decía, yo soy una compañera. Porque nos dijeron los compañeros que nosotros escogiéramos lo que más nos convenía y donde fuera más favorable para nosotros aportar más. Entonces, yo amo al CUC y lo amo porque así es cómo he descubierto que teníamos que desarrollar lo que es la guerra popular revolucionaria, pelear contra nuestros enemigos y, al mismo tiempo, que como pueblo tenemos que pelear por un cambio. Yo estaba clara en eso. Ya entonces yo dije, yo amo al trabajo de masas aunque corra todos los riesgos que tenga que correr. Mi hermanita decía: "Hermana, desde ahora somos compañeras, yo soy una compañera como tú y tú eres una compañera como yo." Y yo tenía tantas penas porque mi hermanita creció en la montaña, creció en mi aldea, era una aldea muy montañosa, ella ama las montañas, lo verde, toda la naturaleza. Entonces yo pensé que ella quizás optaría por una tarea más dura todavía que la mía. Y es cierto, pues. Ella dijo: "Sólo puedo hacerle honor a la bandera de mi madre, cuando yo también tome las armas. Es lo único que me queda", dijo mi hermanita, y lo tomó con tanta claridad, con tanta responsabilidad. Dijo, "Yo soy una mujer adulta." Entonces, ellas tuvieron que buscar sus medios como llegar a sus organizaciones porque estábamos desconectadas de todo. Así es cómo mis hermanas se fueron a la montaña y yo me quedé en la organización de masas. Pensé mucho si regresaba al CUC, pero me di cuenta que en el CUC habían suficientes dirigentes, suficientes miembros campesinos y, al mismo tiempo, muchas mujeres que asumen tareas en la organización. Entonces yo opté por mi reflexión cristiana, por los Cristianos Revolucionarios, "Vicente Menchú". No es porque sea el nombre de mi padre, sino porque es la tarea que me corresponde como cristiana, trabajar con las masas. Mi tarea era la formación cristiana de los compañeros cristianos que a partir de su fe están en la organización. Es un poco lo que yo narraba anteriormente, que yo fui catequista. Entonces, mi trabajo es igual que ser catequista, sólo que soy una catequista que sabe caminar sobre la tierra y no una catequista que piensa en el reino de Dios sólo para después de la muerte. Y así es cómo yo, con toda mi experiencia, con todo lo que he visto, con tantos dolores y sufrimientos que he padecido, aprendí a saber cuál es el papel de un cristiano en la lucha y cuál es el papel de un cristiano en la tierra. Llegábamos a grandes conclusiones con los compañeros. Reflexionando la Biblia. Hemos encontrado que la Biblia se ha utilizado como un medio para acomodarse y no para llevar la luz al pueblo pobre. El trabajo de los cristianos revolucionarios, es más que todo, la condena, la denuncia de las injusticias que se cometen con el pueblo. El movimiento no es clandestino. Es secreto porque somos masas y no podemos escondernos completamente. Nosotros, por las condiciones que tenemos, decimos clandestinos a los compañeros que no viven en la población, que viven en la montaña. Decimos secreto a todo trabajo que se hace escondidamente pero, viviendo en la población. Entonces, también denunciamos la postura de la iglesia como jerarquía, que muchas veces se toman la mano con el régimen. Eso es precisamente lo que yo reflexionaba mucho, pues, porque se llaman cristianos pero muchas veces son sordos y mudos ante el sufrimiento del mismo pueblo. Y eso es precisamente a lo que yo me refería anteriormente al pedir que los cristianos cumplan verdaderamente con la práctica de lo que es ser cristiano. Muchos se llaman cristianos pero ni merecen llamarse cristianos. Tienen toda la tranquilidad y una casa bonita y eso es todo. Por eso puedo decir que la iglesia en Guatemala está dividida en dos. En la iglesia de los pobres y muchos han optado por la iglesia de los pobres y tienen la misma convicción que el pueblo. Y la iglesia como jerarquía y como institución que sigue siendo como una camarilla. La mayor parte de nuestro pueblo es cristiano. Pero, sin embargo, si sus mismos pastores, como se llaman, son los que enseñan los malos ejemplos, se toman de la mano con el régimen, tampoco vamos a soportarlos. A mí me da mucho que pensar eso. Por ejemplo, las monjas, su vida cómoda, me daba pena, porque eran mujeres desperdiciadas, que no hacen nada por los otros. Entonces mi participación es más a nivel de dirigencia. Precisamente porque el enemigo me conoce. Así es que mi tarea es más que todo de transportar papeles al interior, o adentro de la ciudad y organizar a la gente al mismo tiempo practicando con ellos la luz del evangelio. Yo no soy dueña de mi vida, he decidido ofrecerla a una causa. Me pueden matar en cualquier momento pero que sea en una tarea donde yo sé que mi sangre no será algo vano sino que será un ejemplo más para los compañeros. El mundo en que vivo es tan criminal, tan sanguinario, que de un momento al otro me la quita. Por eso, como única alternativa, lo que me queda es la lucha, la violencia justa, así lo he aprendido en la Biblia. Eso traté de hacerle comprender a una compañera marxista que me decía que cómo quería hacer la revolución siendo cristiana. Yo le dije que toda la verdad no estaba en la Biblia, pero que tampoco en el marximo estaba toda la verdad. Que ella debía aceptar eso así. Porque tenemos que defendernos en contra de un enemigo, pero al mismo tiempo, defender nuestra fe como cristianos, en el proceso revolucionario y, al mismo tiempo estamos pensando que después del triunfo nos tocarán grandes tareas como cristianos en el cambio. Yo sé que mi fe cristiana nadie me la va a quitar. Ni el régimen, ni el miedo, ni las armas. Y eso es lo que tengo que enseñar también a mi gente. Que juntos podemos hacer la Iglesia popular, lo que verdaderamente es una iglesia, no como jerarquía, no como edificio, sino que sea un cambio para nosotras las personas. Lo opté, también, como contribución a la guerra popular del pueblo. Que el pueblo, como mayoría, seamos los que hagamos el cambio. Y yo sé y tengo confianza que el pueblo es el único capaz, las masas son las únicas capaces de transformar la sociedad. Y no es una teoría nada más. Opté por quedarme en la ciudad o en la población, porque, como decía, hubiera tenido oportunidad de portar el arma, pero en cambio, aportamos en diferentes formas y todo va hacia un mismo objetivo. Ésa es mi causa. Como decía anteriormente, mi causa, no ha nacido de algo bueno, ha nacido de algo malo, de algo amargo. Precisamente mi causa se radicaliza con la miseria que vive mi pueblo. Se radicaliza por la desnutrición que he visto y que he sufrido como indígena. La explotación, la discriminación que he sentido en carne propia. La opresión, no nos dejan celebrar nuestras ceremonias, y no nos respeten en la vida tal como somos. Al mismo tiempo, han matado a mis seres más queridos y yo tomo también entre los seres más queridos, a los vecinos que tenía en mi pueblo, y así es que mi opción por la lucha no tiene límites, ni espacio. Por eso es que yo he pasado por muchos lugares donde he tenido oportunidad de contar algo sobre mi pueblo. Pero yo necesito mucho tiempo para contar sobre mi pueblo porque no se entiende así. Claro, aquí, en toda mi narración yo creo que doy una imagen de eso. Pero, sin embargo, todavía sigo ocultando mi identidad como indígena. Sigo ocultando lo que yo considero que nadie sabe, ni siquiera un antropólogo, ni un intelectual, por más que tenga muchos libros, no saben distinguir todos nuestros secretos.

París, 1982

BIBLIOGRAFÍA

Asturias, Miguel Ángel, Hombres de Maíz, Alianza Editorial, Madrid, 1981.

El libro de los Libros de Chilam Balam, Fondo de Cultura Económica, México, 1979.

Popol Vuh: Antiguas leyendas del Quiché. Versión y Prólogo de Ermilo Abreu Gómez, Oasis, México, 1977.

ANEXO

*COMITÉ DE UNIDAD CAMPESINA (CUC)**

BOLETÍN DE PRENSA

EL COMITÉ DE UNIDAD CAMPESINA (CUC) a todos los trabajadores del campo y de la ciudad, a todas las organizaciones obreras y campesinas y de otros sectores que sufren la explotación y la represión, y a todos los medios de comunicación solidarios con la lucha de los trabajadores.

Manifestamos:

1. Que durante los días 19, 20, 21 y 22 de abril de 1979 hemos realizado la III Reunión de la Asamblea Nacional del CUC. La máxima dili-

*En marzo de 1978 se consumó la ruptura de la CNT guatemalteca con la Central Latinoamericana de Trabajadores (CLAT), por oposición de su orientación "reformista" y "tercerista" y a su línea de trabajo marcadamente contraria a las corrientes socialistas. Muchas de las Ligas Campesinas de la CNT se hallaban, a su vez, integradas en la Federación Campesina de Guatemala (FCG), cuyos dirigentes siguieron estando directamente influenciados por la CLAT. Esto originó un inevitable desconcierto entre las distintas Ligas campesinas. En esta coyuntura surgió, a mediados de abril de 1978, el Comité de Unidad Campesina (CUC), con el propósito de agrupar a todas las organizaciones campesinas e impulsar la lucha conjunta obrero-campesina.

El CUC se autodefine no como una federación o una nueva central, sino como "un Comité que lo único que exige de sus miembros es entregarse con honradez, decisión, sacrificio y constancia a las tareas colectivas, a la lucha por los intereses de los trabajadores del campo y también estar dispuestos a pelear por los intereses de otros explotados de Guatemala".

gencia nacional de nuestro Comité, representativa de las distintas zonas donde nos encontramos organizados, que venimos de nuestras Asambleas de Trabajadores, Ligas, Sindicatos, Grupos y Comunidades, nos hemos reunido con tres fines: hacer un balance de nuestro avance al cabo de nuestro primer año de lucha organizada, combativa y solidaria; analizar la situación del pueblo y los trabajadores del campo guatemalteco, estructurando así nuestras principales bases y puntos de lucha que vamos a impulsar: y, finalmente, organizar nuestra participación en la celebración del Primero de Mayo.

2. Que de nuestro análisis y acuerdos queremos dejar constancia inmediata en los medios de comunicación porque es una ligación de todas las organizaciones de trabajadores dar a conocer al pueblo su pensamiento, y así, que todas las luchas del pueblo se orienten mejor.

3. Que la asamblea Nacional del CUC reunida en su III Sesión ha llegado a varias conclusiones que se resumen a continuación:

PRIMERO.- La situación de explotación de nuestro pueblo se ha hecho cada vez más dura. Los grandes ricachones extranjeros y sus cómplices, los ricachones de Guatemala, se hacen cada día más grandes por el trabajo de los obreros y de los trabajadores del campo, que vivimos en la miseria para que ellos amasen millones con nuestra sangre y la de nuestras familias.

Panzós es un ejemplo del robo de tierra y de la represión a que nos someten los ricachones y su gobierno, utilizando el ejército y todos sus cuerpos represivos.

A los trabajadores del campo nos asesinan poco a poco los que nos desalojan de las tierras que hemos trabajado durante años, los que nos pagan salarios de hambre o nos dejan sin trabajo en las fincas de la costa, los que nos despiden injustamente como en Santa Rita, los que nos arrebatan los terrenos que arrendábamos hasta hace poco para sembrar nuestra milpa. Nos asesinan con el endeudamiento con BANDESA, los engaños del INTA y del INDE, la política injusta de INAFOR que regala nuestros bosques a los poderosos, pero no nos deja recoger leña. Nos asesinan cuando nos transportan en camiones a las fincas de la costa, cuando nos envenenan con la fumigación nuestras cosechas y las vidas de nuestras mujeres e hijos. Así nos matan poco a poco en nuestra vida diaria.

Y con el dinero que les producimos a los ricachones, ellos nos siguen explotando y pagan la represión que nos hacen. Miles de valientes campesinos indígenas y ladinos somos perseguidos, torturados, asesinados por denunciar los abusos que cometen contra nosotros y hacer una lucha decidida por nuestro derecho: así ha sucedido en Panzós, Cotzal, Ixcán, Olopa, en muchos pueblos de la Costa sur y en todos los rincones del país. En la capital los sindicalistas son perseguidos, asesinados, obligados a salir de su patria. No se respeta ni siquiera la vida inocente de los niños.

En balas y represión se han convertido las promesas de pan de Lucas y las mentiras del pacto social.

Los indígenas, que somos la mayoría de la población, sufrimos, además, la discriminación, que viene a añadir a la explotación y represión, humillación y más sufrimiento. Nos humillan y discriminan, nos roban nuestra riqueza, no respetan nuestras costumbres y derechos. Pero, eso sí, comercian y presumen con nuestros valores culturales ante los extranjeros.

SEGUNDO.- El Comité de Unidad Campesina (CUC), organización de jóvenes, niños, personas mayores, hombres, mujeres, indígenas y ladinos es una esperanza que recoge la decisión, voluntad y los mejores intereses de todos los trabajadores del campo, que desde hace muchos años, hemos buscado la manera de organizarnos para poder luchar por nuestros derechos.

El CUC debe ser *cabeza clara* para analizar bien la situación del trabajador del campo y sus amigos que se unen a la lucha, y para conocer a sus enemigos para combatirlos.

El CUC debe ser *corazón solidario* pues nació para unir a todos los trabajadores del campo y quiere unirse con todas las organizaciones que hacen la misma lucha y buscan las mismas cosas. El CUC es un paso en la alianza obrero-campesina, alianza que debe ser el motor y el corazón de la lucha de todo el pueblo guatemalteco por su liberación.

El CUC debe ser *puño combativo,* pues hemos aprendido que los trabajadores explotados conquistan sus derechos con la fuerza de las acciones que haga su organización, y no humillándose ante las promesas, leyes y engaños de quienes nos explotan.

TERCERO.- Por este compromiso y ante las necesidades de todos los trabajadores del campo, el CUC quiere luchar por nuestros derechos así:

a) Por nuestro *derecho a la vida:* enfrentándonos valientemente a quienes nos reprimen para defender nuestra organización, nuestras familias, nuestras comunidades y nuestro pueblo.

b) Por nuestro *derecho a la tierra:* luchando organizadamente y con combatividad contra todo intento de desalojo, denunciando las trampas y robos legales de tierra, contra las mañas del INTA y los ricachones que quieren robarnos nuestras tierras. Luchando para que los terratenientes nos den tierras para sembrar nuestra milpa en condiciones favorables a los campesinos que las necesitamos. Luchando contra los prestamistas y contra BANDESA que nos ahorcan con los intereses. Luchando por la defensa de nuestros bosques y por el derecho a tener nuestra leña en contra de INAFOR.

c) Por nuestro *derecho al trabajo y a los salarios justos:* contra los despidos injustos, por el trabajo durante todo el año, contra el robo en los salarios y en las pesadas y medidas de las tareas. Luchar por el pago doble en días feriados y horas extras y por el pago del séptimo día y las demás prestaciones que nos roban a los trabajadores del campo.

d) Por nuestro *derecho a precios justos:* exigiendo que nos paguen bien el producto de nuestro trabajo y para que abonos, insecticidas, herramientas y tantas cosas que compramos a las grandes fábricas y comercios de los ricachones tengan precio justo.

e) Por nuestro *derecho a condiciones de trabajo justas:* por un horario de 8 horas, por transporte bueno y seguro, por vivienda, alimentación y atención médica adecuadas; contra el envenenamiento que nos producen las fumigaciones.

f) Por nuestro *derecho a la organización:* para poder organizarse, unirnos, manifestarnos y actuar libremente donde y cuando nosotros lo decidamos para defender nuestros derechos y nuestros intereses, sin tener que humillarnos ante las leyes de los ricachones y ante los permisos de sus autoridades que sólo sirven para impedir que los trabajadores se unan y se organicen.

g) Luchar por nuestro *derecho a la cultura* en contra de toda forma de discriminación y por la igualdad de todos los grupos indígenas y ladinos existentes en Guatemala, y el derecho a que se respeten las lenguas y las costumbres indígenas. Luchar por el derecho a recibir la educación necesaria y útil para trabajar y vivir plenamente.

Y, en todas nuestras reivindicaciones, luchar para que se respete la igualdad de la mujer y de los niños en todos sus derechos.

Por todo lo anterior acordamos:

CUARTO:

1. Llevar a cabo este programa de lucha.
2. Fortalecer nuestra organización haciéndola más combativa y uniendo en ella más miles y miles de campesinos de las diferentes regiones de Guatemala, para conseguir que triunfen nuestras justas luchas y que se oiga nuestra voz, y que retrocedan los que nos explotan, discriminan y reprimen.
3. Unir todavía más nuestra fuerza a la de las demás organizaciones para aumentar la solidaridad entre todos los trabajadores organizados y no organizados.
4. Extender nuestra organización a más regiones y a más lugares.
5. Volver a afirmar nuestra participación activa en el Comité Nacional de Unidad Sindical (CNUS), que reúne a las organizaciones más importantes de los trabajadores explotados, y que empieza a luchar por unir a los obreros y campesinos. El CUC trabajará activamente con el CNUS llevando la voz de los trabajadores del campo organizados, para que todas las luchas que haga el CNUS sean consecuentes con los intereses de los explotados.
6. Volver a afirmar nuestra participación activa en el Frente Democrático contra la Represión, porque éste es el instrumento nacional más grande que podemos tener para luchar contra la represión criminal de los ricachones y su gobierno contra todos los sectores populares.
7. Seguir las relaciones internacionales de trabajo y solidaridad que tenemos y buscar la solidaridad con las organizaciones consecuentes de Centroamérica, América Latina y todo el mundo, pues nuestra lucha es solidaria con los explotados del mundo.

QUINTO.- Finalmente, el CUC hace un llamamiento a todos sus miembros, a todas sus bases, simpatizantes y colaboradores para participar activamente en este Primero de Mayo en todas las actividades de lucha que proponga nuestra organización y el CNUS.

CABEZA CLARA, PUÑO COMBATIVO, CORAZÓN
SOLIDARIODE TODOS LOS TRABAJADORES
DEL CAMPO
LAS LUCHAS DEL CUC COSECHARÁN VIDA,

TRABAJO, TIERRA Y LIBERTAD
POR LA CONSTRUCCIÓN FIRME DE NUESTRA ORGANIZACIÓN
PARTICIPEMOS TODOS EN LA MANIFESTACIÓN DEL PRIMERO DE MAYO

En el campo de Guatemala, 22 de abril de 1979

Comité de Unidad Campesina (CUC)
Miembro activo del CNUS y del Frente Democrático Contra la Represión.

EL COMITÉ NACIONAL DE UNIDAD SINDICAL (CNUS), EN ESTE PRIMERO DE MAYO DE 1979, AL PUEBLO DE GUATEMALA*

MANIFIESTA

1. El mundo del capital sigue su desarrollo opresor y explotador

El desarrollo capitalista ha seguido su ritmo de crecimiento en Guatemala, sobre la base de la explotación de la clase obrera, campesina y de los trabajadores en general y de la opresión política de los sectores populares. Pero este desarrollo capitalista tiene características propias, ya que nuestro país es un país dependiente. Podemos señalar que en Guatemala no se da la producción de bienes de capital, ya que la totalidad de la industria es de tipo

*El Comité Nacional de Unidad Sindical (CNUS) se constituyó en abril de 1976, poco después del terremoto, en base a una amplia presentación de organizaciones obreras, campesinas y grupos sindicales diversos, incluidos representantes de la Central Nacional de Trabajadores (CNT), la Federación Autónoma Sindical de Guatemala (FASGUA) y la Federación de Trabajadores de Guatemala (FTG). Desde su resurgimiento, el CNUS ha estado presente en la mayoría de las luchas importantes de los trabajadores y, por eso, ha sido también blanco permanente de las fuerzas represivas.

En repetidas ocasiones ha reafirmado su independencia de los partidos políticos y del movimiento guerrillero. Lucha, desde luego, por un cambio de sistema y por la promoción de medidas reales de transformación social, aunque a juicio de algunos observadores no tiene suficientemente definida la alternativa social que propugna.

manufacturero y de transformación de bienes, lo que hace que el país dependa de las potencias imperialistas porque tienen que consumir todos los bienes de capital necesarios para la producción (máquinas, maquinaria y materias primas como el hierro, etc.). Pero nuestra industria se orienta a cubrir el deficiente mercado existente en la región centroamericana, mediante inversiones de capital monopolista extranjero; y en cuanto a la llamada industria extractiva (extracción de minerales), es un hecho innegable que el capital extranjero tiene garantizadas sus inversiones para apropiarse de nuestros recursos naturales.

GLOSARIO

A

Acción Católica: Asociación creada en 1945 en el altiplano del país por Monseñor Rafael González, con el objeto de controlar las cofradías indígenas.

Altiplano: nombre dado a la región noroccidental de Guatemala, donde se encuentra concentrada la mayor parte de la población indígena.

Antigua: antigua capital de la Capitanía General de Guatemala (1542-1773). Actual capital del departamento de Sacatepéquez.

Arepa: pan venezolano hecho a base de maíz, que se come normalmente caliente.

Atol: bebida hecha de masa de maíz, cocida con agua, sal, azúcar y leche.

Ayote: planta cucurbitácea, cuyo fruto es una variedad de calabaza.

B

Babosear: engañar.

Bajar la montaña: desbrozar.

Boca Costa: denominación de la vertiente hacia el Pacífico de la Sierra Madre Occidental.

Bojón: cogollo comestible de un tipo de palmera.

Bolo: borracho.

Borlequito: pelotita.

C

Caballería: medida agraria que equivale a 64 manzanas; o sea, 45 hectáreas.

Caitíos: diminutivo de *caite*. Sandalia hecha de cuero y suela de caucho.

Camote: batata *edulis*.

Cantina: bar.

Cantinear: enamorar.

Capital, La: la ciudad de Guatemala.

Caporal: Supervisor de una cuadrilla de trabajadores termporarios en las fincas o en los trabajos públicos.

Catequista: líder de base cristiano. Delegado de la palabra.

Caxlano: denominación que los quichés le dan al ladino.

Clavos (hacer): tener problemas.

Coban: Cabecera del departamento de Alta Verapaz. Poblado keckchí.

Cochito: diminutivo de *coche*. Puerco, marrano.

Comal: disco de barro en el que se cuecen las tortillas.

Compas: de compañeros.
Contratista: reclutador de mano de obra temporaria. Habilitador.
Corte: tela de variados colores que, a manera de saya, usan las indígenas.
Costa sur: Costa del Pacífico.
Cotzal: Municipio y cabecera municipal del departamento del Quiché. Poblado ixil.
Cuadrilla: grupo de trabajadores temporarios en una plantación. Grupo de jornaleros.

CH

Chajul: (ocote para alumbrar en quiché). Municipio y cabecera municipal del departamento del Quiché. Población quiché.
Chamarra: frazada, manta.
Champita: diminutivo de *champa.* Cobertizo provisional hecho de hojas de palma o de plátano.
Chance: trabajo, empleo.
Chance: posibilidad o suerte.
Chigolito: bolita.
Chilacayote: cucurbitácea *ficifolia.* Zapallo.
Chile: ají, pimiento.
Chimán: adivino.
Chimel: (en el lugar de los conejos en quiché). Caserío del municipio de Canillá, departamento del Quiché.
Chirimía: instrumento de viento.
Chumpipe: pavo.
Chupar: beber alcohol.

D

Dondequiera: en cualquier momento.

E

Ejote: vaina tierna del fríjol. Judía.
Elote: la mazorca de maíz tierno.
Embolarse: emborracharse.
Estufa: cocina de gas o eléctrica.

F

Fajita: diminutivo de *faja.* Cinta tejida que sostiene el corte.
Finca: plantación de café, algodón, caña de azúcar, etc.
Francés: pan blanco.

G

Galera: galpón.
G2: Sección de Inteligencia de las Fuerzas Armadas.
Guaro: aguardiente.

H

Hueco: Homosexual.
Huehuetenango: Cabecera departamental y departamento de Guatemala. Población mam.
Huevón: Haragán.
Huipil: blusa bordada y tejida que usan los indígenas.

I

INAFOR: Instituto Nacional de Forestación de Guatemala.
INTA: Instituto Nacional de Transformación Agraria de Guatemala.

J

Jalón: viajar a dedo. *Auto-stop.*

Judicial: Policía Secreta. Miembro perteneciente a dicha policía.
Jute: caracol de río.

K

Kaibil: soldado de élite, entrenado en contrainsurgencia. Tigre en lengua lehil.

L

Ladino: Actualmente, aquel guatemalteco que —cualquiera que sea su posición económica— rechaza individualmente o por herencia cultural los valores indígenas de origen Maya. El término ladino también implica mestizaje.

M

Manta: tela.
Manzana: medida agraria equivalente a 16 cuerdas; o sea, 0,7 hectáreas.
Mapache: variedad de tejón.
Marimba: instrumento de persusión compuesto generalmente de 30 teclas hechas de madera de hormigo. Con cajas de resonancia hechas de calabazas o madera. Se percusionan por medio de *baquetas,* palillos terminados en unas bolas hechas de caucho (hule) crudo.
Mazorca: espiga del maíz.
Mecapal: faja ancha de cuero crudo que se utiliza para llevar carga a cuestas, soportando el peso con la cabeza.
Milpa: terreno cultivado de maíz.
Monte: maleza.
Morral: saco para uso personal tejido en lana.
Mozo: trabajador de la finca.
Mudo: tonto.

N

Nahual: designa el doble, el *alter ego* animal o de otra naturaleza que, según la tradición indígena, posee todo ser humano. Está en correspondencia con la personalidad de las personas. La atribución del nahual conlleva el reconocimiento del recién nacido como parte integrante de la comunidad.
Nebaj: Municipio y cabecera municipal del departamento del Quiché. Poblado ixil.
Nixtamal: la olla en que se cuece el maíz con cal para suavizarlo del cual sale la masa para hacer tortillas.

O

Ocote: pino rojo muy resinoso. Se llama también *ocote* a la raja o astilla de esta clase de pino y que sirve como tea.
Octavo: botella de un octavo de litro en que se vende el aguardiente producido por el Estado.
Olote: corazón de la mazorca de maíz después de desgranada.
Oreja: policía secreto. Espía.
Oriente: la parte más oriental de Guatemala; o sea, los departamentos de Zacapa, Chiquimula, Jalapa, Jutiapa y Santa Rosa, poblados mayoritariamente por ladinos.

P

Pago: salario.
Palo: árbol.
Panela: azúcar sin refinar, negra. Rapadura.
Perrajito: diminutivo de *perraje.* Manto colorido hecho de algodón.

Petate: estera tejida con la planta llamada *tule*.

Petatillo: diminutivo de *petate*.

Piedra de moler: piedra cuadrilonga y cóncava donde se muele a mano el maíz para las tortillas. Metate.

Pila: batería eléctrica.

Pinol: harina de maíz tostado con la que se hacen bebidas refrescantes al mezclarla con agua, azúcar y cacao.

Pita: fibra que se extrae del magüey y con la que se hacen lazos.

Platicar: conversar.

Plaza: mercado temporal.

Pobladores: habitantes de las áreas marginales de las ciudades.

Prestigiada: con prestigio. Prestigiadora.

Q

Quetzal: moneda de Guatemala dividida en cien unidades (centavos).

R

Rajar: cortar leña.

Refri: de refrigerador.

Requete: expresión que se usa como aumentativo de un adjetivo.

Rollo: discurso.

Regalar: servir algo.

S

Sacapulas: (zacate desmenuzado en nahuatl). Municipio y cabecera municipal del departamento del Quiché. Poblado quiché.

Santa Rosa Chucuyub: (Santa Rosa ante el cerro, hibridismo hispanoquiché). Aldea del municipio de Santa Cruz del Quiché, Quiché.

Shuco (a): Sucio (a).

Sijolaj: pito hecho de barro.

Sobainita: ollita.

T

Taltuza: animal roedor centroamericano. Especie de tejón.

Talla del maíz: maíz desgranado.

Tamal: torta de masa de maíz cubierta con hojas de maíz o de plátano y luego cocido. Puede estar rellena de verduras y carne.

Tapanco: tablado que se construye sobre las vigas de una habitación para almacenar los cereales. Desván.

Tapizcar: cosechar el fruto de una siembra, especialmente el maíz, el fríjol y el algodón.

Tecún Umán: En quiché *Tecúm Umam* (Nieto del Rey). Uno de los cuatro señores de la casa real Cawek, que llegó a ser capitán general de las fuerzas quichés. Murió en febrero de 1524 combatiendo contra las tropas de Pedro de Alvarado en los llanos de Quetzaltenango. Tenía como nahual al quetzal, que, según la leyenda, salió volando al momento de ser muerto en combate.

Temascal: baño de vapor en base a piedras recalentadas.

Trastos: platos, utensilios de cocina.

Tún: tambor hecho con un tronco vaciado.

U

Uspantán: (Buen cargo en quiché). Municipio y cabecera municipal del departamento del Quiché.

V

Vara: medida agraria equivalente a 83,5 centímetros.
Vejiga: globo de plástico.

X

Xilote: véase *olote.*

Y

Yuca: mandioca.

Z

Zahorí: a la vez sacerdote y curandero; puede transformarse en brujo.
Zopilote: aura tiñosa. Animal parásito que come lo podrido.